Les Chemins d'Ève

DU MÊME AUTEUR

Un homme comme tant d'autres,
Tome 1 : *Charles*, Libre Expression, 1992 ; collection Zénith, Libre Expression, 2002.
Tome 2 : *Monsieur Manseau*, Libre Expression, 1993 ; collection Zénith, Libre Expression, 2002.
Tome 3 : *Charles Manseau*, Libre Expression, 1994 ; collection Zénith, Libre Expression, 2002.
La quête de Kurweena, Libre Expression, 1997.
Héritiers de l'éternité, Libre Expression, 1998.
Les Funambules d'un temps nouveau, Libre Expression, 2001. Grand Prix du livre de la Montérégie 2002, catégorie roman – Prix Alire. Réédition, *Les Chemins d'Ève*, tome 1, Libre Expression, 2002.

LITTÉRATURE JEUNESSE :

Émilie, la baignoire à pattes, Héritage, 1976.
Le chat de l'oratoire, Fides, 1978.
La révolte de la courtepointe, Fides, 1979.
La maison tête de pioche, Héritage, 1979.
La dépression de l'ordinateur, Fides, 1981.
Une boîte magique très embêtante, Leméac, 1981.
La grande question de Tomatelle, Leméac, 1982.
Comment on fait un livre ?, Méridien, 1983.
Bach et Bottine (roman et scénario), Québec Amérique, 1986.
Le petit violon muet, Le Groupe de divertissement Madacy, 1997.
Émilie, la baignoire à pattes, Québec Amérique, 2002.

BERNADETTE RENAUD

Les Chemins d'Ève

Tome 1

Libre Expression

Données de catalogage avant publication (Canada)

Renaud, Bernadette

Les Chemins d'Ève, tome 1

ISBN 2-7648-0031-2 (v. 1)
ISBN 2-89111-981-9 (v. 2)

I. Titre.

PS8585.E63F85 2002   C843'.54   C2002-941588-8
PS9585.E63F85 2002
PQ3919.2.R46F85 2002

Maquette de la couverture
FRANCE LAFOND
Infographie et mise en pages
SYLVAIN BOUCHER

Libre Expression remercie le gouvernement canadien
(Programme d'aide au développement de l'industrie de l'édition),
le Conseil des Arts du Canada et la Société de développement
des entreprises culturelles du soutien accordé à
ses activités d'édition dans le cadre de leurs programmes
de subventions globales aux éditeurs.

Éditions Libre Expression
7, chemin Bates
Outremont (Québec) H2V 4V7

Dépôt légal :
4ᵉ trimestre 2002

ISBN 2-7648-0031-2

À Édith

1

Marie-Andrée se sentait libre et heureuse.

Elle se préparait, comme sa famille, pour la grand-messe de Pâques et pour le dîner familial qui les réunirait tous, ce qui se produisait en général au moins une fois par saison. Sortant de la chambre des filles, elle passa devant le salon en admirant, à sa droite, les rayons du soleil rentrant à flots par la porte double. La lumière était filtrée par les rideaux de dentelle blanc cassé et reproduisait les motifs sur les vieux fauteuils de velours synthétique autre-fois d'un bleu sombre et qui avaient dû être élégants, effleurant au passage le meuble massif et moderne de la télévision coiffée de son antenne à deux tiges obliques surnommée *oreilles de lapin*.

La vieille maison victorienne, chargée de son passé, opulente sous ses lourdes boiseries de chêne et ses pla-fonds ouvragés, contrastait avec l'adolescente sans artifices qui avait toute la vie devant elle et qui se sentait si comblée par tous les possibles qui n'attendaient que son bon désir pour se réaliser, qu'elle ne savait trop quoi souhaiter ou demander en particulier.

Ce dimanche de fin mars 1964 était encore frisquet même s'il s'annonçait beau. Dans la petite ville ensoleillée se faufilait nonchalamment une rivière étroite et sinueuse que surplombaient trois ponts d'inégales importances. De chaque côté du cours d'eau, des rues quadrillaient sagement les espaces plats tandis que d'autres grimpaient ici et là des coteaux de façon anarchique, contournant des escarpements rocheux.

Valbois semblait résister au temps, pareille à elle-même depuis des décennies, protégée, qui sait, par les montagnes qui l'entouraient : Bromont à l'ouest, Shefford vers le nord et Orford, beaucoup plus vers l'est. Au creux de cette petite vallée, Valbois somnolait peut-être, tel un joyau dans un écrin, tandis que l'une de ses voisines, Granby, une ville plane insérée entre deux montagnes, était plus jeune et cependant plus peuplée.

Née à Valbois quinze ans auparavant, comme son jumeau Luc, Marie-Andrée Duranceau aimait ce paysage de montagnes. Elle appréciait aussi la vue plongeante que la maison familiale, située sur l'une des côtes, offrait sur le cœur de la ville et l'un des coudes de la rivière, à travers les arbres qui bordaient toutes les rues. Entourée de montagnes millénaires à l'horizon et bénéficiant du confort d'une ville centenaire, l'adolescente aimait la sécurité de ce cocon douillet, du moins, la plupart du temps. Parfois elle avait, au contraire, l'impression d'y être enfermée et de manquer d'air, et de grands sursauts de liberté lui faisaient alors souhaiter vivre ailleurs.

Ce matin-là, le soleil éclaboussait généreusement la vieille maison familiale. Sur toute la longueur de la devanture, une galerie couverte, blanche et aux poteaux chantournés, tranchait sur les murs de briques rouges. À l'étage, trois pignons pointus, sur trois versants, se dressaient fièrement, semblant s'étirer pour tenter, en vain, d'entrevoir les montagnes environnantes et même Sutton, beaucoup plus loin. Le logis du haut était loué à une enseignante depuis une vingtaine d'années. Ce petit logement aux plafonds en pente contrastait avec celui du rez-de-chaussée qui s'enorgueillissait de murs de près de quatre mètres de hauteur. Quant à elles, les fenêtres à guillotine témoignaient de l'architecture du siècle dernier; et la peinture blanche jaunissante, qui s'écaillait par endroits, trahissait l'absence régulière du propriétaire des lieux.

L'entrée principale, au milieu de la façade qui longeait la rue, était composée de deux portes ouvragées à demi vitrées. De chaque côté, deux baies, composées chacune de trois fenêtres en arc brisé, s'avançaient sur la galerie, ajoutant beaucoup de cachet à la demeure. Les deux baies vitrées enjolivaient la salle à manger, à droite, et la chambre des parents, à gauche. La double porte d'entrée, quant à elle, s'ouvrait sur le salon, qui communiquait à droite par une porte d'arche sur la salle à manger et, par la porte intérieure lui faisant face, sur un corridor. Celui-ci permettait d'accéder, à gauche, à la chambre parentale et, à droite, à la chambre des filles. Le corridor s'arrêtait aussitôt après les portes des chambres : il avait été fermé pour abriter l'escalier intérieur permettant à la locataire d'accéder à son petit logis directement de l'extérieur.

En face du salon s'ouvrait la chambre dite des garçons, plus petite que les deux autres parce que, quand la maison unifamiliale avait été divisée en logis une cinquantaine d'années auparavant, bien avant son acquisition par les Duranceau, une salle de bains avait dû être installée au rez-de-chaussée. Cette chambre avait donc été amputée du tiers de sa largeur.

La salle de bains était contiguë à la cuisine, qui était complètement ouverte sur la salle à manger. Ce grand espace, cuisine et salle à manger, occupait toute la largeur de la maison du côté droit. Une porte extérieure s'ouvrait au centre du mur latéral : c'était l'entrée habituelle de la famille. Elle était symétrique à une seconde porte latérale, à l'autre extrémité de la maison, qui donnait accès au logement de l'étage.

Marie-Andrée entra dans la salle de bains dont le plafond apparaissait démesurément élevé à cause de l'étroitesse de la pièce. Cette impression était d'ailleurs accentuée par la forme d'une vieille baignoire, longue et profonde, reposant sur quatre sphères de fonte recouvertes de sculptures en forme de griffes. Le lavabo antique, sur pied, était élégant mais peu pratique puisqu'il n'offrait aucun espace de rangement. En somme, la salle de bains, strictement fonctionnelle, ne pouvait être qu'un lieu de transition.

Marie-Andrée se moquait bien de tout cela. La bonne humeur au cœur, l'adolescente se sourit dans le miroir en se peignant à grands coups. Dans son visage ovale, ses traits étaient réguliers, ses yeux, expressifs et sa bouche, moqueuse, comme ceux de son jumeau d'ailleurs. Serait-elle belle ou banale? Il était encore trop tôt pour le savoir. En fait, elle ne s'en souciait pas vraiment, son sentiment farouche de liberté écartant instinctivement toutes normes préétablies, et elle était persuadée que l'important résidait dans ce qu'elle était, individuellement, et non dans une apparence dictée par les changements de la mode. Jeune fille sans prétention, une telle sérénité joyeuse l'habitait qu'elle dégageait beaucoup de charme sans même s'en douter. D'autant plus qu'elle s'intéressait profondément aux gens, avec leurs joies comme leurs souffrances; ils constituaient à ses yeux autant de mondes fascinants et uniques.

Pour l'instant, encore jeune et ayant peu de prise sur sa vie, elle se défoulait avec l'arrangement de ses cheveux. Bruns, mi-longs, elle les coiffait différemment selon son humeur du moment : libres ou ramassés en queue de cheval à la nuque ou sur le dessus de la tête, quand ce n'était pas en chignon, ce qui l'aidait à se vieillir un peu quand cela lui tentait. Et elle songeait parfois à les couper à la garçonne pour s'éviter un entretien assidu qui, certains jours, lui semblait restreindre sa chère liberté. Ce matin-là, il lui vint à l'idée de les relever en les enroulant presque sur le dessus de sa tête. Ils étaient tout juste assez longs pour tenir attachés et cela réussit. Mais, en se regardant dans le miroir, elle se voulut sans contraintes; elle dénoua le chignon qui retomba en une queue de cheval soyeuse qu'elle choisit de laisser très haute. Elle dodelina de la tête et aima le mouvement sensuel de sa chevelure. Oui, elle allait laisser ses cheveux ainsi, libres.

En sortant, elle croisa son père qui regarda attentivement la coiffure de sa fille.

— Tu te peigneras avant d'aller à la grand-messe, lui dit-il d'un ton neutre mais non équivoque.

Elle déchanta mais n'osa le contredire. C'était d'ailleurs toujours ainsi quand Raymond Duranceau revenait des chantiers pour une dizaine de jours. Comment contrarier ouvertement ce père, si souvent absent, et qui travaillait si durement, là-haut, dans les chantiers de la Manicouagan, au nord de Baie-Comeau? Marie-Andrée, déjà résignée à faire plaisir à son père, entendit sa mère ajouter, en se tournant vers elle de la cuisine :

— Comment veux-tu mettre un chapeau avec les cheveux arrangés de même? Tu vas quand même pas aller à la grand-messe de Pâques nu-tête?

L'adolescente soupira sous ce deuxième reproche superflu et retira l'élastique de ses cheveux, ce qui lui en arracha douloureusement quelques-uns, et sa chevelure encadra de nouveau son visage. Plutôt que de regretter sa coiffure, elle préféra se réjouir de ses vêtements neufs. Son ensemble printanier rose enveloppait bien son corps déjà féminin et qui s'allongerait sans doute encore avant qu'elle

13

ne soit devenue une adulte. D'ici là, elle portait des souliers aux talons à mi-hauteur, question de se grandir un peu. C'était dommage que Pâques soit si hâtif et le temps, si frais; son bel ensemble serait camouflé par son manteau. En attendant l'heure de la messe, elle finit de dresser la table dans la salle à manger, qui pouvait facilement accueillir dix ou douze personnes avec les deux panneaux supplémentaires. La tablée serait d'ailleurs de onze convives pour le repas pascal qui réunirait toute la famille.

Son attention fut attirée par sa mère qui mettait la dernière main au jambon. Elle se tenait toujours aussi droite à cinquante-cinq ans qu'à vingt, comme l'attestaient des photos prises à cette époque. Sa fille s'en rappela une qui datait de 1930 environ. Celle qui allait devenir sa mère s'appelait alors Éva Métivier et elle était assise sur le capot d'une auto (une Ford modèle T, à ce que sa mère avait dit), les pieds solidement posés sur le pare-chocs, la tête haute sous son chapeau cloche et le regard fier. Cet instantané avait toujours fasciné Marie-Andrée tant la jeune femme figée sur la pellicule, un tantinet effrontée, concordait mal avec sa mère, un peu plus en chair et aux lueurs fugitives de ressentiment au fond des yeux.

Éva Métivier Duranceau était, cependant, toujours aussi altière que sur la photo d'autrefois, quoique ses cheveux grisonnaient maintenant. Fins comme la soie, ils se coiffaient facilement, mais ils manquaient de corps. La mère se contentait donc d'une coupe facile à coiffer quand, en fait, elle aurait souhaité la chevelure abondante que sa benjamine avait héritée du patrimoine génétique des Duranceau. Marie-Andrée, quant à elle, admirait les mains de sa mère aux doigts longs et effilés des Métivier. «Des mains qui n'étaient pas faites pour travailler!» se disait-elle parfois en voyant sa mère effectuer certains travaux ménagers.

Ce matin, sous son grand tablier blanc, sa mère portait un ensemble bleu marine et une blouse de crêpe de couleur grège qui ne lui donnait pas assez d'éclat, au goût de sa fille. «Elle ne se met pas assez en valeur, regretta-t-elle. Le rose et le bleu pâle lui vont tellement bien!» Mais ses blouses seyantes, sa mère les avait beaucoup portées et elle les trouvait trop défraîchies pour un jour de fête. Selon son habitude, elle avait différé le moment d'effectuer une dépense personnelle au cas où sa famille aurait des besoins plus urgents que les siens. Quoi qu'il en soit, quel que soit le vêtement, Éva Métivier affichait une certaine élégance naturelle.

Ce n'était pas le cas de son mari, dont la tenue vestimentaire et l'apparence générale étaient les derniers de ses soucis d'homme. S'il consentait à des efforts d'habillage pour la grand-messe du dimanche à Valbois, il se sentait toujours emprisonné dans un complet et brimé par une cravate. De stature moyenne, les épaules carrées, il avait des cheveux sel et poivre, bouclés et fournis, qu'il replaçait en y glissant simplement les doigts. Avec une pareille chevelure, il supportait rarement un couvre-chef, contrairement à sa femme qui ne sortait jamais sans son chapeau et ses gants, trois saisons par année. Sa fille sourit en le voyant ressortir de la salle de bains : les coups de peigne n'avaient pas changé grand-chose à sa chevelure. Il regarda l'heure puis sortit une cigarette, et de son pouce court et rugueux fit jaillir la flamme de son briquet encore neuf, qu'il avait reçu aux fêtes précédentes.

Marie-Andrée se rappela que, quelques années plus tôt, il roulait ses cigarettes. Quand il revenait régulièrement à la maison, elle le voyait invariablement répéter son cérémonial. Il déposait sur la table un pot de tabac, un paquet de papier à cigarettes et un petit appareil pour les rouler. Comme dans un rituel, il dévissait le couvercle métallique du pot, l'enlevait, ouvrait le sac intérieur fait de plastique scellé et se penchait pour humer l'odeur de tabac frais. La petite fille s'était toujours demandé s'il reconnaissait vraiment les différentes odeurs du tabac ou s'il le feignait, par habitude. Puis il ouvrait précautionneusement la petite boîte contenant le papier fragile et en insérait un dans la machine. Finalement il tassait le tabac dans la rainure prévue à cet effet, sans le comprimer indûment. Il se redressait ensuite et faisait glisser latéralement le mécanisme d'un mouvement rapide.

La fillette était toujours surprise de voir des cigarettes bien rondes et bien droites sortir de l'appareil, pourtant rudimentaire, qui lui était si souvent apparu presque magique. Et son père répétait les mêmes gestes tant et aussi longtemps qu'il n'avait pas atteint la quantité souhaitée. Lorsqu'il avait terminé, il sortait un étui de la poche gauche de sa chemise, l'ouvrait et y cordait les cigarettes fraîchement roulées. Enfin, il prenait deux boîtes de tabac vides et les remplissait des cigarettes restantes, les entassant à la verticale, puis refermait soigneusement le couvercle. Ce cérémonial simple et routinier avait toujours eu, pour la petite fille, le goût exotique des choses d'homme, peut-être du seul fait que sa mère ne fumait pas, n'avait jamais fumé et ne fumerait jamais. Le monde des hommes lui apparaissait alors condensé dans ces gestes routiniers, imprégnés de l'odeur forte du tabac.

Mais c'était du passé. Maintenant son père achetait ses cigarettes toutes faites dans un emballage d'une dizaine de paquets. La magie enfantine ne jouait plus pour Marie-Andrée, et ce, d'autant plus que sa sœur aînée et sa belle-sœur fumaient aussi. Il ne restait plus à l'adolescente qu'à rire de ces souvenirs d'enfance, c'est-à-dire de quelques années à peine.

Éva toisa son mari et plissa le nez à l'odeur qu'elle abhorrait. La cigarette étant un terrain miné entre eux, elle se rabattit sur un autre élément pour exprimer sa contra-riété et laissa retomber ses bras le long de son corps en un geste d'impuissance.

— Raymond! Tes chaussures sont pas cirées.

Son mari coula un regard sur ses chaussures coupables et, forcé d'admettre qu'effectivement elles étaient très poussiéreuses, il alla posément ouvrir le placard, en sortit la trousse à cirage, étendit un journal sur une chaise, y posa un pied et donna quelques coups de brosse énergiques.

— Fais attention! maugréa sa femme. T'envoies toute la poussière sur ma jupe. Le bleu marine, c'est salissant sans bon sens!

Il changea de pied et termina sa besogne comme s'il n'avait rien entendu. Éva se détourna avec humeur et s'épousseta en rouspétant. Le mari rangea les brosses, replia le journal et alla fumer au salon. Sa femme rouvrit la porte du four et jeta un dernier coup d'œil à son jambon. Marie-Andrée eut une moue contrariée en entendant sa mère claquer violemment la porte du four. Son frère Luc surgit dans la cuisine; encore en robe de chambre malgré la matinée avancée, il passa près de sa jumelle en bâillant et lui glissa à l'oreille :

— Une chance que le cochon est mort sinon il ne s'en sortirait pas vivant.

Marie-Andrée réprima un fou rire malgré un coup d'œil de reproche amusé à son frère. Ce matin-là, leur mère n'avait pas la tête aux plaisanteries, surtout de sa part. Éva lança un regard furieux à son fils, enleva son grand tablier d'un geste sec et le déposa négligemment sur le dossier d'une chaise, contrairement à son habitude. Sa fille soupira. Sa mère aurait pourtant dû se réjouir puisqu'elle aurait toute sa maisonnée à table. Oui, l'adolescente trouvait qu'elle aurait donc dû être pleinement heureuse en ce matin de Pâques.

Éva passa devant le salon sans même tourner la tête vers son mari et se dirigea vers leur chambre pour y prendre son chapeau. Elle pensait tout autrement que sa fille. Elle aurait *pu* être heureuse si… Il y avait un si! «Comme d'habitude», aurait pensé la benjamine. Le *si*, à lui tout seul, semblait ce matin-là effacer tout le reste pour Éva Métivier devenue madame Raymond Duranceau plus de trente ans auparavant. La nature du *si* était plus importante, à ses yeux, que sa joie de femme et de mère de savoir sa famille autour d'elle pour ce repas pascal. Un seul élément pouvait surpasser cette joie : sa responsabilité de mener ses enfants à Dieu. Mais ce matin-là, Luc, à quinze ans, avait annoncé qu'il n'irait pas à la messe. Ni ce jour-là, ni les dimanches suivants. Et dans son envolée il avait révélé — il s'était vanté, jugeait sa mère — que, depuis un an, il allait jouer au billard au lieu d'assister à l'office dominical.

Éva s'assit lourdement sur un bord du lit. Elle se sentait lasse, fatiguée de mener sa maisonnée à bout de bras. Et seule. «Il a toujours été parti; quand c'est pas un chantier c'est un autre.» Pourtant c'était cette absence auréolée d'inconnu qui l'avait attirée, trente ans auparavant. Née et vivant encore sur la ferme paternelle dans la Beauce, la jeune Éva avait été envoûtée par les projets de grands espaces de ce jeune homme aux épaules larges et solides qu'était Raymond Duranceau. Il avait, au fond des yeux, la lueur mystérieuse qui avait dû être celle des coureurs des bois, quelques centaines d'années auparavant, et, comme eux, il rêvait de découvrir des espaces nouveaux et d'autres manières de vivre.

La jeune fille avait été fascinée par ces ailleurs possibles, elle qui ne connaissait que la ferme ancestrale et la manufacture de la petite ville voisine. Avec Raymond Duranceau, une bouffée d'air frais réveillait sa vie, et la promesse d'un avenir différent de celui de ses parents et de ses grands-parents s'était logée en elle. Et elle avait accepté la demande en mariage comme un premier pas vers un destin prometteur. Aujourd'hui, elle s'avouait vaincue. Pourtant Raymond Duranceau n'avait pas changé : ses rêves d'ailleurs et de grands espaces, il les avait réalisés. Mais seul. Les différents chantiers, il y était allé seul, il y avait vécu seul, sans sa femme qui, elle, était restée à la maison pour élever leurs cinq enfants. «J'ai élevé mes enfants toute seule!» se redit-elle avec amertume, une fois de plus. Ses rêves de couple, d'un couple qui aurait partagé le plaisir de vivre ensemble au quotidien, un couple qui aurait eu et éduqué des enfants ensemble, un couple qui aurait vieilli ensemble, tout cela n'avait été que des chimères. Aujourd'hui, elle se sentait vieillissante et abandonnée.

Pourtant, quand elle avait vu sa mère prendre de l'âge, elle avait trouvé si belle cette étape de la vie qui lui conférait une sorte de sagesse. Elle l'avait tant admirée, même si celle-ci avait protesté qu'elle ne méritait pas tant d'éloges, gênée par les compliments. Éva, pour sa part, était sincère et elle s'était réjouie d'avance du jour où ses enfants, à leur tour, admireraient sa sagesse. Mais aujourd'hui, elle ne se retrouvait pas dans ce noble rôle; elle avait seulement l'impression de vieillir par à-coups, sans avoir eu le temps d'être devenue un exemple de quoi que ce soit. «Pourquoi mes enfants m'admireraient-ils? Qu'est-ce que j'ai tant fait? Et puis, je sers à qui? À quoi? J'existe pour qui? Toute ma famille fait comme si je n'existais pas!»

Elle jeta machinalement un coup d'œil à sa montre; l'heure de la grand-messe approchait. Elle soupira lourdement. En cet instant elle se sentait même abandonnée par l'Église. Elle ne savait plus à quoi se raccrocher. Autrefois, quand elle était enfant, tout était simple. L'autorité décidait et elle obéissait. Comme tout le monde. Les enfants obéissaient à leurs parents, les adultes obéissaient aux lois et aux curés, les curés obéissaient aux évêques et au pape. À présent... ce concile Vatican II bousculait tout, changeait tout. «Où on s'en va avec tout ça, mon Dieu? Où on s'en va? C'est rendu que c'est à nous autres de décider ce qui est bien ou mal : c'est bien sûr que les gens vont choisir ce qui fait leur affaire! Même les curés perdent la tête. Quand on pense qu'il y a des messes avec de la musique de salles de danse! Comment ils appellent ça, déjà? À gogo! Des messes à gogo! Heureusement que notre curé n'a pas voulu ça. Des plans pour nous décourager d'aller à la messe.» La décision de Luc, son plus jeune fils, sema insidieusement un doute en elle, un de plus. «Ça l'aurait peut-être gardé à l'église, des messes de même...» Elle ne savait plus que penser; il lui vint même à l'idée de ne pas assister à la messe ce matin-là tant elle se débattait dans la confusion.

À l'autre extrémité de la maison, Marie-Andrée terminait le glaçage traditionnel du gâteau. Elle en avait proposé un autre, cuit au bain-marie et qui était succulent, mais sa mère avait rejeté sa suggestion.

— C'est pas le temps d'essayer de nouvelles recettes quand on reçoit de la visite.

— Mais je la connais déjà! Je l'ai faite à l'école au cours d'art culinaire.

La mère n'avait pas changé d'idée et sa fille, déçue, s'était raisonnée en se disant que le glaçage habituel était moins long à préparer et surtout plus simple. Si simple qu'elle avait décidé de le préparer dès maintenant pour tuer le temps au lieu d'attendre le retour de la grand-messe. Cela lui demandait cependant un certain courage parce que les odeurs de la vanille et du sucre étaient particulièrement alléchantes pour quelqu'un qui devait jeûner trois heures avant d'aller communier et qui s'était contenté d'un verre d'eau une heure auparavant. «Tant pis pour moi ; je n'avais qu'à me lever de bonne heure et déjeuner avec mes parents.» Elle se concentra plutôt sur son travail. Tout en recouvrant le gâteau à deux étages du glaçage onctueux, elle regarda silencieusement son jumeau. Elle ne désapprouvait pas la décision de Luc ; elle regrettait seulement le moment qu'il avait choisi pour l'annoncer.

— T'aurais voulu quoi ? bougonna-t-il devant son regard déçu. Que je mente ?

— Il faut faire semblant, comme moi, précisa leur sœur Diane qui achevait d'essuyer la vaisselle que sa mère avait utilisée pour préparer le repas de fête du midi.

— Tu peux bien parler, toi ! protesta Luc. T'es jamais là !

— Ah ! vivre à Montréal a ses avantages, répliqua sa sœur de dix-huit ans en rangeant le dernier ustensile.

Puis elle suspendit le torchon et, après un regard furtif à son frère, elle s'enferma dans la salle de bains pour tenter, dans un ultime effort, de discipliner ses cheveux bouclés. Marie-Andrée admirait chez sa sœur cette heureuse symbiose parentale : Diane était svelte et nerveuse comme les Métivier et avait la tête frisée des Duranceau. «J'aurai peut-être l'air de ça, moi aussi, à dix-huit ans», pensa-t-elle tout en se moquant d'elle-même : quelques années de plus ne transformeraient pas sa morphologie. Pendant ce temps, de l'autre côté de la cloison, Diane enviait la chevelure de sa cadette, qui pouvait être coiffée de tant de façons, contrairement à la sienne aux boucles entêtées qui, malgré tout, encadraient si bien son joli visage à peine allongé.

Mais à cet instant, ce n'étaient pas vraiment les cheveux de Diane que sa cadette lui enviait : c'était son pouvoir de *faire semblant* avec autant de détachement, comme l'eau qui glisse sur le dos d'un canard sans en mouiller les plumes. «Peut-être qu'un jour je serai capable, moi aussi, de faire semblant.» Comme s'il avait lu dans ses pensées une fois de plus, son jumeau insista en s'étirant :

— Faire semblant, c'est pas mon genre!

Il se dirigea vers la salle de bains, puis réalisa que sa sœur Diane l'occupait déjà.

— Grouille-toi, la fille de Montréal! J'ai envie!

— Je suis plus pressée que toi! lui cria-t-elle, moqueuse, à travers la porte. Je vais à la messe, moi.

Irrité, il se tourna vers l'horloge fixée au mur; la famille viderait bientôt les lieux. Il prit son mal en patience, sachant fort bien que plus il insisterait, plus sa sœur prendrait son temps. Il soupira. «Je vais encore me taper la visite des vieux, comme d'habitude.» Mais dans l'immédiat c'était la réaction de sa mère à sa décision qui le préoccupait, même s'il crânait. «Fais-tu exprès pour me désappointer?» lui avait-elle crié, exaspérée. «Pauvre maman! pensa-t-il en l'imaginant bouder dans sa chambre. Tu penses quand même pas que je suis venu au monde pour t'*appointer*?» Il observa sa jumelle. Il trouvait exaspérant de la voir se plier si docilement aux exigences de sa mère, si souvent déraisonnables selon lui. Il fut à deux doigts de la mépriser à cause des reproches sur ses cheveux qu'il avait entendus de sa chambre.

— Tiens-toi debout, ma vieille! lui lança-t-il en lui glissant la main dans les cheveux. Plus tu vas céder, plus elle va ambitionner.

— Je cède pas tant que ça! protesta sa jumelle. C'est juste que j'aime pas la chicane.

— Puis ta liberté, là-dedans? Il me semblait que tu voulais être libre? Tu vas aller loin, dans la vie, avec une mentalité de même! ironisa-t-il avec une compassion déçue.

— T'es pas à ma place, protesta-t-elle encore, pour savoir ce qui est important ou non pour moi. Dans le fond, on fait pareil, tous les deux; on cède sur ce qui nous dérange pas, mais on tient à nos idées sur nos affaires importantes.

— C'est comme ça pour les gars? demanda-t-il. Ça fait bien l'affaire de maman que tu sortes pas encore avec des gars. J'ai des *chums* qui demanderaient pas mieux que de sortir avec toi.

— Ah oui? fit-elle, s'émoustillant à son corps défendant. Qui, par exemple?

Il pensa à l'un des copains du groupe de billard qui, après quelques bières, lui avait avoué qu'il s'occuperait bien de sa petite sœur si elle le voulait. Le copain avait ri, mais le frère avait rétorqué sèchement que sa sœur n'était pas le genre de fille qu'il fréquentait d'habitude et qu'il était mieux de la laisser tranquille.

— Ouais, quand c'est le temps de donner des noms, t'es moins pressé! commenta sa sœur d'un rire un peu forcé, déçue devant son silence.

— Farce à part, reprit Luc, ça t'intéresse pas, les gars?

— Bien sûr, comme les autres filles. Mais…

— Mais…?

— D'après ce que je vois autour de moi, c'est un paquet de troubles. Quand mes amies tombent en amour, elles perdent la tête, elles ne s'intéressent plus à rien, elles ne sont plus parlables.

— Peut-être qu'elles vivent des choses plus intéressantes, sourit Luc de façon non équivoque.

— J'ai pas le goût d'en essayer vingt-cinq pour trouver le bon. Et puis, de toute façon, j'en ai pas encore aperçu d'intéressants.

— Pour ça, il faudrait sortir.

— Pourquoi? Pour faire comme tout le monde? Je suis pas pressée; j'ai quinze ans! On a quinze ans! se reprit-elle. On est si pressés que ça?

La discussion s'arrêta. Les jumeaux se respectaient parce que chacun reconnaissait en l'autre le même instinct de liberté. Ils admettaient toutefois que leurs moyens de l'atteindre ou de la préserver différaient radicalement. Pour l'heure, Marie-Andrée se chagrinait pour sa mère qui se gâchait sa journée. «Et la nôtre!» ne put-elle s'empêcher de penser. Elle jeta un coup d'œil à la table allongée de ses deux panneaux. Elle l'avait préparée selon les consignes maternelles, admirant une fois de plus l'habileté de sa mère à si bien concevoir une table de fête. «Dommage qu'elle sache si peu se créer un cœur à la fête. Des fois, on dirait qu'elle n'est pas capable de prendre le bonheur quand il est là. Elle s'arrange toujours pour crochir les affaires.»

Sa cigarette terminée, son père quitta le salon et retourna à sa chambre pour compléter sa toilette. À peine y eut-il mis les pieds que sa femme s'irrita de son silence, lui reprochant de ne se soucier que de choisir une cravate puis de s'absorber dans le geste de la nouer, comme si toute l'importance du monde résidait dans ces gestes routiniers, au lieu de prendre ses responsabilités de père. Indifférent aux jérémiades de sa femme, le corps raide devant la psyché, il ne tarda pas à se débattre avec ce bout de tissu qui lui avait toujours paru ridicule.

— C'est toi le chef de famille! éclata sa femme, courroucée. Pourquoi tu mets pas ton pied à terre de temps en temps?

Raymond Duranceau, bien qu'il eût enfin réussi à nouer sa cravate, était contrarié à son tour. «Aux chantiers c'est plus simple : pour le linge puis pour le reste.» Il lui était arrivé de regretter d'avoir épousé Éva Métivier.

Pourtant elle n'avait pas changé : elle était toujours aussi stricte sur les convenances que lors de ce fameux pique-nique, avant leurs fiançailles, pendant lequel il aurait bien aimé folâtrer avec elle dans la forêt comme son cousin Edmond était parti le faire avec son amie Fernande. Quand il y repensait, il riait malgré lui. «J'aurais dû le savoir, ce jour-là, qu'elle n'aimerait jamais ça. Juste à sa manière effarouchée de me revirer, j'aurais dû me douter qu'elle était une femme de principes.» Il tapota sa cravate, la lissa de sa main et rabattit son veston par-dessus. «On étouffe avec cette affaire-là!»

En se dégageant de la psyché, il y découvrit le reflet de sa femme de dos, piteusement assise sur le bord du lit, mais droite, comme d'habitude. «Elle avait de la classe, Éva Métivier, et elle en a encore.» Son regard d'homme glissa sur le corps de sa femme, qui s'était enveloppé depuis quelques années, juste assez pour ne plus être maigre, et il le préférait ainsi. Il cessa de ronchonner. Là-bas, dans son monde d'hommes, quand il se rappelait le corps de sa femme, cela lui réchauffait le cœur et les sens. Et il appréciait qu'elle prenne soin d'elle-même et ne se néglige pas davantage aujourd'hui qu'autrefois, comme il l'avait remarqué dès la première fois.

Il se rappela qu'il l'avait choisie pour sa stabilité. Il se connaissait, avec son besoin viscéral de bouger, de changer régulièrement de lieu de travail, et il savait que ce ne serait pas l'idéal pour fonder une famille. Avec Éva Métivier, jeune mais déjà si sérieuse et débrouillarde, il pourrait partir sans inquiétude; sa maison serait bien tenue et sa famille entre bonnes mains. «Je me disais qu'une femme de même, j'en aurais jamais honte puis que mes enfants seraient élevés comme du monde. Je me suis pas trompé. Mais moi… je me suis ramassé avec une femme de principes. *Principe un jour, principe toujours!* se dit-il en chassant son amertume par l'humour. C'est normal qu'elle regimbe parce que Luc ne va plus à la messe : elle est faite de même! Elle n'a pas changé. Et c'est pour ça que je l'avais choisie.» Ce constat l'amenait, une fois de plus, à une situation sans issue qu'il niait plus ou moins. «Ça fait que, le meilleur arrangement, c'est elle à la maison et moi aux chantiers.»

Dès que sa pensée se brancha sur le chantier d'Hydro-Québec, il en oublia la maison et les problèmes domestiques. Il était fier comme jamais il n'avait pensé pouvoir l'être de participer à l'achèvement d'une grande œuvre. Une certaine tristesse lui empoigna le cœur : sa fierté d'homme, d'homme d'ici participant à des projets d'une telle envergure, il ne pouvait la partager avec sa famille. Il aurait fallu que celle-ci s'y connaisse en électricité pour comprendre ce que signifiait la ligne à haute tension qui serait inaugurée l'année suivante, entre la Manicouagan et Lévis. «La plus haute tension électrique jamais transportée dans le monde entier, sacrament, c'est pas des farces! Puis c'est nous autres qui faisons ça. Nous autres, les Canadiens français.» Il se rengorgea, mais avec mesure. Il savait rester dans de justes proportions. Effectivement il n'était ni patron, ni ingénieur, ni électricien, ni camionneur, ni technicien, ni menuisier, ni mécanicien. Non, il était simplement journalier, et il s'acceptait tel quel. «Je suis capable de m'adapter à toutes sortes de jobs puis je gagne bien ma vie. C'est ça qui compte.» Il soupira sans s'en rendre compte : il se sentait parfois si seul dans sa famille et, une fois aux chantiers, il se sentait encore seul, loin de sa famille.

— Raymond! M'écoutes-tu?

De quoi parlait-elle, déjà? Ah oui, Luc! Luc qui n'allait plus à la messe. Il envia son plus jeune fils d'agir à sa guise.

— Il a quinze ans, grommela-t-il. C'est plus un bébé.

— Ah bon! Parce qu'il a quinze ans, il cesse d'être ton fils?

— C'est pas ce que j'ai dit.

— Mais tu agis comme si c'était le cas.

Il sortit de la chambre en répondant simplement :

— Arrive. On va être en retard.

Abandonnée. Éva Duranceau se sentait abandonnée une fois de plus, et dans un moment décisif. S'ils laissaient Luc ne pas assister à la messe — «Mon Dieu, a-t-il fait ses Pâques?» se demanda-t-elle —, ils ne pourraient plus jamais l'obliger à y aller. L'obliger! Le mot secoua la mère. «Mon Dieu, on est rendus là? Mais où on va aller de même?» Dans sa consternation, ses pensées se confondirent les unes avec les autres, conjugales, maternelles, religieuses. Des pensées de ressentiment et d'échecs, de petits et de moyens échecs qui avaient émaillé ses journées et parsemé sa route. Maintenant elle échouait face à Dieu. Rien ne pouvait être pire.

Dans l'embrasure de la porte se profila la silhouette de sa benjamine. Son cœur de mère se consola un peu : sa dernière fille était si docile, joyeuse et jolie, si élégante dans ses vêtements printaniers. Elle se laissa aller à l'admirer. Son cinquième enfant, puisque Marie-Andrée était née quelques minutes après Luc, ne faisait jamais de scènes. Elle était toujours de bonne humeur, bonne élève depuis sa première année et toujours serviable. «Et elle ne parle pas encore des garçons!» se réjouit la mère avec soulagement. Elle ne put s'empêcher de souhaiter qu'elle reste longtemps avec elle, mais s'en défendit aussitôt, se refusant de l'espérer. «Être un bâton de vieillesse, c'est pas une vie. Elle a sa vie à vivre, je l'en empêcherai pas.»

— Maman, lui dit doucement Marie-Andrée, on est prêts. Viens-tu?

Sa mère se leva immédiatement pour qu'il n'y ait aucune confusion.

— Tu parles d'une question! C'est bien sûr que je vais à la messe. Il y en a assez d'un qui...

— Mais nous, on y va! coupa sa fille fermement mais poliment. Et on n'aimerait pas ça arriver en retard.

Devant l'imminence d'une réplique négative de sa mère, elle la désarma avec humour.

— ... et toi non plus.

Pendant la grand-messe de Pâques, l'adolescente trouva son père beau en complet et cravate. Elle le voyait si peu souvent aussi élégant. La cinquantaine avancée, qui le faisait un peu bedonner, ne le rendait que plus attachant aux yeux de sa fille. Elle le trouvait touchant, lui, l'homme habitué aux vêtements de chantier, maintenant sanglé dans son costume de ville qui le serrait tant qu'il parvenait à peine à le boutonner. Finalement, à l'immobilité du visage paternel, elle devina que, malgré les apparences, son père avait l'esprit ailleurs. «Son esprit a toujours été ailleurs», comprit-elle, décelant de plus en plus de non-dit dans le couple parental.

Quand l'assemblée se leva, la jeune fille en profita pour glisser un regard furtif sur sa mère. Toute droite, presque raide, elle boudait la terre entière à cause de son jeune fils malgré les nombreuses raisons qu'elle aurait eues d'être heureuse, du moins en ce moment. Sa fille avait l'impression qu'elle s'acharnait à ne voir que ce qui manquait à son bonheur, croyant que celui-ci pouvait ou même devait être total, sans nuages. Rien de moins! Comme le bonheur parfait n'existait pas plus à Valbois qu'ailleurs, sa mère semblait perpétuellement lésée.

Au moment de la quête, Raymond Duranceau donna de la monnaie à sa femme, qui passa quelques pièces à Marie-Andrée. Celle-ci voulut refuser, mais sa mère lui mit presque de force la monnaie dans la main, avec un regard contrarié. L'adolescente déposa son obole, comme son père et comme sa mère, dans le panier muni d'un long manche que leur tendit le garde paroissial engoncé dans son uniforme. Elle trouvait son geste dénué de sens et presque humiliant puisqu'elle ne donnait pas de l'argent qu'elle avait gagné : il n'avait fait que lui passer entre les doigts.

Sa mère lui lança un autre coup d'œil agacé, tenant absolument à manifester sa contrariété à quelqu'un. Elle était causée, cette fois, par Diane qui avait carrément ignoré le panier de la quête, mais comme celle-ci regardait droit devant elle, fuyant délibérément le regard maternel réprobateur, ce fut sa cadette qui écopa, sans pour autant s'en formaliser, ce qui accentua le courroux douloureux de sa mère.

Éva, rageuse, sentit une bouffée de chaleur l'envahir avec la trop connue et désagréable sensation de moiteur sur tout le corps. «Un an que ça dure! s'exaspéra-t-elle, impuissante à enrayer ces assauts internes épuisants, n'osant s'éventer, trouvant même vaguement déplacé de ressentir ce malaise physiologique de ménopause dans ce lieu saint, comme s'il en devenait indécent. Elle respira profondément, cherchant à se calmer et à endurer ce feu intolérable. Ses bouffées de chaleur la rendaient doublement instable : en plus des désagréments qu'elles lui infligeaient de jour comme de nuit, elles lui rappelaient avec insistance qu'elle vieillissait. Elle qui se targuait de n'y accorder aucune importance en était, au contraire, fortement ébranlée. Depuis qu'elle avait atteint la cinquantaine, elle prenait conscience de tout ce qu'elle n'avait pas encore vécu et, parfois, elle s'en affolait. Devant son impuissance, entre autres à arrêter le temps, elle développait une aigreur qu'elle essayait d'enrayer, du moins un peu, par ses croyances religieuses. Mais une insatisfaction chronique colorait ses journées et déteignait sur son entourage. Parfois elle s'en rendait compte; dans ces cas-là, elle ne se le reprochait que davantage.

Marie-Andrée, assise près d'elle, la sentit peu à peu retrouver son calme. Elle se demanda si sa mère avait toujours été ainsi, irritable et insatisfaite, ou bien si elle ne s'en apercevait que maintenant. Et comme Éva, par gêne et parce qu'elle avait toujours eu pour principe de ne pas exhiber ses souffrances ou ses malaises, ne parlait jamais de sa ménopause, sa fille adolescente, qui n'y connaissait rien, ne pouvait comprendre ses sautes d'humeur.

Pour ce qui était de sa sœur Diane, elle supposa que son abstention de donner à la quête témoignait sans doute de son esprit de contradiction ou tout simplement de son maigre budget. Diane étudiait à l'école normale Jacques-Cartier, à Montréal, et partageait un appartement avec deux autres filles de la région de Granby. Elle devait compter ses sous, et de près. Marie-Andrée soupira. Parfois la vivacité de sa sœur lui manquait, même si leurs trois années de différence leur semblaient à toutes deux, à cette époque de leur vie, presque une génération.

Elle jeta un coup d'œil à Diane, qui lui sembla inaccessible. «Elle est comme papa. Elle a toujours l'air ailleurs, elle est toujours prête à partir ailleurs.» Qui était-elle vraiment? Marie-Andrée admirait sa facilité à s'affirmer envers et contre tous comme si, à l'intérieur d'elle, un feu couvait. Mais sa critique facile et son verbe haut avaient constamment créé des conflits ouverts avec sa mère, et, de ce fait, elle avait souvent rendu l'air de la maison irrespirable. La benjamine avait plus d'une fois essayé de tempérer l'une et l'autre, sans trop y parvenir, et ses tentatives de diplomatie s'étaient souvent retournées contre elle. Devant tant d'incompréhension réciproque, il lui était même arrivé de blâmer sa mère et de craindre que

Diane ne soit tributaire de l'insatisfaction maternelle chronique. Plus encore, elle avait un jour souhaité pouvoir la soustraire à ce qu'elle percevait comme une mauvaise influence. Un sourire moqueur illumina son visage. «Si maman m'entendait! La prendre pour une mauvaise influence! Et Diane donc! Moi, vouloir la protéger!» Son côté jovial reprit le dessus et elle rit tout haut. À peine. Assez pour s'en apercevoir, cependant. Et ses parents aussi. Elle toussa légèrement pour se donner une contenance et se concentra sur l'architecture de l'église.

Celle-ci était belle et spacieuse pour une petite ville comme Valbois, témoignant de la taille des églises construites un siècle auparavant. Marie-Andrée avait toujours aimé le recueillement qu'inspiraient ces lieux. Il n'y avait pas si longtemps, quelques années tout de même, elle venait parfois à la messe le matin, sur semaine. À l'époque, elle possédait un beau missel avec une couverture de cuir bleu azur qui faisait ressortir encore davantage la tranche dorée et le signet rouge. C'était un cadeau de sa mère pour sa première communion.

Ce missel affichait aussi le calendrier des cinquante prochaines années et la petite fille avait repéré sa date de naissance jusqu'à la dernière année du calendrier. Cette incursion dans l'avenir l'avait rassurée : tout était immuable et sécurisant. Dans un deuxième temps, elle avait paniqué, incapable de saisir la notion du temps, sauf le nombre, exorbitant : «Mais je vais être vieille quand je serai rendue là!» La curiosité l'emportant, elle avait ensuite voulu extrapoler quels grands moments baliseraient sa vie. Mais rien n'avait surgi dans son jeune cerveau; elle avait été incapable de s'imaginer ni d'entrevoir des gens autour d'elle. Devant ce néant, un certain vertige l'avait saisie, l'avait presque effrayée. Elle s'était alors vivement raccrochée au concret : le papier-parchemin, fin et lisse.

La texture de ce papier lui avait toujours plu. Tourner des pages aussi minces et délicates, dans un bruissement qui leur était particulier, était devenu pour elle un véritable rituel conférant de la noblesse aux mots du seul fait qu'ils étaient imprimés sur du papier aussi raffiné.

Mais les missels n'étaient plus à la mode depuis que les offices religieux se déroulaient dans la langue des fidèles. Ce matin-là, son *Prions avec l'Église* lui sembla misérable : comment qualifier autrement ces quelques pages de papier journal beige fade comparées à son missel à la couverture de cuir et aux fines pages de papier-parchemin ?

Ce souvenir ramena à sa mémoire la vocation religieuse qu'elle avait cru ressentir. Quand Marie-Andrée avait une dizaine d'années, elle avait décidé de devenir carmélite, rien de moins, comme la grande sainte Thérèse dans le portrait en pied, à la droite du transept. Ce tableau, immense, la fascinait. Le silence, le recueillement, la joie sereine peut-être, qui se dégageaient de cette femme recluse lui laissaient espérer que le bonheur de vivre existait. De là à croire qu'il lui fallait devenir carmélite comme elle pour y accéder, il n'y avait eu qu'un pas à faire, que l'engouement dû à sa jeunesse et à son impulsivité naturelle lui avait vite fait franchir.

Par contre, le brun sombre de la bure déprimait la fillette, qui trouvait que, non, cela ne lui irait pas. Elle serait carmélite, soit, mais avec une robe… rouge vin. Voilà ! C'était déjà mieux. Et des sandales bleu foncé ! Un peu de couleur ne ferait pas de tort entre ces murs sans doute austères.

Ce raisonnement naïf avait tenu jusqu'à l'hiver suivant. Un dimanche, les orteils gelés malgré ses bottes chaudes, la jeune Marie-Andrée avait conclu que, finalement, la vie de carmélite ne lui convenait pas. S'habiller en rouge vin et chausser des sandales bleues serait sans doute possible, sans doute après bien des négociations. Mais geler des pieds, cela il n'en était pas question! La fillette avait donc classé cette question d'éventuelle vie religieuse une fois pour toutes, comme délestée d'une obligation morale qu'elle s'était elle-même imposée. L'évocation de ces souvenirs la réjouit. Elle se sentait attendrie par la petite fille, puis la jeune adolescente qu'elle avait été. Elle se redressa, consciente de la jeune fille qu'elle devenait maintenant. Elle n'était peut-être pas d'une beauté éclatante mais plutôt... charmante; oui, elle l'admettait, elle devenait charmante. Elle redressa son dos le long du banc de bois, s'avouant élégante, et elle se tourna discrètement d'un côté puis de l'autre, comme pour remplir son espace de sa féminité naissante.

Dans son léger mouvement, son regard traversa la grande allée et s'arrêta, dans l'un des bancs de la rangée de gauche, sur un jeune homme aux cheveux frisés et très noirs qu'elle n'avait jamais vu auparavant et qui, manifestement, la dévorait des yeux. Il la regardait... comme un homme regarde une femme! Ses yeux étaient si lourds d'admiration et de désir que la jeune fille rougit, profondément troublée. L'assemblée se leva, puis s'agenouilla, et, dans le mouvement de foule, pour chasser cet émoi inconnu, et d'autant plus bouleversant, elle se replongea du mieux qu'elle put dans le cocon de ses réflexions familiales, à l'abri de la sensation nouvelle qui lui plaisait dangereusement. Elle s'obligea à penser à autre chose et se raccrocha à son jumeau, resté à la maison. «Comme ça, il y aura quelqu'un quand la visite arrivera», avait-il lancé quand la famille était partie pour l'église, sans réussir à dérider sa mère par cette boutade frondeuse.

Marie-Andrée partageait les objections de son frère quant à la religion, mais elle préférait sa manière discrète, plus féminine, de réagir, qui aboutissait au même résultat et sans ostentation. Elle aussi, depuis l'année précédente, s'était détachée petit à petit des pratiques religieuses traditionnelles. Elle se rendait encore à l'église, mais seulement à la grand-messe, et ce, à cause de l'ambiance qui y régnait. Elle aimait retrouver le décorum, parfois grandiose, qui l'avait tant subjuguée quand elle était enfant. Dans ce lieu, sa vue était comblée par la voûte élevée et par la décoration toute de blanc et d'or; son ouïe se rassasiait des chants de la chorale et de la musique d'orgue; son odorat captait l'encens projeté à petites doses. Tous ces éléments, particuliers au contexte religieux, l'apaisaient.

Elle aimait aussi retrouver, d'une année à l'autre, les rites immuables des différentes fêtes, toujours aux mêmes moments, et elle acquérait une meilleure compréhension de ces cérémonies grâce à une perception toujours plus accrue au fur et à mesure que les événements quotidiens enrichissaient sa courte expérience de la vie. L'année précédente, cependant, elle avait brusquement saisi que ce qui la touchait profondément, c'était, en fait, la permanence. Un sentiment de sécurité subtil se dégageait de ces rituels connus et reconnus, et elle aimait s'y laisser glisser. Mais la permanence existait-elle encore? La messe n'était plus ce qu'elle était autrefois : le prêtre avait délaissé l'autel richement décoré pour un autre, sobre et moderne, face aux fidèles, le latin avait disparu et les paroissiens communiaient maintenant dans la main au lieu de sortir la langue dans un geste qu'elle avait toujours trouvé franchement ridicule.

Marie-Andrée Duranceau prit tout à coup conscience que sa vie personnelle aussi changeait. Sa féminité naissante l'émoustilla et elle rechercha spontanément le regard troublant du jeune homme entrevu quelques instants auparavant. Elle se retourna, prétextant rajuster son manteau sur ses épaules, mais ne réussit pas à repérer le bel inconnu.

Pour chasser sa déception, elle reprit le fil de sa pensée. Ici, à l'église, dans ce lieu hors du quotidien, tout avait longtemps semblé immuable. Mais il ne s'agissait plus que d'apparences. Le curé avait été nommé dans cette paroisse à peine un an auparavant et l'un des deux vicaires partirait à l'été. À Rome, le pape remettait en question et bousculait des habitudes et des attitudes, et provoquait des changements dont les conséquences se répercutaient dans toute la chrétienté. Tous ces changements avaient effrité sa perception de la religion traditionnelle dans laquelle son enfance avait baigné.

Aussi, quand elle avait réalisé, l'année précédente, qu'elle aimait l'Église et l'église pour leur apparente stabilité, elle avait aussi compris qu'elle ne leur était pas attachée pour les bonnes raisons. C'était méprisant pour Dieu, avait-elle conclu, que d'honorer sa maison pour des motifs aussi futiles, aussi vains. Non, selon elle, le rapport avec Dieu devait être d'un autre ordre; ce devait être un lien authentique, d'une tout autre nature, sans qu'elle puisse toutefois le définir clairement.

Depuis ce jour-là, l'adolescente se détachait des aspects extérieurs de la religion. Sa quête intérieure ne concernait plus qu'elle. Cette réflexion l'avait au moins éclairée sur sa perception d'elle-même : elle n'était pas soucieuse des apparences, mais cherchait plutôt l'essence des choses.

Et elle, qui était-elle à ses propres yeux? Serait-elle toujours la même? Pouvait-elle changer et demeurer authentique? Les apparences étaient-elles toujours conformes à son essence? Ou toujours contraires?

Marie-Andrée ressentit la complexité de bâtir une vie à son goût, selon ses choix, et elle ferma les yeux un instant pour savourer cette griserie et ce vertige.

2

La famille Duranceau était à peine revenue de la grand-messe que les aînés, Louise avec son mari Yvon et leurs deux fillettes, ainsi que Marcel et sa femme Pauline, pourtant partis l'une de Granby et l'autre de Montréal, arrivèrent dans la cour au même moment.

— Mon Dieu! c'est à croire qu'ils étaient ensemble hier soir! s'exclama la mère avec suspicion, déçue à la pensée que son fils puisse avoir été tout proche depuis la veille et qu'elle ait dû attendre toutes ces heures avant de le revoir.

— Puis après? houspilla Diane. Ils ont le droit de se voir.

— Mais non, maman, la rassura Marie-Andrée. C'est une coïncidence, c'est tout. C'est juste drôle.

Elle ouvrit la porte de la cuisine qui donnait sur le côté de la maison et les deux couples entrèrent en désordre dans les salutations et les hurlements de la petite Johanne qui venait de se coincer le doigt dans la porte. Yvon essaya de consoler sa fille de deux ans secouée de sanglots pathétiques mais, n'y parvenant pas, il la mena à sa femme. Louise eut un mouvement d'irritation et de lassitude qui n'échappa ni au regard critique de sa mère ni aux yeux observateurs de la benjamine. Le calme revint et Nathalie, l'aînée de quatre ans, une enfant aux cheveux noirs et à peine bouclés, amena sa blonde et fragile sœurette au salon avec les poupées qu'elle avait apportées. Louise les observa un moment par la porte d'arche qui séparait les deux pièces, puis se rassura. Elle glissa ses mains sur ses tempes pour recoiffer les cheveux fous qui sortaient de son chignon. Autrefois elle laissait ses cheveux, blonds et soyeux, libres sur ses épaules; Yvon avait toujours été fasciné par sa chevelure abondante. Mais depuis sa première grossesse et la naissance de Nathalie, elle les portait en chignon. Cela la vieillissait un peu. Marie-Andrée avait remarqué que sa sœur aînée, une fois devenue mère, consacrait moins de temps à son apparence, ou s'en souciait moins, peut-être. Mais elle la comprenait. Quand elle allait garder ses nièces, elle n'arrêtait pas un instant. Comment sa sœur réussissait-elle à entretenir sa maison, cuisiner, coudre, et prendre soin de ses deux enfants en plus? se demanda-t-elle une fois de plus avec admiration. «Les hommes, eux autres, quand les enfants arrivent, ils n'en subissent pas tant de conséquences», ne put-elle s'empêcher de constater.

Potelée comme les Duranceau, Louise, vingt-six ans, était cependant pâle ce jour-là. L'adolescente trouva tout à coup qu'elle ressemblait à leur mère. Cette déduction semblait incongrue, sa sœur affichant tellement le physique des Duranceau. Perplexe, la cadette essayait de saisir ce qui lui échappait, mais aucune lumière ne jaillit de ses réflexions. Tout le monde passa à table et elle servit la soupe odorante, comme sa mère le lui demandait.

Les aînés commencèrent à se parler entre eux, et elle en fut chagrinée. «Comme si je n'existais pas, comme si j'étais restée la petite fille que j'étais quand ils ont quitté la maison.» Elle se rappelait vaguement, parce qu'elle n'avait qu'une dizaine d'années à l'époque, que sa sœur Louise s'était mariée à vingt et un ans avec Yvon Mercier, un ami d'enfance, quand celui-ci avait terminé son école normale. Il enseignait depuis à Granby où le couple s'était installé. Elle les regardait et constatait les changements survenus dans la vie de sa sœur depuis qu'ils étaient devenus parents. Elle était peinée que son aînée ignore les siens ou ne s'en soucie aucunement. «Mais moi, à leurs yeux, je ne change pas, je ne vis rien, je suis restée infantile. Est-ce qu'ils vont réagir ainsi avec leurs enfants, plus tard?» se demanda-t-elle avec un certain mépris plutôt que de s'avouer qu'elle était blessée.

Cependant, elle admit avec honnêteté que ses changements à elle se percevaient moins de l'extérieur. Qu'avait-elle tant vécu de dix à quinze ans, à part la puberté, et le départ des trois aînés, bien sûr, chacun leur tour? D'abord Louise, qui venait encore régulièrement le dimanche et qui avait maintenant sa propre famille. Puis Marcel qui, devenu dessinateur industriel, était allé travailler à Montréal et s'était marié avec Pauline, une Montréalaise qui travaillait comme secrétaire à la même usine que lui. Et finalement, l'automne précédent, Diane qui avait commencé ses études à Montréal. Ces trois départs avaient pourtant touché directement Marie-Andrée parce qu'ils avaient modifié un à un la dynamique familiale. Effectivement, sa mère avait semblé, d'un départ à l'autre, reporter sur sa benjamine la charge émotive qu'elle partageait auparavant entre tous ses enfants. C'était beaucoup pour ses jeunes épaules, mais elle n'avait pas vraiment conscience de ce transfert, mis à part une lourdeur de plus en plus confuse dans ses relations avec sa mère.

Elle en était rendue à servir Pauline et celle-ci accepta son assiette en adressant un sourire discret à sa jeune belle-sœur, qui se sentit valorisée par ce regard attentif, bien que bref. Son frère Marcel reçut son bol de soupe fumante à son tour, sans lui accorder la moindre attention, et le déposa avec précaution en se redressant pour éviter que le bout de sa cravate n'y baigne.

— Alors, demanda-t-il d'un ton enjoué, ça va, la petite famille?

Louise et Yvon se lancèrent des regards chargés de sens, contrarié pour l'un et radieux pour l'autre. Louise hésita, puis se redressa en regardant sa mère, comme pour chercher son approbation, et elle annonça triomphalement, incapable de garder plus longtemps cette nouvelle importante :

— Je suis enceinte. C'est pour la fin octobre.

— C'était donc ça? s'exclama sa mère, d'un ton où pointait un certain ressentiment de l'apprendre en même temps que les autres. Je te trouvais bien mystérieuse cette semaine.

Lorsque Louise avait décidé de dévoiler la nouvelle à toute sa famille au même moment, cela lui avait semblé une excellente idée. Maintenant, elle réalisait qu'elle avait blessé sa mère en ne lui en réservant pas la primeur. Malgré les félicitations de ses frères et sœurs, sa joie était maintenant entachée de son manque de délicatesse envers sa mère, la seule personne autour de la table qui pouvait vraiment la comprendre.

— Je l'ai su vendredi seulement, s'excusa-t-elle devant le regard maternel voilé de reproches non dits.

Pour se faire pardonner, elle ne s'adressa plus qu'à sa mère et les deux femmes échangèrent des propos sur un ton d'habituées, excluant d'emblée tous les autres convives. Alors, une conversation parallèle émergea tout simplement sans elles. Marcel, taquin, murmura à son beau-frère :

— Il me semblait que vous aviez décidé d'arrêter à deux enfants. D'où il sort, celui-là? Du Saint-Esprit?

Il s'esclaffa, mais son rire résonna seul.

— Ouais, répondit Yvon en retroussant les manches de sa chemise blanche, ça ressemble à ça.

Il eut le front barré de contrariété, ce qui accentua la ligne horizontale de ses cheveux noirs coupés en brosse.

— Tu te prends pour le Saint-Esprit? le taquina Marcel.

La tablée éclata de rire.

— Non, répondit l'intéressé, ce serait plutôt saint Joseph, le père nourricier de l'enfant d'un autre.

Les deux mères cessèrent immédiatement leur conversation exclusive.

— C'est ça, protesta Louise, fais-moi passer pour une… une…

— Ben non, fit son mari, conciliant. C'est une façon de parler, tu le sais bien.

— Une femme devient pas arrangée de même par les anges, on sait ça! ajouta sa belle-mère d'un ton sévère. Ça prend un homme pour ça, puis cet homme-là, en principe c'est toi, Yvon Mercier!

Elle était furieuse. Pour sa fille, pour toutes les femmes enceintes.

— Partez pas en peur, madame Duranceau, ajouta-t-il à son tour. C'est une farce!

— Fâche-toi pas, maman, poursuivit Louise en baissant le ton pour éviter que ses petites n'entendent. Ce que Yvon veut dire c'est que… que j'ai pas voulu prendre la pilule; c'est trop nouveau, j'ai peur de ça. Puis, en plus, l'Église est pas tellement pour ça.

Marie-Andrée leva les yeux vers sa sœur, étonnée de sa liberté brimée et plus encore de sa soumission. Mais elle n'était qu'une adolescente de quinze ans; que connaissait-elle de ces questions? Elle ne fit aucun commentaire, mais resta songeuse.

Marcel et sa femme pensaient comme elle et se regardèrent, incrédules. Ce couple était des plus assortis :

même âge, même taille, même vivacité, mêmes cheveux bruns. Ils étaient aussi toujours élégants, lui, en veston, chemise blanche à boutons de manchette et cravate, et elle, qu'elle soit en robe ou en pantalon, toujours maquillée et des boucles aux oreilles. Outre leur sexe, bien sûr, une seule caractéristique importante les différenciaient : autant Marcel était trapu, avec des os solides, autant Pauline était délicate. Quand son frère la leur avait présentée, la petite Marie-Andrée en était restée estomaquée. Dans sa courte vie de dix ans, elle n'avait jamais vu une femme ou une fille aux bras si menus, aux jambes si fines et au visage si délicat qu'elle l'avait crue sortie d'un tableau. Et pourtant, il se dégageait de Pauline une étrange impression de solidité. Peut-être était-ce dû à ses cheveux coupés très court et à ses yeux verts, maquillés d'un large trait sombre à la mode qui en soulignait l'éclat.

— L'Église? souffla Pauline. C'est elle qui décide de vos affaires?

— C'est son rôle, rappela la mère. Le pape dit ce qu'il a à dire.

— C'est facile de parler quand on est bien tranquille dans son grand palais au Vatican, maugréa le futur père.

Il y eut un silence gêné. La jeune tante jeta malgré elle un coup d'œil à ses deux nièces. Le regard de la grand-mère fut moins discret. Son gendre réalisa son manque de tact.

— Wo! Allez pas vous imaginer qu'on le veut pas, ce petit-là. J'ai hâte d'avoir mon fils, moi! Mais, continua Yvon en se radoucissant, disons que, dans quelques années, ça aurait mieux fait notre affaire; quatre dans un logement, c'est déjà tassé. On commençait à penser à une maison, mais là…

Les convives se détendirent. Louise ajouta :

— On y tient tous les deux, à notre fils. C'est bien normal de vouloir les deux sexes dans une famille.

41

Marcel taquina sa nièce Nathalie.

— Aimerais-tu ça avoir un petit frère ?

L'enfant, qui buvait son verre de lait, s'arrêta et regarda candidement son oncle, tout en léchant de sa petite langue rose la trace de lait sur ses lèvres. Puis elle lui demanda innocemment :

— C'est quoi un petit frère ?

Les adultes rirent de bon cœur.

— C'est quelque chose de bien achalant ! précisa sa tante Diane.

— C'est ça, reprocha la grand-mère, mettez-lui ça dans la tête.

Pauline découpa soigneusement, comme tout ce qu'elle faisait d'ailleurs, son morceau de jambon.

— Je t'admire, avoua-t-elle à sa belle-sœur. Moi, je serais morte de peur.

Les regards se tournèrent vers elle et elle regretta sa spontanéité. Ses idées différaient de celles de sa belle-famille sur beaucoup de sujets et elle essayait, pour le peu de fois qu'elle les voyait tous, de ne pas susciter de discussions intempestives. Mais sa réflexion lui avait échappé et elle tenta de s'excuser.

— Mes deux grands-mères sont devenues orphelines parce que leurs mères sont mortes en accouchant.

— On est plus dans l'ancien temps ! protesta sa belle-mère. Maintenant, avec l'assurance-hospitalisation, tout le monde peut se faire soigner dans un hôpital, gratuitement et comme il faut.

— C'est vrai, mais, si j'avais été à leur place, j'aurais commencé à avoir peur aussitôt que je serais devenue enceinte ! Ça n'avait aucun sens : risquer de mourir parce qu'elles étaient enceintes ! On peut se demander comment les femmes avaient le courage de continuer à faire des enfants !

— Pour le sexe! s'esclaffa Yvon.

— Parle donc avec ta tête, Yvon! s'écria sa belle-mère. Voir si une femme peut aimer ça de même!

Il y eut un chassé-croisé de regards entre les deux couples, puis les uns et les autres baissèrent les yeux et continuèrent à manger leur soupe comme des enfants pris en défaut. Marie-Andrée s'étonnait toujours de voir à quel point les aînés, adultes, mariés et vivant à l'extérieur de Valbois, redevenaient parfois des enfants devant leur mère. «Est-ce qu'on devient un jour adulte aux yeux d'une mère?» se demanda-t-elle tout à coup, inquiète à la perspective d'un infantilisme sans fin. Sa réflexion fut interrompue par la petite Nathalie qui demanda brusquement:

— Maman? C'est quoi, mourir?

La future mère blêmit. Les adultes ne surent s'il fallait rire ou s'attrister de la question ingénue. Yvon s'irrita de cette conversation qui dégénérait.

— Vous voyez ce que vous faites avec vos niaiseries? Vous mettez toutes sortes d'idées dans la tête de ma fille puis vous énervez ma femme. C'est pas le temps de lui faire peur avec des histoires de l'ancien temps.

— Pas si ancien que ça, rectifia Pauline. J'ai lu dans un journal, la semaine passée, que…

— Hé, la féministe! s'emporta Yvon, fais pas paniquer ma femme!

Personne n'ajouta de commentaire et le silence devint lourd. Pauline était désolée que ses paroles aient attristé sa belle-sœur parce qu'elle l'enviait d'envisager si sereinement, même avec joie, cette troisième grossesse, un état qu'elle-même redoutait tant. Pourtant ses paroles maladroites n'avaient réussi qu'à l'inquiéter. Se trouvant inadéquate, elle résolut de se taire comme elle le faisait habituellement. Elle risqua un regard furtif à sa belle-sœur, ce qui la culpabilisa encore davantage. Effectivement,

Louise était troublée; elle avait instinctivement placé sa main sur son ventre comme pour protéger l'enfant en elle. L'intervention suivante de Diane relança la discussion.

— Nier la réalité, ça règle pas le problème non plus. La maternité, c'est pas simple comme de boire un verre d'eau!

— Les féministes! s'irrita Yvon. Des têtes enflées, oui!

— Si de vouloir décider de nos affaires, c'est être féministe, ne te gêne pas! l'affronta Diane. Appelle ça féministe si tu veux!

Le père coupa court à la conversation qui tournait mal.

— Les affaires de chambre à coucher, ça regarde personne, conclut-il.

— Ouais, renchérit son gendre redevenu soucieux, personne, même pas le pape.

Par-dessus la table de fête chargée de victuailles, les deux hommes échangèrent un regard de connivence, comme ils en avaient parfois, fugitifs mais aussitôt oubliés. La mère insista :

— Un enfant qui arrive de même, pas prévu, ça se voit dans toutes les familles. On a pas le choix : il faut le prendre. Vous êtes pas les premiers à qui ça arrive.

— Mais ça dérange quand même, répondit Louise.

— Un enfant, quand il est là, on le prend, c'est tout, dérangeant ou pas! répéta la mère.

Les cinq descendants Duranceau eurent un doute qui leur fit mal à différents degrés, selon leur personnalité : avaient-ils été désirés ou simplement acceptés, ou, pire encore, leur naissance avait-elle été subie? Marcel se hâta de changer le sujet de conversation pour faire oublier la maladresse de sa femme. Il aborda un sujet plus neutre : la décision du maire de Montréal de créer une île pour une exposition internationale qui aurait lieu dans quelques années, ce qui leur sembla bien loin à tous.

— Créer une île! répéta la mère, incrédule. Comme si on en avait pas assez dans la province de Québec!

— C'est sûr qu'il y en a beaucoup, maman, mais il en faut proche de Montréal : c'est là que l'exposition va avoir lieu.

— C'est un gaspillage d'argent quand même, commenta la mère. Si le bon Dieu avait voulu qu'il y ait une autre île à côté de celle qui est déjà là...

— C'est pas pire que la canalisation du Saint-Laurent qui vient d'être terminée. C'est pratique que les bateaux puissent se rendre jusqu'aux Grands Lacs maintenant. Pourtant, il a fallu corriger la nature.

Son fils poursuivit dans une grande envolée lyrique comme il en avait le don et revint à l'exposition universelle avec force détails. Malgré eux, ses auditeurs prêtaient attention à ses propos vivants. Devant eux, une zone presque à fleur d'eau, dans le fleuve Saint-Laurent près de Montréal, faite de roches et de boue, se transformait, étant remblayée, solidifiée, agrandie. Et avec quoi? Entre autres avec la terre et la roche excavées pour la construction du métro décrétée par le nouveau maire, Jean Drapeau.

En parlant de ces tonnes de roches et de terre, Marcel ne put s'empêcher, petit à petit, de s'adresser presque exclusivement à son père. Dessinateur industriel, il travaillait dans un bureau, en chemise et cravate. Ce n'était pas avec ce genre de travail qu'il forcerait l'admiration de son père, habitué aux chantiers nordiques. C'était là leur relation d'adultes : l'ambivalence, le paradoxe. Le père avait travaillé pour faire instruire son fils. Le fils, maintenant diplômé, travaillait dans un domaine étranger à celui du père. Ils ne parlaient plus le même langage.

Et Marcel ne fondait pas de famille non plus, se dit le père. Où s'était-il trompé pour que son aîné ne suive pas ses traces, comme Louise, maintenant enceinte de son troisième enfant, suivait celles de sa mère? Il regarda sa bru à la dérobée. «Elle est grosse comme un pou! Peut-être que ça peut pas faire des enfants, des femmes maigres de même.» C'est ce qu'il avait préféré croire ces trois dernières années. Mais il venait de comprendre, aujourd'hui, qu'elle ne voulait pas d'enfant. «Peur de mourir! Tu parles d'une affaire sans bon sens. Puis même à ça, des hommes qui meurent à leur job, ça arrive aussi. C'est pas pire pour elle!» Il se rassura. Ce n'était donc pas son fils qui refusait la famille, c'était elle. Il lui en voulut, et d'autant plus facilement que sa bru avait toujours été distante avec les membres de sa belle-famille. Elle demeurait une étrangère pour eux. «Comme moi...», lui vint-il soudain à l'esprit. Stupéfait de ce parallèle, il chassa cette pensée déplaisante en revenant rapidement à son fils aîné dont il ne comprenait pas l'attitude.

Raymond Duranceau s'interrogeait, se demandant pourquoi, pour qui un homme travaillait s'il n'avait pas de famille. Le fait qu'il n'ait pas vraiment été présent pour participer à l'éducation de ses enfants ne l'effleurait pas. «Un homme peut pas être à deux places à la fois.» Il avait accueilli la venue de chacun de ses enfants comme si cela allait de soi; c'était dans l'ordre des choses. Sans métier spécialisé, il avait quand même pu les faire vivre et en amener trois à l'âge adulte, ce qui serait bientôt le cas de ses deux derniers. Il était satisfait, il s'était acquitté de ses rôles d'homme et de père, les deux étant étroitement liés pour lui. Maintenant son fils aîné était d'âge à en faire autant, mais il semblait refuser les responsabilités que lui-même avait toujours assumées. C'était à n'y rien comprendre. Sentant la colère monter en lui, il préféra se concentrer sur la conversation.

Sur sa lancée, Marcel renchérissait et vantait maintenant, comme il le faisait depuis quelques années, la place des Arts et la place Ville-Marie, répétant pour la nième fois que ce dernier édifice était la plus haute construction du Commonwealth.

— Jusqu'à temps qu'il y en ait une autre, commenta Luc pour l'asticoter.

Éva Métivier, pour une fois, n'écoutait pas béatement son fils aîné. «C'est ça! Jouez au bon Dieu et faites-en, des îles! Quand on pense que, l'année passée, une femme russe est allée en spoutnik dans l'espace et que, pendant ce temps-là, à l'âge que j'ai, je peux rien faire sans la signature de mon mari parce que c'est lui le chef de famille! Si ça a du bon sens! J'espère que la jeune madame Casgrain va la faire passer, sa loi, pour qu'on arrête de nous traiter comme des mineures parce qu'on se marie.»

Yvon enchaîna sur le nouveau ministère de l'Éducation qui venait tout juste d'être créé, une première dans la province de Québec où l'enseignement avait toujours été sous la coupe des autorités religieuses.

— Ça va changer pas mal d'affaires dans nos écoles! prédit-il.

— Ils vont quand même pas sortir les crucifix des écoles? s'indigna la mère.

— Vous pouvez venir vérifier, madame Duranceau; j'ai encore le mien dans ma classe.

La conversation se poursuivait, passant du coq à l'âne, et entrecoupée d'incidents anodins : Johanne qui renversait son lait, Nathalie qui ne voulait pas manger ses légumes, les atermoiements de la mère, la démonstration d'autorité du père qui s'avéra inutile, l'ingérence de la grand-mère et le silence du grand-père. Marie-Andrée sourit, à la fois amusée et agacée. «La routine, quoi!»

Revenant sur le sujet de l'exposition universelle, Louise dit brusquement :

— Ouais, la fameuse exposition, Kennedy la verra pas.

— Ça fait combien de temps, déjà, qu'il a été assassiné? demanda le père qui avait entendu la nouvelle jusque dans son lointain chantier.

— Six mois, répondit Luc. C'était en novembre.

Luc ne participait pas beaucoup à la conversation. Il avait peu d'affinités avec sa sœur aînée qui, selon lui, ne se souciait que de son mari et de ses deux petites filles, ni avec son beau-frère Yvon dont la conversation portait en général sur le sport ou les autos. Il avait encore moins d'atomes crochus avec son frère Marcel qui, toujours selon lui, les regardait de haut depuis qu'il vivait à Montréal. Du haut de ses quinze ans, Luc le considérait comme un arriviste.

Les discussions se seraient parfois envenimées autour de la table, mais chaque fois la mère intervenait; elle avait toujours cru de son devoir de s'interposer pour protéger la paix familiale. «De la paix achetée par de la répression, ça vaut pas de la marde!» se disait Luc. Mais il gardait ses réflexions pour lui. «La mère, il y a bien des choses qu'elle ne comprend pas, mais c'est pas à moi de l'élever.» Il réservait ses moments de résistance pour protéger sa liberté individuelle, paisiblement mais fermement.

Au dessert, on alluma des cigarettes. Pauline en offrit une à Louise.

— Tiens, j'en ai avec des filtres; on les sent moins.

Éva s'interposa :

— Dans son état, c'est peut-être pas bon.

— Quoi? Fumer? s'étonna son gendre. Voyons donc, madame Duranceau, fumer n'a jamais fait de tort à personne. Au contraire, ça aide à digérer.

Après le repas, Raymond Duranceau alla s'asseoir au salon. Il s'alluma une autre cigarette et rapprocha le cendrier sur pied de son fauteuil. Pendant que les femmes faisaient la vaisselle, les hommes retournèrent aux voitures, l'un pour en sortir une valise et l'autre, l'attirail de projection de ses films 8 mm.

— Habillez-vous un peu! s'exclama Éva en frissonnant dans le courant d'air frais de cette fin de mars. C'est pas chaud!

Dès qu'ils se retrouvèrent entre hommes, les deux beaux-frères exprimèrent leur rivalité mâle par des railleries au sujet de leurs autos.

— Où tu t'en vas de même avec ta grosse Buick? railla Marcel. C'est un vrai char d'assaut.

— J'ai une famille! Ça prend de l'espace, ce petit monde-là. Puis attends que le troisième soit là : un bébé, ça voyage avec plus de stock qu'un petit couple de Montréal.

Il referma le coffre de sa voiture américaine d'un mouvement sec. Marcel lui lança, sur un ton de connivence :

— Ouais, surtout un bébé-surprise.

Les deux hommes se toisèrent, ne sachant trop s'ils enviaient le sort de l'autre ou s'ils devaient s'enorgueillir du leur. Yvon insista :

— Il est le bienvenu, ce petit-là. Depuis le temps que je veux un fils. Puis toi, t'aimerais pas ça, un petit gars qui te regarderait avec fierté et qui t'imiterait?

— Ah! C'est ça, la paternité? s'esclaffa l'autre. Se créer des répliques de sa petite personne pour se faire admirer?

Mortifié, Yvon empoigna rageusement l'écran et la boîte du projecteur. Il regarda son beau-frère avec sa petite valise à la main. Irrité que celui-ci ne lui offre pas de prendre les bobines de films pour lui rendre service, il ajouta d'un ton railleur :

— Puis toi, qu'est-ce que tu fais là avec ton char importé? Il est tellement petit que je pourrais presque le transporter dans ma Buick!

Marcel haussa les épaules en riant à demi et empoigna la boîte de bobines, puis ils se dirigèrent tous deux vers la maison, chargés comme des mulets. Éva, qui se tenait près de la porte pour leur ouvrir, dit à Marcel :

— Installez-vous dans la chambre des filles, comme d'habitude.

Comme d'habitude... La bonne humeur de Marie-Andrée fut éraflée. La chambre qui avait été celle des trois filles, plus spacieuse que celle des garçons, était toujours offerte aux visiteurs. «Même si Louise et Diane sont parties, ragea Marie-Andrée, ce n'est pas "ma" chambre. C'était et ce sera toujours "la chambre des filles". Pourtant je suis maintenant la seule à l'occuper ; il me semble que ça pourrait être ma chambre.»

Aussitôt sa révolte nommée, elle se culpabilisa, se trouva mesquine. Le divan-lit du salon n'était pas si inconfortable, après tout, même si elle le partagerait avec Diane comme cela se produisait chaque fois que sa sœur, Marcel et sa femme restaient coucher à Valbois. Et pourquoi étaient-ce Marcel et Pauline qui bénéficiaient de la chambre ? Parce qu'ils formaient un couple et que, du coup, la mère leur accordait un statut supérieur à celui de ses filles, encore célibataires. À moins qu'elle ne jugeât inconvenant de les faire dormir dans le salon ouvert par la porte d'arche sur la salle à manger.

— Comme s'ils allaient automatiquement faire l'amour parce qu'ils dorment ensemble ! avait grogné Diane la première fois que cela s'était produit.

— Arrête donc ! s'était écriée la mère. Un couple ne pense pas rien qu'à ça !

— Raison de plus pour qu'ils dorment dans le salon ! Pourquoi on leur donnerait notre chambre dans ce cas-là ?

Marie-Andrée repensait à tout cela ; elle délaissa sa contrariété pour le rêve. C'était quoi, ces fameux gestes sexuels? En quoi la sensation qu'ils provoquaient était-elle tellement hors de l'ordinaire? Elle devait être bien spéciale pour que tout le monde en fasse tant de cas, pour que tant de femmes et d'hommes la désirent tellement et la paient parfois si cher! Elle retrouva son sentiment d'ambivalence d'avant la grand-messe. D'une part, elle voulait sortir avec des garçons, découvrir les baisers et les caresses, comme certaines de ses camarades de classe qui en parlaient parfois à la récréation. D'autre part, elle ne s'y décidait pas. Et quand elle observait les copains de Luc, elle ne s'imaginait avec aucun d'entre eux. «Est-ce que je suis trop difficile?» se reprochait-elle parfois. Finalement, elle chassa ses doutes avec une certitude instinctive : «J'ai toute la vie devant moi pour ça.»

Par contre, le temps ne changerait rien à sa place dans la famille. Elle était la benjamine, celle dont on ne s'informe pas, croyant qu'elle ne vit rien d'intéressant, celle que l'on chasse de sa propre chambre sans même lui demander son avis. Elle soupira et continua de ranger la vaisselle que sa belle-sœur essuyait. Pauline voulait reparler de la contraception que l'Église interdisait, mais elle n'osait pas. Ce fut Diane, curieuse, qui ramena le sujet.

— Comme ça, demanda-t-elle à Louise, tu aurais pris la pilule si tu avais pu?

Les deux sœurs se toisèrent. Louise n'avait jamais eu de prise sur Diane. L'aînée, si raisonnable et si soucieuse de bien s'acquitter de ses rôles de fille, d'épouse et de mère, ne pouvait en rien servir de modèle à sa cadette, si désireuse d'inventer sa propre vie que tout conformisme lui apparaissait lâcheté. À l'inverse, l'anticonformisme de Diane apparaissait aux yeux de Louise comme de l'irresponsabilité. L'eau et le feu étaient incompatibles. L'aînée haussa les épaules et répondit en toute simplicité.

— Oui, et c'est ce que je ferai peut-être après celui-là. L'Église interdit la pilule pour l'instant, mais j'imagine qu'elle va réviser ses positions. C'est juste une question de temps.

Éva Métivier cessa de les écouter et sombra dans de profondes réflexions. Elle avait toujours accepté les directives de l'Église sans se questionner mais, à présent, l'Église changeait sur tout. Et puis, Éva se préoccupait de la santé de sa fille. «Qui nous dit que c'est au point, cette affaire-là? Est-ce que c'est dangereux pour la femme? pour le petit? Les femmes ne sont pas des cobayes, quand même!» Pourtant, elle ne pouvait réprimer une pointe d'envie pour les femmes de la génération de sa fille. «Si on avait eu ça dans notre temps...» Elle eut mauvaise conscience; sa réflexion l'amenait plus profondément qu'elle ne l'aurait voulu dans des zones inavouables, celles du souvenir de sa grossesse des jumeaux qui, inopportune, l'avait empêchée de suivre son mari dans une nouvelle ville où il venait de se trouver un emploi qui leur aurait permis de vivre tous ensemble, à longueur d'année. Cela n'ayant pas été possible, son mari était retourné dans les chantiers et rien d'autre ne s'était plus présenté d'assez intéressant pour lui. «Ou il n'a plus cherché ailleurs...», se dit-elle, toujours obsédée par le doute.

— Puis toi, maman, demanda Diane, qu'est-ce que t'en penses?

Éva sursauta.

— C'est pas à moi de régler ça, répondit-elle évasivement en esquissant un geste d'impuissance de sa main gauche.

Ses filles la regardèrent, étonnées de son refus, inhabituel, de prendre position et de sa quasi-fuite au salon sans rien ajouter. Yvon finissait d'installer son attirail de projection pour montrer deux nouveaux films qu'il avait tournés avec sa ciné-caméra, qui le passionnait toujours autant. Les femmes les rejoignirent peu après et la projection commença. Comme à chaque fois, Diane se bidonnait.

— Du vrai cinéma muet! s'esclaffait-elle.

De fait, à part le cliquetis constant et bruyant de l'engrenage des bobines, aucun son ne sortait de l'appareil. Les films se déroulaient en silence. Les images étaient légèrement saccadées et les adultes y manquaient de naturel la plupart du temps. Certains se poussaient avec timidité de la caméra, s'en détournaient ou se cachaient la figure, quand ils ne se sauvaient pas carrément hors du champ visuel. D'autres, au contraire, par bravade, jouaient aux habitués et bluffaient tellement qu'ils en devenaient caricaturaux.

Heureusement, les enfants étaient spontanées : Nathalie et Johanne étaient franchement adorables. Chacun se souvenait de la scène touchante, filmée deux ans plus tôt, dans laquelle Nathalie avait grimpé sur le lit de ses grands-parents pour donner le biberon à sa sœur encore bébé. Après quelques minutes de visionnement silencieux, tout un chacun y alla de ses commentaires admiratifs ou comiques, puis la conversation reprit plus normalement.

— Et le prochain, demanda Marie-Andrée, vous allez l'appeler comment?

— Étienne ou Simon, répondit vivement Louise.

— Ah oui? fit Diane. Et si c'est une fille?

— Ah! on en a déjà deux. Ça nous prendrait bien un garçon! protesta sa sœur.

— Et si tu avais déjà deux garçons, insista Diane, souhaiterais-tu autant une fille que tu souhaites un garçon aujourd'hui?

La mère lança un regard de reproche à Diane, mais comme celle-ci faisait mine de ne pas s'en apercevoir, elle s'imposa :

— On prend ce que le bon Dieu nous donne.

Éva ne se lassait pas de voir ses petites-filles à l'écran. Quant aux parents, ils jouissaient des prouesses de leur progéniture, et cela se voyait qu'Yvon préférait Johanne et Louise, Nathalie.

Marcel et Pauline se sentaient un peu coupables de ne pouvoir exhiber à leur tour un fils ou une fille; mais ils avaient choisi d'utiliser la pilule anticonceptionnelle, assez nouvelle sur le marché, sans s'en vanter auprès de la famille. Marcel avait énoncé clairement ses objectifs à sa femme : «Je veux des promotions, vite, et je dois pouvoir être transféré n'importe où, n'importe quand.» Pour sa part, Pauline craignait la maternité. L'invention de la pilule anticonceptionnelle avait donc été providentielle pour eux. Ils se félicitaient d'être les premiers de la famille à vraiment exercer un contrôle sur d'éventuelles naissances. Que l'Église condamne cette méthode de contraception ne leur avait pas fait réviser leur point de vue sur un sujet qui les concernait intimement. Contrairement à leurs parents, grands-parents et autres ancêtres, ils avaient le choix de concevoir des enfants ou non, et ils comptaient bien profiter de ce privilège extraordinaire. D'un commun accord, ils avaient donc reporté à plus tard le début d'une famille. Ils considéraient d'ailleurs que, à vingt-trois ans, ils avaient tout leur temps. Devant les images mouvantes de leurs deux jeunes nièces, Marcel et Pauline se réjouissaient sincèrement pour Yvon et Louise, mais, tout compte fait, ils ne les enviaient pas vraiment.

Le film suivant montra une féroce bataille pour des jouets entre les deux petites. Cela parut drôle quelques secondes, puis la rudesse de Nathalie refroidit l'atmosphère.

— Yvon! T'as pas filmé ça? protesta Louise.

— C'est la vraie vie! répondit-il, satisfait de pouvoir montrer à sa belle-famille que Nathalie n'était pas souvent réprimandée par sa mère.

La petite de quatre ans se regardait avec attention dans le film. Elle alla tapoter l'écran, qui rebondit sous sa menotte.

— Nathalie! cria son père, impatienté, touche pas à ça!

— C'est moi. C'est moi! insista l'enfant en arborant un sourire triomphant.

Gênés, les adultes réalisaient que l'enfant se sentait valorisée en voyant ses gestes brutaux exhibés à l'écran. Yvon alla chercher sa fille pour qu'elle cesse d'abîmer l'écran fragile et Louise souhaita que ce malheureux épisode achève au plus vite. Mais l'incident avait donné une lecture différente des événements et, à la scène suivante, il était évident que Nathalie, de plus en plus consciente de la caméra, perdait le naturel qui avait fait le charme des situations quotidiennes dans les premiers films.

Luc ne passait pas de commentaires sur la projection pour la simple raison qu'il n'était plus là. Il s'était esquivé, comme tous les dimanches après-midi. Il s'était inscrit à une ligue de quilles, parce qu'il était un bon joueur, mais surtout pour parader devant les filles, qui se pâmaient déjà pour lui, même s'il affichait une indépendance presque arrogante. Il avait l'embarras du choix et les possibilités qu'offrait la pilule anticonceptionnelle l'intéressaient au plus haut point. Il était en effet bien décidé à en tirer parti le plus tôt possible. Mais il ne s'en vanterait pas, lui non plus, auprès de sa famille, surtout qu'il n'avait que quinze ans.

Profitant du crépitement de la bobine dans l'appareil pour justifier son silence, Raymond Duranceau ne disait rien. En fait, le bruit incessant qui régnait sur les chantiers l'avait rendu un peu sourd, et c'était lors de ses séjours périodiques dans sa famille qu'il s'en rendait compte. Il s'en trouvait diminué. «Je deviens déjà vieux?»

se demandait-il parfois. Et il repoussait aussitôt cette idée parce que, pour lui, la vieillesse signifiait devenir sénile à plus ou moins long terme.

Cet après-midi-là, les images de ses petites-filles lui allaient droit au cœur, lui faisant prendre conscience qu'il n'avait pas vu ses cinq enfants grandir. Les mots d'une chanson à la mode, «si tu savais comme on s'ennuie, à la la Manic...», lui trottèrent dans la tête et lui crispèrent le cœur comme chaque fois qu'il les entendait. À force de tant s'ennuyer le soir, dans sa chambrette, une fois sa journée de dix heures de travail terminée, et ce, six jours par semaine, il s'était barricadé le cœur pour ne pas souffrir, fondant des attentes irréalistes sur sa famille, laissée «en bas» et pour laquelle il besognait si loin. Et si seul.

Brusquement, il lui vint un espoir fou, le désir que sa famille comprenne enfin ce qu'était sa vie de chantier. Il se dit que s'il revenait avec un film, lui aussi, pour montrer son lieu de travail, cette œuvre démesurée, sa famille comprendrait ce qu'il vivait là-bas.

À l'évocation de cette entreprise titanesque, son espoir s'effrita. Personne «d'en bas», du sud, ne pouvait concevoir ce qu'était un chantier hydroélectrique de cette envergure. Dans son esprit lui revint soudain le bruit des foreuses. Il revit flamber les torches des soudeurs et sentit la morsure du froid l'hiver, puis celle des moustiques durant les périodes de canicule, quand la température s'élevait à 30 °C. Il se retrouva dans la roulotte-dortoir de huit chambres pour seize hommes. Seize hommes venant de partout, avec des habitudes différentes, des odeurs fortes, des caractères de toutes sortes, des problèmes personnels parfois uniques, mais parfois si semblables à ceux des autres chambreurs. Seize hommes qui se couchaient tôt parce qu'ils étaient fourbus, mais aussi parce que c'était une façon d'oublier qu'ils étaient seuls parmi des centaines et des centaines d'hommes. Des hommes qui étaient là depuis quelques semaines ou quelques années. Des hommes mariés, des hommes divorcés, ou sur le point de l'être. Raymond Duranceau soupira. «En plus, on est traités comme des enfants d'école. Le *boss* décide de tout, tout le temps.» Il avait parfois l'impression d'être un prisonnier sur le chantier. Combien de fois lui était-il arrivé, après une longue journée de travail particulièrement épuisante, de vouloir changer d'air, seulement changer d'air, voir des gens différents, vêtus autrement, qui aborderaient d'autres sujets de conversation? Mais où aller quand le chantier se trouve au milieu de nulle part?

Le crépitement de l'appareil ayant cessé, Raymond Duranceau revint chez lui, à Valbois. «Non, les gens d'en bas ne peuvent pas comprendre ce qu'on vit en haut.» Il regarda ses petites-filles qui retournaient à leurs jeux et il se demanda s'il les verrait grandir, celles-là, et l'enfant à naître. «Un petit-fils, peut-être? Je serais tellement fier si c'était le cas», se dit-il tout en coulant un regard ému vers les deux fillettes.

À la fin de la soirée, quand Louise et sa famille furent partis et que Marcel et Pauline se furent retirés dans la chambre des filles, Diane prépara le sofa. Marie-Andrée et sa mère restèrent seules à la cuisine, le temps de laver les verres et les tasses utilisés dans la soirée, de vider le cendrier sur pied du salon et les cendriers individuels des joueurs de cartes, de ranger les cartes, les papiers et les crayons. Sa mère semblait si songeuse que Marie-Andrée s'en inquiéta. À sa grande surprise, Éva lui avoua son amertume à propos de la discussion, au dîner, sur la pilule anticonceptionnelle.

— Pour les femmes, c'est peut-être une possibilité intéressante, tu ne penses pas, maman?

Éva fit son geste irrité de la main sans répondre.

— Mais t'es fâchée pour quoi, au juste? insista patiemment sa fille.

— Tout change! explosa brusquement sa mère. Avant, on se sacrifiait pour nos enfants, mais là, c'est à croire que c'est démodé! Ça veut dire quoi, ça? Qu'on était niaiseux de faire des enfants? Qu'on s'est sacrifiés pour rien?

La détresse au cœur, elle lança son torchon sur le comptoir et quitta la cuisine sans rien ajouter. Marie-Andrée la regarda s'éloigner, le dos courbé sous un poids invisible.

Bouleversée, la jeune fille s'interrogea au sujet des membres de sa famille. Qui étaient-ils tous? Sa mère, qu'elle croyait si solide et qu'elle découvrait tiraillée par le doute. Son père, dont elle ne connaissait ni les rêves ni les échecs. Louise, qui parlait de ses enfants mais jamais d'elle-même. Marcel, qui se réfugiait dans ses grands discours ou ses blagues parfois caustiques. Diane, isolée entre les aînés et les jumeaux, qui ne semblait avoir tissé de liens avec personne dans sa famille. Luc, son jumeau, qui se désintéressait de tout sauf de son groupe d'amis. Ses nièces, si jeunes mais dont le destin se dessinait déjà, le destin de l'une probablement à l'opposé de celui de l'autre. Puis elle glissa son regard sur elle-même. Qui était-elle, Marie-Andrée Duranceau? «On est des étrangers, au fond...», conclut-elle, pensive, en allant se coucher.

Dans la pénombre, elle se heurta à une porte close. En se rappelant qu'elle devait dormir sur le sofa, l'évidence s'imposa brutalement à son cerveau et à son cœur: sa chambre ne lui était que prêtée; les visiteurs avaient toujours préséance sur elle. «Oui, admit-elle avec chagrin, ils passent avant moi. Comme si je n'existais pas... Mais dans deux ans, ça va changer.» N'ayant ni la vocation d'enseigner, comme sa sœur Diane, ni le goût de soigner des malades, il lui restait donc le secrétariat. Il lui semblait qu'elle se plairait dans un univers de mots et de chiffres, où elle serait responsable de dossiers plutôt que d'enfants ou de malades. Dans deux ans, après sa dixième et onzième années commerciales, elle entrerait à son tour sur le marché du travail comme secrétaire, comme adulte, et elle serait enfin reconnue.

Mais pour l'instant, aucun lieu n'était le sien. «Il est où, mon espace? Est-ce que j'en aurai un, un jour?»

3

La jeune fille éclata de rire. Décidément, la vie était généreuse avec elle.

— Ça te fait rire qu'Yvon s'inquiète pour toi? s'étonna sa mère, les sourcils froncés. Un emploi, on ne rit pas avec ça.

Marie-Andrée reconnaissait bien là sa mère, avec son habileté à tout ramener au sérieux, sinon au tragique.

— Un emploi, peut-être pas, répondit-elle mystérieusement; mais deux...

Elle se dirigea vers sa chambre où elle enleva sa tunique bleue et sa blouse à manches longues, détacha ses bas et se débarrassa enfin de sa gaine. Qu'il faisait chaud, en cette mi-juin!

Ses études pour ainsi dire terminées, puisque c'était la dernière semaine de cours, Marie-Andrée était maintenant prête pour le marché du travail. Cet après-midi-là, elle avait été convoquée dans le bureau de la directrice, une religieuse aux yeux perçants dont le sens pratique lui avait toujours plu. La raison de cette convocation inattendue avait flatté son ego et elle était rentrée à la maison avec une fierté compréhensible, impatiente d'annoncer la bonne nouvelle.

Mais elle n'en avait pas eu le temps : sa mère lui avait immédiatement transmis le message qu'elle avait reçu pour elle de son gendre. Yvon venait d'apprendre, par le biais d'une enseignante de son école, dont la sœur travaillait à Valbois, qu'un poste de dactylo venait de s'ouvrir dans l'une des trois compagnies de leur petite ville, chez Field & Sons, un fabricant de meubles. Il s'était hâté de transmettre l'information, sachant sa jeune belle-sœur en quête d'un emploi. «Comme si j'avais besoin de ce poste!» se dit-elle, amusée.

Sa mère rappliqua dans la chambre, fronçant les sourcils devant la quasi-nudité de sa fille.

— C'est quoi, cette affaire-là de deux emplois?

Devant le regard maternel réprobateur, qui glissait sur elle sans aucune complaisance, Marie-Andrée se sentit mal à l'aise, gênée de son propre corps qui, pourtant, lui semblait harmonieux quelques minutes auparavant. Elle enfila rapidement une blouse légère et un bermuda tout en annonçant que la directrice venait de lui proposer de soumettre sa candidature pour un poste de commis à la commission scolaire. Le poste ne serait vacant qu'à la mi-août mais, si elle était intéressée, la religieuse la recommanderait sans tarder. Pour tout dire, elle était presque assurée d'obtenir cet emploi. La mère et la fille évaluaient cependant cette proposition inattendue sous des aspects différents.

— Un emploi, ma petite fille, quand on a la chance d'en avoir un, on le laisse pas passer.

Indépendamment de l'emploi comme tel, la mère acceptait avec une certaine difficulté que sa dernière fille soit sur le point d'intégrer le monde du travail à son tour, comme une adulte. Elle se sentait vieillir d'autant et projetait son insécurité sur sa fille. Dans cette optique, les bureaux de la commission scolaire lui parurent un milieu plus protégé pour elle, si jeune encore malgré ses dix-sept ans, que celui de l'industrie, où elle ne connaissait personne. De plus, elle bénéficierait sans doute d'une plus grande sécurité d'emploi.

Marie-Andrée aussi savourait l'offre flatteuse, rassurante d'une certaine façon, puisqu'elle ne changerait pas vraiment de milieu. D'autre part, se demandait-elle, avait-elle vraiment le goût de rester dans le même environnement? Ne préférait-elle pas, au contraire, connaître de nouveaux horizons?

Quand Luc rentra à son tour, il émit une opinion tout à fait différente.

— Ma pauvre fille, dit-il spontanément, quelle sorte d'avancement penses-tu avoir dans une job de même? T'es plafonnée en partant; tu ne peux quand même pas devenir le directeur de la commission scolaire?

Elle fut prise de court. Ils étaient jumeaux, ils finissaient leurs cours dans la même semaine et pourtant ils avaient déjà des points de vue différents sur le travail. Engagé par l'une des deux banques de Valbois, Luc commencerait le lundi suivant et, déjà, il prenait en considération les promotions possibles. Elle se trouva sotte de s'attarder à des éléments de sécurité ou d'états d'âme au lieu d'évaluer la question en adulte responsable de son avenir, comme lui.

— J'espère que tu vas aller voir quel genre de job la compagnie offre, insista son frère.

— Une compagnie, intervint la mère avec contrariété, il y a toutes sortes de monde là-dedans. T'as juste dix-sept ans...

— Dix-huit au mois d'août, maman, lui rappela-t-elle.

— Dix-sept ou dix-huit, c'est pareil. C'est bien jeune pour aller travailler pour des patrons qui... qui...

Les jumeaux se regardèrent mais ne firent aucun commentaire, voulant éviter les sempiternelles mises en garde maternelles. «C'est à croire que tous les hommes sont des vicieux!» ragea Luc intérieurement. «Elle imagine tellement de mal partout qu'elle va finir par en créer!» s'irrita Marie-Andrée.

La curiosité quant à l'emploi l'emporta. Mais pour la satisfaire, Marie-Andrée devait téléphoner sans tarder à la compagnie. Cependant, appeler chez un employeur l'intimidait. Elle aurait souhaité être seule dans la pièce, mais accepta finalement le manque d'intimité, composa le numéro sans plus attendre et prit rendez-vous pour le lendemain, après ses cours, pour remplir la demande d'emploi.

— Je commence lundi! claironna-t-elle fièrement en revenant de l'entrevue, le jour suivant.

Les illusions de la mère s'effritèrent et elle considéra la décision impulsive de sa fille comme une sorte de trahison. Marie-Andrée avait accepté cet emploi, son premier emploi, sans même la consulter. Éva Métivier ne servait plus à personne.

— Il me semblait que tu devais seulement aller voir! s'exclama-t-elle d'un ton de reproche.

— Oui, mais eux, ils sont pressés. Je remplace une femme qui est tombée malade.

— C'est temporaire? Comme ça, tu vas prendre le travail à la commission scolaire au mois d'août?

— Non, non. La femme ne reviendra pas.

— T'as bien fait de te décider vite, l'approuva Luc. Les jobs, c'est comme la vie; il faut prendre ce qui passe.

Puis il sortit couper le gazon avec la tondeuse manuelle à laquelle son père avait ajouté un petit moteur électrique. C'était beaucoup moins difficile que de pousser pour faire tourner le rouleau, ce qui compensait l'embarras du fil électrique à traîner derrière soi. Il s'acquitta de sa tâche en sifflant, pour une fois, tout heureux de se débarrasser de cette corvée pour mieux fêter la fin de son secondaire dans deux jours.

Le lundi suivant, par une magnifique matinée de fin juin, vêtue d'un joli deux-pièces léger que sa mère lui avait cousu les jours précédents, Marie-Andrée entra chez Field & Sons avec des papillons dans l'estomac. En poussant la porte vitrée du hall d'entrée, elle jeta un dernier coup d'œil à sa toilette, se voulant à la hauteur dans sa nouvelle vie d'adulte. Elle paraissait bien, la jeune brunette, dans sa veste de toile d'un jaune chaud, droite et sans col, avec des manches trois-quarts et des boutons recouverts du même tissu, et sa jupe droite un peu au-dessus des genoux sans être une minijupe. Et, bien sûr, elle avait choisi des escarpins avec un petit talon et un sac assorti, du même cuir brun clair. Oui, elle était mignonne et cela lui redonna confiance.

Elle prit une profonde inspiration et entra dans le lieu où, dorénavant, elle passerait la majeure partie de son temps éveillé. Il s'agissait d'une grande salle rectangulaire où, aux deux extrémités, avaient été aménagés trois espaces distincts. Dans le hall d'entrée et le vestiaire, une porte intérieure donnait accès au secrétariat. Il y avait ensuite un espace ouvert où se trouvaient deux bureaux l'un derrière l'autre, face à la salle (et sur lesquels trônaient des machines à calculer), entre deux rangées de six classeurs verticaux gris sombre à quatre tiroirs. Finalement, deux pièces fermées donnaient sur cette aire ouverte : à gauche, le bureau du directeur du personnel, monsieur Bilodeau, et, à droite, celui de sa secrétaire, madame Laforest.

À l'autre extrémité, trois pièces fermées s'alignaient, de gauche à droite : une petite salle de réunion, le bureau de la secrétaire de direction et le bureau du président.

Entre ces deux séries de trois pièces, la plus grande partie de la salle était occupée par le *pool* des dactylos : cinq rangées de six bureaux, alignés comme dans une classe, presque collés les uns sur les autres et faisant face à l'espace réservé à la comptabilité. Sur le mur de gauche se trouvaient quatre portes. Le mur de droite, quant à lui, était percé d'une série de fenêtres commençant à mi-hauteur et qui ne laissaient donc voir que le sommet des arbres, dissimulant le stationnement aux dactylos et, lorsqu'on était à l'extérieur, ne permettant pas de voir à l'intérieur.

Marie-Andrée ne détailla à peu près rien de tout cela tant elle était intimidée. Levant les yeux de son bureau, madame Laforest l'aperçut et vint à sa rencontre.

— Bonjour. Bienvenue parmi nous, lui dit-elle gentiment.

Marie-Andrée retrouva un peu d'assurance et sourit à cette femme dans la cinquantaine, de taille moyenne et un peu rondelette, aux cheveux auburn, parmi lesquels on apercevait des fils argentés, et aux yeux rieurs mais pourtant scrutateurs. La nouvelle venue se sentit rassurée de connaître au moins une personne dans cet univers étranger même si elle ne l'avait rencontrée qu'une demi-heure la semaine précédente. «Est-ce que je vais aimer ça, ici? Est-ce que je vais me faire des amies? Dans combien de temps?»

Au fur et à mesure qu'elles arrivaient, les autres employées, curieuses, regardaient la nouvelle tout en s'installant pour la journée. Quelques blondes, une ou deux rousses, des brunettes pour la plupart et, ici et là, quelques têtes grises. D'un geste machinal, elles enlevaient la housse de leur machine à écrire, la pliaient et la rangeaient. Elles oublièrent vite la nouvelle venue et prirent connaissance du travail qui les attendait individuellement.

Marie-Andrée suivit madame Laforest vers la salle, s'attendant à être présentée à chacune des employées, le redoutant et le souhaitant à la fois. À sa grande surprise, elles contournèrent les rangées de bureaux pour se diriger vers le fond et son guide se contenta de désigner les femmes en disant :

— Les dactylos. Elles sont trente.

Cette attitude mina la confiance de la nouvelle employée, qui craignit, comme l'avait cru sa mère, que son emploi ne soit que temporaire. Par contre, madame Laforest, qui avait une information à transmettre à la secrétaire du président, lui présenta Marie-Andrée puisqu'elle était à ses côtés. Maryse Lanctôt était une grande femme élégante dans la trentaine, dont l'abondante chevelure de jais conférait à son visage un halo presque mystérieux. Cette femme faisait disparaître des documents entre les mâchoires d'une déchiqueteuse. Marie-Andrée, qui découvrait ce genre d'appareil, était fascinée parce que ces documents, sans doute confidentiels, le resteraient même au rebut, ainsi réduits en étroites laizes de papier. Elle qui attachait tant de prix à la protection de l'intimité approuva ce système et, du coup, trouva la secrétaire de direction sympathique. Finalement, elle conclut que madame Lanctôt, grande et mystérieuse, convenait bien à son rôle de secrétaire du président et madame Laforest, à son poste de secrétaire du directeur du personnel, ayant un peu l'air de la mère de toutes les dactylos.

En revenant vers la salle, madame Laforest présenta Marie-Andrée à une fille, de son âge à ce qu'il lui sembla, grande, un peu maigrichonne, aux cheveux auburn mi-longs à peine bouclés. Elle s'appelait Françoise et fut chargée d'initier la nouvelle venue, qui se promit de tout saisir du premier coup et se dirigea vers le bureau qu'on lui désignait.

— C'est un peu énervant au début, dit la fille, mais le travail devient vite une routine.

Leurs regards se croisèrent et la connivence surgit d'emblée. Marie-Andrée se sentit comprise et son stress diminua d'autant.

— Je vais faire le même travail que celle que je remplace? demanda-t-elle en haussant la voix pour compenser le crépitement des machines à écrire qui venait de s'élever, comme un bourdonnement de fond.

Des rires fusèrent, couvrant le crépitement.

— Ce serait difficile! s'exclama une petite femme aux cheveux noirs. Raymonde tapait comme une championne.

Pour se donner une contenance, Marie-Andrée cherchait où déposer son sac à main.

— Mets-le dans l'un de tes tiroirs, lui glissa gentiment la femme derrière elle en levant à peine les yeux du texte qu'elle tapait.

Un peu étonnée de ce conseil — pourquoi une telle prudence? se demandait-elle —, Marie-Andrée glissa son sac dans le tiroir du bas, le plus grand et qui était vide. Françoise lui fit l'inventaire du matériel de la parfaite dactylo, qui se trouvait dans les deux premiers tiroirs : feuilles à en-tête et feuilles blanches, certaines de format ordinaire et d'autres de grand format, boîte de papiers carbone, de deux formats eux aussi, enveloppes diverses, crayons, liquide à effacer, règle et une boîte de rubans pour machine à écrire. Marie-Andrée connaissait tout cet attirail, l'ayant déjà utilisé dans son cours de secrétariat. Mais aujourd'hui il ne s'agissait plus d'apprentissage : ces feuilles deviendraient sous ses doigts de véritables lettres, que l'on posterait à de véritables compagnies ou clients.

— Et le dictionnaire? demanda-t-elle.

Le crépitement des machines voisines ralentit comme sous l'effet d'un incident diplomatique.

— Pour quoi faire? questionna une femme dans la rangée d'en avant, vers la droite. On ne vous montre rien, à l'école?

Françoise désigna l'ouvrage de référence, perché sur un classeur. Il n'y en avait qu'un seul et sa tranche impeccable laissait deviner qu'il était neuf ou, plus probablement, qu'on ne l'utilisait jamais.

Madame Laforest revint vers Marie-Andrée avec un rapport de plusieurs pages à transcrire, ce qui évitait à la nouvelle dactylo le stress de taper du courrier urgent dès la première journée. Françoise retourna à son bureau et Marie-Andrée s'assit au sien, presque sous les fenêtres. En jetant un coup d'œil vers Françoise, à l'autre bout de la rangée, elle aperçut trois portes sur le mur du fond. Celle de gauche était double, large et capitonnée. «Elle donne peut-être sur l'atelier de meubles», pensa-t-elle. Mais les deux autres la laissaient perplexe. «Je verrai plus tard», se dit-elle en ouvrant les pages manuscrites du rapport à taper.

Comme le stress la gagnait à nouveau, Marie-Andrée inspira profondément pour se calmer et feuilleta le rapport pour se faire une idée d'ensemble de sa présentation. Son stress décupla : le document comprenait de nombreuses colonnes de chiffres. «Il fallait que ça m'arrive! Dès ma première heure de travail!» geignit-elle intérieurement. Les chiffres! Sa bête noire, c'était justement la rangée de touches en haut du clavier, qui exigeait tant de dextérité et qui, depuis le début de son cours de secrétariat, lui causait des problèmes. À sa droite, une dame un peu plus âgée s'amusa gentiment de sa déconvenue flagrante.

— Comme ça, t'auras pas besoin de dictionnaire! chuchota-t-elle d'un ton si taquin que Marie-Andrée en rit malgré elle et se détendit enfin. Moi, c'est Mireille, ajouta l'employée, qui baissa le ton pour poursuivre. C'est ma sœur qui a parlé de l'emploi à ton beau-frère Yvon.

La nouvelle venue lui sourit avec un sentiment de reconnaissance, à la fois pour l'information et pour sa gentillesse, et se sentit moins seule.

À l'heure de la pause-café, Françoise lui confirma que les deux portes capitonnées, près du bureau de madame Laforest, donnaient effectivement sur l'atelier, d'où s'échappaient parfois des bruits sourds ou stridents, selon le travail effectué. La deuxième porte était celle des toilettes et la troisième, plus loin, celle de la salle de repos et de repas des dactylos, Françoise précisant cependant que la plupart d'entre elles sortaient à midi. Marie-Andrée fut informée des conventions concernant la vaisselle, la propreté des lieux, etc., et elle fut ensuite présentée aux employées. Curieuse, elle aurait voulu se souvenir du nom de chacune d'elles mais, dans l'énervement et à cause de sa timidité, elle ne parvint à en retenir aucun.

Tout en buvant son premier café, préparé par Françoise, elle capta des bribes de conversation et apprit que la femme qu'elle remplaçait était, en fait, au repos. La dénommée Raymonde Sinclair, une femme dans la trentaine avancée mais mariée depuis quelques années seulement, était enceinte de son premier enfant. Cependant, au cours de la grossesse tant attendue, des complications étaient apparues et la future mère devait dorénavant rester alitée une bonne partie de la journée.

— Pour moi, elle va perdre son bébé, prédit une petite femme rondelette. C'est pas normal qu'une femme soit obligée de rester couchée parce qu'elle est arrangée de même. Moi, j'ai eu quatre enfants puis j'ai jamais eu besoin de rester couchée pendant mes grossesses.

— Ça veut dire qu'elle reviendrait? hasarda quelqu'un d'autre.

Dans le silence qui suivit, la remplaçante de Raymonde Sinclair devint soudain le point de mire de toutes les femmes présentes et comprit que son emploi dépendait d'une menace diffuse. Heureusement, la pause se terminait et elle put retourner à son travail et s'y réfugier. Mais le doute s'était insinué en elle et elle lutta contre une certaine appréhension.

À midi, elle se dirigea vers la salle de repos avec son lunch. Elle habitait à un peu plus d'un kilomètre, ce qui n'était pas très loin, mais avec un aller et retour à pied, cela ne laissait pas suffisamment de temps pour dîner tranquillement. Il n'y avait pas de transport en commun à Valbois, et comme, exceptionnellement, ses parents étaient tous les deux absents de la ville pour la journée, personne ne pouvait venir la chercher puis la reconduire. Françoise aussi mangeait sur place; elle avait du travail en retard et avait décidé de se rattraper pendant l'heure du dîner.

En déballant son lunch, elle demanda à la nouvelle venue si l'avant-midi s'était bien passé. C'était une question franche, simple, et Marie-Andrée y répondit spontanément. D'une chose à l'autre, elles bavardèrent, se manifestant une confiance réciproque. Marie-Andrée connaissait si peu la sensation agréable qu'elle ressentait en ce moment qu'elle avait du mal à la nommer. Tout entière dans le plaisir de la conversation, elle ne voulait surtout pas en rompre le charme en l'analysant. Françoise l'informa qu'elle travaillait dans ce bureau depuis six mois, époque du déménagement de ses parents à Valbois après plusieurs années dans les Laurentides. Le choix s'était porté sur Valbois parce que son père avait de la famille dans la région; sa grand-mère, d'origine anglophone, vivait encore près de la frontière américaine.

— Ton père est anglais?

— Par sa mère seulement. Mon grand-père était canadien-français : Blanchard.

— Et toi, tu es bilingue? demanda Marie-Andrée avec une certaine admiration.

— Oui. Mon frère aussi. Il vit à Montréal.

— Ah oui? Moi aussi j'ai un frère à Montréal, et une sœur aussi. Mon frère et sa femme sont mariés depuis quelques années. Ils n'ont pas encore d'enfant. Je ne pense pas que ça presse non plus.

Elle se tut, mécontente de son indiscrétion qui, en plus, n'était qu'une impression personnelle.

— Le mien non plus n'a pas d'enfant, continua simplement son interlocutrice. Je m'entends bien avec lui et sa femme, même si Réjean a dix ans de plus que moi.

Elles parlèrent ainsi de leur famille, sobrement. Pour le moment, elles ne mentionnaient que des noms, des lieux; le reste viendrait plus tard, Marie-Andrée en était certaine. Puis elle eut le goût de parler de son père.

— En ce moment, il est à Manic-2. Quand un chantier est fini, il va au suivant.

— Il n'est pas souvent à la maison, déduisit Françoise.

— Non, mais il revient régulièrement, comme cette semaine, par exemple.

Son interlocutrice réfléchit un instant, puis sourit, ironique.

— Ton père n'est peut-être pas assez présent et le mien, peut-être trop.

Elle se voyait maternant son père dans ses crises de révolte. Il souffrait profondément de ne plus pouvoir assumer ses responsabilités de chef de famille, comme il l'avait toujours fait avant de devenir malade. De son côté, Marie-Andrée pensait à sa joie à chaque retour de son père à la maison, mais aussi à sa déception de ne pas pouvoir communiquer vraiment avec lui, cet homme qui était plus un étranger qu'un père.

Finalement, Françoise ne retourna à son travail qu'à une heure, sans remords. Pour sa part, Marie-Andrée se

71

réjouissait d'avoir fait meilleure connaissance avec sa collègue. Cette présence amie fut réconfortante pour elle dans l'après-midi. Elle était stressée par cette première journée de travail et contrôlait mal son doigté. Et corriger n'était pas une mince affaire ! Il fallait d'abord tourner le chariot délicatement pour ne pas désaligner le texte, puis badigeonner l'erreur de liquide correcteur, en dosant bien la quantité; s'il y en avait trop, cela créait un pâté qui engouffrait la nouvelle lettre, mais s'il y en avait trop peu, cela ne camouflait pas l'erreur. La correction ayant été faite sur l'original, il fallait ensuite ramener cette feuille vers soi, ainsi que le papier carbone, qui salissait si facilement les doigts et même le papier qui, lui, devait rester impec-cable (les taches étaient difficiles à éviter parce que le papier carbone, justement, reproduisait tout ce qui le touchait), et répéter les mêmes gestes sur la copie, en sachant que le liquide blanc était toujours sali par la lettre transposée par le carbone. Puis il fallait attendre que le tout sèche. Marie-Andrée avait l'impression que toutes les dactylos la regardaient, oubliant que chacune d'elles avait connu une première journée de travail semblable, marquée par l'inexpérience et le stress.

Il lui sembla que le séchage ne finirait jamais. Elle soupira. Puis, avec le plus grand soin, elle juxtaposa parfaitement les trois feuilles et, manuellement toujours, fit bouger le chariot pour replacer les feuilles à la ligne de texte appropriée, en s'assurant que la frappe correctrice s'alignerait avec les autres lettres du mot, et ce, sans décalage. Bien sûr, il ne fallait pas gâcher tout le document par plusieurs corrections, si finement exécutées soient-elles.

Elle s'efforça de taper plus lentement, mais elle avait toute la peine du monde à ralentir ses doigts. Elle dut même s'arrêter à quelques reprises parce qu'elle avait tout à coup l'impression de perdre complètement son doigté à force de trop vouloir le contrôler.

Jamais Marie-Andrée n'avait autant espéré que l'horloge indique cinq heures. Épuisée par sa première journée de travail, elle s'apprêtait à téléphoner chez elle pour demander à son père de venir la chercher, puisqu'il était en congé pour quelques jours encore, quand elle se rappela que ses parents étaient absents pour la journée. Par ailleurs, elle ne voyait pas vraiment la nécessité de téléphoner à l'un des deux taxis de Valbois pour une si courte distance. Elle se résigna donc à marcher.

Elle avait cependant oublié qu'elle avait chaussé des souliers à petits talons, mais surtout neufs, non encore assouplis. Et qu'il faisait aussi chaud, en cette fin de juin à cinq heures de l'après-midi, qu'en juillet. De plus ses bas de nylon l'enfermaient comme dans un sauna. «Heureusement que je n'ai pas ma gaine!» Le retour l'accabla, partagée qu'elle était entre le désir de hâter le pas pour arriver au plus vite et dévorer un souper bien mérité et, d'autre part, de marcher le plus lentement possible pour conserver le peu d'énergie qui lui restait. Brusquement, le souvenir de sa déconvenue du matin l'atterra : si Raymonde Sinclair perdait son bébé, elle reviendrait au bureau et alors Marie-Andrée se retrouverait sans emploi. Le monde lui apparut soudain hostile et elle se sentit impuissante devant cette conjoncture défavorable qui faisait que son emploi, si vite obtenu, serait peut-être aussi vite perdu.

Puis elle se rappela Françoise Blanchard et se détendit. Elle trouva enfin comment nommer la sensation euphorisante de sa conversation avec elle. Elle s'était sentie accueillie! Pas jugée ni évaluée : simplement accueillie, telle qu'elle était. Et ce qu'elle était avait même semblé plaire à l'autre. Que cela la changeait des blagues caustiques de son frère Marcel et des grands airs de

Louise! Bref, cela la valorisait d'être perçue telle qu'elle était maintenant et non comme l'enfant qu'elle avait été dix ou douze ans auparavant.

Enfin elle aperçut avec soulagement la maison familiale, la jolie maison à l'allure victorienne de ses parents. Les émotions avaient creusé son appétit et une envie soudaine et insistante de pâtes la fit saliver. Elle souhaita comme un trésor sans prix que sa mère ait préparé un macaroni gratiné pour le souper.

Elle s'arrêta net, frappée par une évidence pénible : ses parents étant absents, le souper ne serait pas prêt. Le peu d'énergie qui lui restait fondit du coup, la laissant abattue, sans force, comme les deux cœurs saignants de chaque côté des larges marches du perron, dont les fleurs s'étiolaient, maintenant presque incolores, dans les derniers moments de leur floraison annuelle. Pour un peu, elle se serait effondrée sur les marches de la galerie après cette journée éprouvante à maints égards et suffocante. Elle gravit péniblement les cinq marches et poussa la porte-moustiquaire du salon en essayant de maîtriser sa déconvenue et sa fatigue, comme sa mère le faisait, refusant de démontrer le moindre signe de lassitude, comme si cela avait été avouer une faiblesse, forcément honteuse.

Luc, affalé dans un fauteuil, regardait la télévision après sa journée de travail à la banque, plus courte que la sienne, où il venait de commencer à travailler comme caissier ce matin, lui aussi.

— Salut! Qu'est-ce que tu nous fais de bon pour souper? lui dit-il sans se détourner du téléviseur.

Un poids écrasant l'acheva. Luc était revenu depuis plus d'une heure et pourtant il ne s'était aucunement soucié d'elle, sauf pour lui réclamer son souper. Il l'attendait pour qu'elle le nourrisse comme un enfant. Un grand enfant de son âge; son jumeau! Blessée de ce manque d'attention égoïste, en sueur, les pieds endoloris, elle ne put en supporter davantage, alla s'enfermer dans sa chambre et s'affala sur son lit en pleurant.

Elle pleurait en silence sa fatigue, le stress de sa journée et son chagrin d'être si peu considérée, tout en s'en voulant de se laisser si facilement abattre, allant jusqu'à se mépriser de sa faiblesse, qu'elle jugeait puérile. Pourtant, elle se sentait étouffée comme le personnage de la série télévisée *Le Prisonnier* qui, quoi qu'il essayât pour s'enfuir, demeurait toujours prisonnier, dépersonnalisé, n'ayant plus de nom mais seulement un numéro matricule. «Comme s'il n'existait pas, lui non plus.» Elle s'endormit lourdement, mais fut réveillée par Luc qui lui criait, du salon :

— Puis, on soupe-tu?

Elle réalisa qu'elle avait pleuré et eut honte de sa réaction émotive. «Je ne lui ferai pas l'honneur de lui montrer ce que son indifférence me fait.» Elle se passa la main sur les joues, où les larmes avaient séché, et soupira, moins abattue. Puis elle se résigna : si elle voulait souper, elle devrait s'en occuper.

Poussée par la faim, elle se leva, enleva son tailleur maintenant froissé (qu'elle devrait repasser) et enfila des vêtements légers. Plus à son aise, elle reprenait déjà des forces et se sentit assez forte pour sortir de son repaire. Elle alla ouvrir le frigo. Sa mère leur avait préparé un souper. C'était un macaroni qu'elle n'avait plus qu'à faire gratiner.

Deux jours plus tard, Yvon proposa une sortie aux jumeaux.

— Maintenant que vous travaillez, il faudrait vous intéresser aux vraies affaires. Je vous emmène à une assemblée politique.

Luc refusa, ayant un tournoi de quilles de fin de saison. Marie-Andrée, tout enthousiaste de sa première semaine de travail, accepta par curiosité, la politique n'ayant jamais véritablement fait les frais des conversations familiales, à part quelques commentaires paternels. Éva finissait bruyamment la vaisselle du souper, mécontente que Marie-Andrée sorte ce soir-là, son père repartant pour le nord le lendemain.

— On a déjà assez de misère à gérer notre propre maisonnée, on va pas aller se mêler de ce qu'on connaît pas. Puis, de toute façon, nous autres, le monde ordinaire, on pourrait rien changer. Tous des beaux parleurs, à mon avis.

— Un homme qui sait nous convaincre, la contredit son mari, c'est un homme qui va défendre nos intérêts.

Il faisait ainsi allusion à Maurice Duplessis, qui ne s'était pas privé d'affronter ses homologues fédéraux et avait répété tant de fois, comme un leitmotiv, qu'il fallait «rapatrier notre butin». Duplessis était mort depuis sept ans et il le regrettait. Mais il n'assisterait pas pour autant à l'assemblée. Ils ne seraient donc que trois : Yvon, Louise et Marie-Andrée.

— Si ça continue, la salle va être pleine! s'étonna Louise quand ils entrèrent dans le lieu de réunion.

La grande salle de l'école primaire se remplissait à vue d'œil. Bientôt, toutes les chaises pliantes de métal gris seraient occupées. Sur l'estrade, semblable à toutes celles de toutes les écoles primaires, sur lesquelles des générations d'enfants avaient joué des saynètes pour Noël ou pour la fête des Mères, dans la candeur et l'énervement, une petite table et quelques chaises attendaient les invités. Marie-Andrée s'amusa de passer sans transition d'une fête d'enfants à une assemblée politique.

Des applaudissements saluèrent l'arrivée de l'orateur et elle écouta distraitement les présentations; elle zieutait l'homme, se fiant instinctivement à sa perception. Il se démarquait, cela ne faisait aucun doute. Ses paroles, vibrantes, fermes, ironiques, électrisantes, coulaient en elle et réveillaient des fiertés timides qu'elle n'osait exprimer. L'orateur parlait de la liberté d'exister à la face du monde entier et cela la rejoignait profondément.

Comme les autres dans la salle, elle applaudissait, envoûtée. Son attention fut tout à coup décuplée, l'homme ayant abordé le sujet des chantiers de la Manic. Elle y visualisa son père et redoubla d'attention. Pour décrire des pièces d'équipement, l'orateur utilisait des termes techniques inconnus, simplement parce que, pour une fois, quelqu'un employait les mots français. Un à un, les mots étaient déposés, formant un échafaudage solide, comme les barrages colossaux. Puis, après un silence calculé, l'orateur cloua sa conclusion lentement, en criant les derniers mots :

— Tout ça, ça se fait en français... et ça tient!

La foule se leva d'un bloc, galvanisée par cette image d'invulnérabilité des ouvrages conçus et construits en français et qui s'imposaient au monde entier par leur audace. Marie-Andrée applaudissait, comme son beau-frère et sa sœur, comme les femmes et les hommes, comme les jeunes et les vieux, comme les ouvriers et les intellectuels autour d'elle.

Pourtant, elle ne suivit pas Yvon quand il alla serrer chaudement la main du tribun avec des éloges enthousiastes. Elle avait besoin de temps pour classer toutes les émotions qui l'avaient envahie ce soir-là. Et elle pensa, avec une immense fierté, à ce peuple qui était le sien, qui avait courageusement découvert et sillonné l'Amérique, de Gaspé à la Louisiane, de Montréal à la baie d'Hudson et jusqu'au Pacifique.

— T'avais pas le goût de le rencontrer? lui demanda son beau-frère, légèrement irrité.

— Il parle bien, reconnut-elle en sortant, très bien, même. Ce qu'il dit, je le sens, je le reconnais.

— Puis? insista-t-il, presque agressif.

— Puis quoi? Mon idée n'est pas faite, c'est tout.

Yvon n'était pas au bout de ses déceptions. Son euphorie essuya une douche froide quand il ramena sa jeune belle-sœur chez ses parents. Le père était déjà couché, se reposant avant la journée fatigante du retour aux chantiers.

— C'est facile de critiquer! blâma sa belle-mère en réponse à l'enthousiasme de ses filles et de son gendre. Diriger un pays, ça se fait pas par de belles phrases. C'est facile pour ces gens-là de dire que tout est croche. Ils ont quel âge, au fait? C'est pas eux qui l'ont construite, notre province.

Son gendre décela dans ses propos un mépris pour son jugement et protesta, irrité, à trente ans passés, de se faire traiter comme un enfant.

— Ça veut dire quoi, madame Duranceau? Qu'il faut avoir votre âge pour dire quelque chose qui a du bon sens?

Louise essaya de le tempérer du regard, mais il refusa de se calmer.

— Parce que si c'est de même, poursuivit-il en écrasant son mégot dans le cendrier près de sa tasse de café, ça veut dire que…

Il se tut brusquement. Il avait failli dire : «… que vous vous prenez pour le nombril du monde!» Il continua d'écraser, inutilement, son mégot, observant sa belle-mère à la dérobée. Cette femme le désarmait comme un adversaire qui arrive au combat avec des armes tellement inattendues que toutes les règles du jeu deviennent caduques.

78

— J'ai trois petits! ajouta-t-il d'un ton si viril que sa belle-mère en resta estomaquée. Ces enfants-là, je veux qu'ils vivent chez eux la tête haute, et en français. Et fiers de leur langue!

Louise respira. Son mari se calmait. Elle aussi voulait le meilleur pour ses enfants et elle commençait à partager le point de vue de son mari sur le nouveau parti politique.

— Ça veut dire quoi, RIN? demanda-t-elle.

Yvon se rengorgea.

— Rassemblement pour l'indépendance nationale.

— Peuh! Ils ont besoin de se lever de bonne heure pour me *rassembler* avec eux autres! les défia Éva. On vit en paix dans notre pays, puis c'est correct de même.

Surexcitée par la conférence, Marie-Andrée n'avait pas sommeil et elle offrit de laver la vaisselle du goûter que sa mère leur avait préparé. Dans le silence de la cuisine, elle repensait au discours sur le pays du Québec évoqué ce soir-là et à ses ancêtres qui, depuis une dizaine de générations, avaient contribué à le façonner. Si les exploits des découvreurs et des explorateurs étaient devenus légendaires, elle regrettait que l'héroïsme au quotidien des femmes ait été si peu relevé. Elle imagina sa sœur Louise accoucher dans une cabane en bois rond, boulanger, coudre, soigner, cuisiner l'essentiel, jour après jour, dans la chaleur torride de juillet comme dans les courants d'air glacés de l'hiver sibérien de janvier, dans une maison mal isolée, sans eau courante, sans voisin à des kilomètres à la ronde. Elle admira les femmes d'autrefois qui, sans prétention et sans gloire, avaient néanmoins transformé les découvertes ponctuelles en situations historiques permanentes.

Comme si elle avait lu dans ses pensées, sa mère ajouta à son intention, en saisissant un linge propre et une soucoupe fraîchement lavée :

— C'est bien beau, des changements, mais qui va les assumer ces changements-là? Dans bien des cas, c'est les femmes. Les hommes font les jars, puis les femmes restent prises avec leurs décisions. Plus ça change, plus c'est pareil.

Marie-Andrée oublia vite sa soirée. Son souci immédiat était plutôt de savoir si Raymonde Sinclair et son bébé se portaient bien. Les nouvelles étaient rassurantes et sa remplaçante reçut sa première paie avec un grand sourire de satisfaction des mains de la comptable, Georgette Vézina, une petite femme nerveuse. La nouvelle employée ouvrit son enveloppe avec précaution, instaurant un rituel : maintenant elle faisait partie du monde des adultes. Mais elle déchanta en voyant le nombre inscrit : il n'était pas conforme à l'entente conclue au moment de son embauche. La comptable l'observait, moqueuse.

— T'es pas habituée à payer de l'impôt, hein?

Georgette Vézina attira son attention sur le talon du chèque où était noté le salaire brut, mais aussi les déductions fiscales et celles de l'assurance-chômage. Elle la laissa digérer quelques instants ces amputations sur son salaire puis, quand elle la crut remise de sa déception, elle ajouta :

— Compte-toi chanceuse; j'ai enlevé seulement ça. Dans deux mois, quand tu atteindras tes dix-huit ans, un autre petit morceau va sauter.

— Un autre? s'exclama la jeune fille, incrédule.

— Hé oui! Tu connais pas ta chance. Tu vas avoir dix-huit ans tout juste l'année où le gouvernement provincial met sur pied un régime de retraite. Quand tu vas voir «R.R.Q.» sur le talon de ton chèque, avec une petite somme inscrite à côté… c'est que tu auras commencé à payer pour tes vieux jours.

Son salaire fondait à vue d'œil.

— Mais je sais pas si j'en veux! protesta-t-elle.

— De quoi? Des vieux jours ou de la rente de retraite? s'amusa la comptable. Fatigue-toi pas à décider : tu vas contribuer comme tout le monde. T'as aucun mot à dire là-dessus.

— Ah bon...

— Prends pas ça de même; tu seras bien contente d'avoir une rente quand tu prendras ta retraite.

— Ma retraite? balbutia Marie-Andrée.

Elle venait à peine de commencer à travailler! Pouvait-elle vraiment, à dix-sept ans, entrevoir ce que signifierait pour elle prendre sa retraite? Elle chassa au plus vite ce spectre déprimant; dans l'immédiat, elle accepta les règles du jeu et rangea le précieux chèque dans son portefeuille, retrouvant son enthousiasme. «Le premier chèque de mon premier emploi!» Elle aurait souhaité le conserver en souvenir, mais les avantages de l'échanger contre de l'argent sonnant balayèrent sa rêverie. Elle avait d'ailleurs soigneusement planifié l'usage de sa première paie et elle était impatiente de concrétiser ses plans.

Comme d'habitude, sa mère vint la chercher pour dîner mais, cette fois, elles arrêtèrent à la caisse populaire. Comme ses parents n'avaient jamais donné d'argent de poche à leurs enfants, elle n'avait jamais effectué de dépôt à la caisse scolaire, comme la majorité de ses camarades de classe. Peut-être fallait-il chercher là l'importance, à ses yeux, d'ouvrir un compte dans une institution financière. Luc venait de commencer à travailler à l'une des deux banques de la ville, mais elle ne tenait pas à ce qu'il soit au courant de ses affaires, même si celles-ci, comme celles de son frère d'ailleurs, seraient modestes. De toute façon, les deux types d'institution avaient des vocations différentes : les banques s'occupaient davantage des comptes commerciaux et la caisse populaire, des comptes personnels.

La première caisse populaire de Valbois avait été installée dans la résidence de son fondateur, puis dans le sous-sol de celle du directeur, qui était resté en poste de nombreuses années. Devenue plus prospère, avec une clientèle accrue et, forcément, plus de personnel, l'institution avait acheté un terrain et venait de faire construire un édifice à son usage exclusif. La jeune Marie-Andrée entra donc dans une caisse populaire neuve et moderne.

Elle remplit une demande d'ouverture de compte, en répondant aux trois questions d'usage : nom, adresse et numéro de téléphone, et la signa aux endroits appropriés. Puis sa mère la contresigna. Marie-Andrée était contrariée de devoir se plier à cette exigence du seul fait qu'elle était mineure, même si elle déposait de l'argent qu'elle avait gagné comme adulte. Quoi qu'il en soit, elle reçut enfin son premier livret de caisse et son premier carnet de chèques, qui lui procurèrent un sentiment de liberté enivrant, parce qu'ils marquaient le début de son autonomie financière.

Maintenant devenue sociétaire de la caisse, Marie-Andrée Duranceau put enfin changer son premier chèque de paie, l'endossant soigneusement comme la caissière le lui avait expliqué. Sa mère la regardait s'exécuter, fière d'elle, mais aussi un peu amère, elle qui n'avait jamais eu accès à l'indépendance financière, ce qui l'avait tant brimée. Passée de la tutelle de son père à celle de son mari, Éva Métivier, comme toutes les femmes du Québec, n'avait acquis le droit légal de gérer ses biens que deux ans auparavant, avec l'adoption du projet de loi 16. «Des biens personnels, j'en ai pas, de toute façon, mais, se réjouit-elle, ma fille, elle, va pouvoir en acquérir et voir à ses affaires elle-même.»

Marie-Andrée, par une sorte de bravade, déposa impulsivement le tiers de son salaire; à quoi servait un livret de caisse s'il n'y avait rien dedans? Ce geste n'était pas prévu, mais il lui procura une sensation très agréable. Elle était en sécurité : elle avait désormais de l'argent en banque.

Cependant, quand la caissière lui remit l'argent qui restait, la jeune travailleuse crut qu'elle s'était trompée. Elle compta et recompta les billets, calculant mentalement : le compte y était bel et bien. Elle frôla la panique : il ne lui restait même pas suffisamment d'argent pour rembourser à sa mère le tissu de son tailleur, ce qu'elle tenait tant à faire dès aujourd'hui, pour souligner son autonomie. Dans ses prévisions, elle n'avait pas songé à tenir compte des déductions fiscales, ni de la part sociale à la caisse, bien que celle-ci soit minime; elle n'avait pas pensé, non plus, qu'elle voudrait commencer à accumuler des épargnes. «Ça sort plus vite que ça rentre», conclut-elle. Elle déchanta un peu plus, si c'était encore possible, quand la caissière lui rappela que, comme elle était mineure, sa mère ou son père devrait contresigner ses chèques, si jamais elle en faisait, jusqu'à sa majorité. «Jusqu'à vingt et un ans, soupira-t-elle, ça va être long!»

Quoi qu'il en soit, une fois arrivée à la maison pour dîner, elle paya sa pension à sa mère pour la première fois. Dorénavant, elle ne se considérait plus comme une charge pour ses parents et elle trouvait normal de défrayer son gîte et son couvert. La fierté qui monta en elle lui fit presque ressentir physiquement qu'elle changeait de statut à ses propres yeux et, du coup, elle eut l'impression d'avoir grandi de quelques centimètres!

À la fin de l'après-midi, elle rentra à pied, comme convenu, pour pouvoir effectuer un achat auquel elle tenait beaucoup. Mais, une fois dans la boutique, elle fut intimidée. Elle persista toutefois dans son projet. Comme Luc fêtait sa première paie en sortant avec ses copains, elle avait tout le loisir de mettre son plan à exécution, sans commentaires de qui que ce soit.

— Une carte avec ça? proposa le marchand.

Elle ne voulait pas de mots impersonnels. Elle préférait, le moment venu, exprimer sa pensée de vive voix, avec spontanéité.

— Non merci.

Quand elle arriva à la maison familiale et qu'elle se dirigea vers sa mère avec son paquet étroit, elle regretta brusquement de ne pas avoir pris une carte de vœux parce qu'une émotion inattendue paralysa son élan. Sa mère, étonnée, développa une fleur d'un rose délicat, reposant au creux de tiges d'asparagus. Son cœur s'étreignit; sa petite dernière lui offrait une rose, sa fleur préférée, avec son premier salaire. C'était la seule de ses cinq enfants à avoir eu une pensée aussi délicate envers elle. Elle en était si bouleversée qu'elle craignit que son trouble ne se voit et ne soit interprété comme de la sensiblerie. Aussi feignit-elle l'étonnement.

— Mon doux! Une rose? Pour quoi faire?

La jeune adulte, aussi émue que sa mère, oublia la jolie phrase qu'elle avait fignolée et ne réussit qu'à articuler maladroitement quelques mots ordinaires.

— Parce que… c'est ma première paie…

Et, pour cacher son trouble, elle embrassa sa mère.

— C'est pas raisonnable, bredouilla sa mère; tu gagnes pas tant que ça.

En d'autres circonstances, sa fille aurait regimbé à cette réplique, qu'elle aurait jugée réductrice, mais ce jour-là elle éclata de rire devant la pertinence des paroles maternelles.

— Oui, t'as raison. Mais t'es ma mère quand même…

— C'est bien que tu travailles, ma fille, ajouta sa mère pour contrôler son émoi. Quand on gagne son propre argent, on attend après personne.

Cette phrase d'Éva exprimait un ressentiment douloureux. Elle avait porté les cinq enfants du couple et les avait élevés, s'était toujours chargée de la gestion de la maison et avait comblé les absences de son mari en assumant des responsabilités supplémentaires qui, normalement, ne lui auraient pas été dévolues. Après trente ans de travail, sept jours sur sept, elle assurait encore le roulement de la vie familiale et gérait le budget familial. Pourtant, durant toutes ces années, elle n'avait jamais reçu de salaire. Et elle continuait à demander son avis à son mari, pour ne pas dire la permission, pour la moindre dépense la concernant personnellement et ne possédait rien à son nom.

Marie-Andrée, par intuition ou compassion, devina confusément le sens caché de la phrase de sa mère et elle en fut effarée. «Quêter? Quêter toute ma vie même si je travaillais sept jours sur sept, simplement parce que je suis une femme?»

La sonnerie du four retentit et elle profita de cette diversion pour chasser ces pensées dérangeantes.

— Qu'est-ce que tu fais cuire? demanda-t-elle. Ça sent bon.

— Ton dessert préféré : un pouding aux fraises! Pour ta première paie…, ajouta-t-elle timidement avec ce regard que sa fille aimait tant, tout de tendresse et de contentement.

Ce regard heureux confirma à Marie-Andrée qu'elle avait eu raison de lui offrir le cadeau, même modeste. Elle avait tenu à lui montrer qu'elle lui était reconnaissante de l'instruction qu'elle avait reçue. Si son père avait été à la maison, elle aurait déniché un petit cadeau pour lui aussi, mais il était reparti pour Baie-Comeau la veille.

Ce soir-là, Marie-Andrée glissait dans le sommeil, heureuse de son passage au monde des adultes, maintenant qu'elle avait commencé à gagner sa vie, quand une pensée inattendue prit lentement forme dans son cerveau somnolent. «Maintenant je pourrai vraiment offrir un don le dimanche, à la quête.» Satisfaite d'elle-même, elle allait s'endormir pour de bon quand une autre pensée lui fit rouvrir les yeux tout grands : «Je ne vais même plus à la messe!»

Elle éclata de rire devant l'absurdité de la situation, puis s'arrêta brusquement. Était-il possible qu'en deux ans à peine elle ait abandonné toute pratique religieuse? Le temps où elle assistait à la messe lui apparut aussi lointain que si ç'avait été au siècle dernier. Il n'y avait plus que sa mère qui semblait encore croire aux rites religieux. Son père, lui, se contentait d'accompagner sa femme à l'église pour la forme. Et si Yvon et Louise allaient encore à l'église le dimanche, c'était plus probablement pour donner l'exemple à leurs trois enfants, même si le petit Simon n'avait pas encore deux ans, que pour témoigner de leur foi. Ou encore parce que Nathalie, leur aînée, venait de faire sa première communion. Marie-Andrée avait fait un commentaire en ce sens à sa sœur, en badinant, mais celle-ci l'avait pris de haut.

— Quand t'auras des enfants, tu verras qu'il faut donner le bon exemple.

— Le bon exemple de quoi?

Elle s'était tue. Elle avait failli ajouter : l'exemple de l'hypocrisie?

— L'exemple des choses importantes. La religion, c'est important.

— Important pour qui? par rapport à quoi? s'était obstinée la cadette.

La mère s'était interposée et les deux sœurs ne s'en étaient pas reparlé. Mais Marie-Andrée s'était questionnée sur cette obligation morale à laquelle sa sœur aînée semblait d'ailleurs se soumettre d'assez bonne grâce. «Comme ça, donner le bon exemple justifie qu'on triche? C'est ça, être adulte?» Elle s'interrogea ensuite sur ses propres attitudes. Quel genre d'exemples donnait-elle, quelles valeurs véhiculait-elle sans même s'en rendre compte?

Puis le sommeil la prit d'un coup et elle dormit profondément dans l'insouciance de sa jeunesse.

4

La sérénité de Marie-Andrée s'effrita dès le lundi suivant. Dépendamment des racontars, Raymonde Sinclair allait faire ou avait fait une fausse couche. Sa remplaçante visualisa son emploi s'envolant comme fumée au vent. Déçue, elle ne s'alarma toutefois pas outre mesure; il lui restait toujours la possibilité de travailler à la commission scolaire.

À la pause-café du vendredi avant-midi, la rumeur fut confirmée. La mère avait perdu l'enfant et, après un peu de repos, elle reprendrait son poste; cette dactylo était trop expérimentée pour que la compagnie se passe de ses services. Marie-Andrée ne savait plus quelle contenance adopter devant les employées et la situation lui déplut souverainement; elle était plus affectée qu'elle ne l'aurait cru. Qu'allait-il advenir d'elle?

Tout juste avant le dîner, madame Laforest la fit venir à son bureau et la nouvelle employée comprit que sa carrière chez Field & Sons venait de se terminer. Sa patronne l'observa avec gentillesse, comprenant sa déception. La jeune fille réalisa tout à coup que son interlocutrice devait avoir l'âge de sa mère. Pourtant, les deux femmes semblaient complètement différentes. Était-ce simplement parce que sa mère était svelte et sa patronne, plus rondelette? «Non, se dit Marie-Andrée avec un pincement au cœur, c'est le sourire de madame Laforest qui fait la différence, le sourire de quelqu'un qui aime la vie.»

— Tu as appris que Raymonde reviendrait au bureau? lui demanda la femme.

Marie-Andrée acquiesça d'un signe de tête.

— Tu ne t'attendais pas à ça; nous non plus, en fait. Mais ce n'est pas parce que ce n'était pas prévu que c'est nécessairement une mauvaise nouvelle pour toi. Je vais repenser à tout ça en fin de semaine. Tu reviens lundi, comme d'habitude. Mais avant de proposer quoi que ce soit à monsieur Bilodeau, j'ai besoin de savoir si tu accepterais d'autres tâches que celle de dactylo.

Marie-Andrée s'apprêtait à être congédiée et maintenant il lui fallait décider si elle acceptait un autre travail. Bien sûr qu'elle voulait travailler! Mais à quoi?

— C'est difficile d'accepter quelque chose qu'on ne m'a pas encore précisé, nuança-t-elle avec méfiance. Mais si c'est une tâche de bureau...

Marie-Andrée se dit qu'elle devait agir : téléphoner le jour même à la directrice de son ancienne école ou alors au directeur de la commission scolaire. Mais elle supposa que les bureaux seraient fermés sur l'heure du dîner. Comme elle ne voulait pas faire cet appel du bureau, elle devrait attendre d'être chez elle et téléphoner après une heure, ce qui signifiait qu'elle reviendrait à son travail avec un léger retard. Au point où elle en était, quelle importance cela avait-il? Le coup de fil à la directrice fut bref : le poste était déjà comblé. Marie-Andrée était humiliée d'avoir été si naïve. Elle retourna au travail avec près d'une demi-heure de retard et se fit remarquer par ses collègues. Madame Laforest, quant à elle, interpréta ce retard comme une protestation compréhensible après leur entretien et ne lui en tint pas rigueur.

La fin de semaine s'annonçait longue et pénible dans l'attente. À quelle tâche serait-elle affectée? Pour combien de temps? Dès qu'elle fut informée de la situation, sa mère sentit la fatalité s'abattre sur sa fille. Son intuition ne l'avait pas trompée; pourquoi Marie-Andrée n'avait-elle pas accepté le poste à la commission scolaire? Pourquoi les jeunes s'imaginaient-ils toujours que l'expérience des parents était inutile? Elle savait bien, elle, que les emplois ne couraient pas les rues et surtout qu'«Un tiens vaut mieux que deux tu l'auras». «Mais non, j'ai jamais raison; on sait bien, je n'ai fait que rester à la maison et avoir des enfants, les élever, m'en occuper. C'est bien sûr que je ne connais rien de la vie!»

À la table familiale, le dimanche, la cadette fut, malgré elle, le sujet de conversation. Elle qui se plaignait de ne jamais intéresser sa famille était maintenant servie!

— Tu aurais mieux fait d'accepter…

— Ah! maman, recommence pas avec ça! s'irrita-t-elle. Le poste est déjà pris!

«Oui, je le sais que tu avais raison, mais c'est pas nécessaire de me le radoter pour la dixième fois depuis vendredi soir.» Pourtant, en son for intérieur, elle s'obstinait à croire qu'elle avait fait le bon choix. «J'avais plus de chances d'avancement à la compagnie qu'à la commission scolaire.» Ce choix s'avérait sans lendemain, soit, mais personne, ni l'employée en congé de maladie ni elle, n'aurait pu prévoir les circonstances actuelles.

— Elle l'a encore, sa job! protesta Luc. Paniquez pas!

Voilà maintenant que l'on parlait d'elle à la troisième personne. «Comme si je n'existais pas, encore une fois!» ragea-t-elle. Luc poursuivit, fier de sa courte expérience de caissier à la banque.

— Les compagnies, déclara-t-il, ça ne fait pas la charité. S'ils la gardent, c'est qu'ils auront du travail pour elle.

— En autant que c'est du secrétariat, insista Louise.

— Accepte pas n'importe quoi, la prévint son beau-frère Yvon. T'as un diplôme de secrétariat; t'es pas une ouvrière d'usine.

— On peut pas avoir les meilleures jobs en partant, tempéra la mère. Quand on est valet...

— ... on n'est pas roi! la coupa Luc d'un ton irrité. Mais ça veut pas dire qu'il faut accepter n'importe quoi.

— De toute façon, renchérit Louise, si ça ne fait pas son affaire, elle n'a qu'à aller ailleurs.

Leur jeune sœur les écoutait, de plus en plus irritée. Chercher un autre emploi ailleurs avait évidemment été son premier réflexe. Après tout, Field & Sons n'était qu'une compagnie parmi d'autres. Cela dit, elle était consciente qu'il n'y avait que trois entreprises importantes à Valbois. Les raisons du choix qu'elle avait fait lui semblèrent tout à fait justifiées : une possibilité d'avancement et un milieu nouveau. Elle soupira. Décidément, la vie d'adulte impliquait plus de décisions à prendre qu'elle ne l'aurait cru. Laissant les autres discourir sur son cas, elle essaya de s'imaginer travaillant pour une autre compagnie. La conclusion inattendue qui lui vint à l'esprit l'étonna : en quittant Field & Sons, elle cesserait de voir Françoise Blanchard. Elle réalisa alors qu'elle souhaitait ardemment son amitié, et plus encore, qu'elle devienne une sœur pour elle, la sœur qu'elle n'avait pas vraiment eue, son égale, une égale qui l'accepterait comme elle était sans chercher à exercer une quelconque autorité sur elle. Elle décida de patienter et de ne prendre une décision que lorsqu'elle connaîtrait tous les éléments du problème.

Le lendemain, deuxième lundi de juillet, il pleuvait à torrents et la chaleur était accablante. Sa mère la reconduisit à son travail comme d'habitude et Marie-Andrée s'engouffra dans le hall d'entrée en vitesse, avec son imperméable léger au-dessus de la tête. Elle le secoua vigoureusement et le suspendit à un cintre, résolue à affronter la décision de madame Laforest à son sujet, quelle qu'elle soit. Mais celle-ci lui donna son travail rapidement, l'air soucieux, puis s'enferma dans son bureau.

Marie-Andrée s'attendait à un oui ou à un non, mais pas à être ignorée. Quand donc saurait-elle ce qu'il advenait d'elle? Ce ne fut qu'à la pause de l'après-midi, encore en coup de vent, que madame Laforest, débordée depuis le matin, l'informa brièvement qu'elle n'avait pas eu deux minutes pour discuter de son cas avec monsieur Bilodeau. Un simple grief d'un ouvrier était en train de prendre une ampleur démesurée et le cas de la jeune dactylo ne revêtait aucune importance pour l'instant.

Dans la salle de repos, les vacances générales des deux prochaines semaines et le retour de Raymonde Sinclair, la première semaine d'août, alimentaient les conversations. Une employée, amie de Louise, demanda à Marie-Andrée si elle avait commencé à chercher un emploi ailleurs.

Françoise buvait son café en silence, déçue. Ses parents ne voyaient pour ainsi dire personne, son frère l'aimait bien, mais il avait des préoccupations d'homme marié et près de la trentaine, ce qui était fort éloigné du quotidien de sa sœurette de vingt ans. Avec Marie-Andrée Duranceau, une amitié lui avait semblé possible. Devait-elle déjà la perdre?

Le reste de la semaine, monsieur Bilodeau eut de nombreuses rencontres avec l'ouvrier et le contremaître. Le cas de la jeune dactylo ne constituait toujours pas une urgence à ses yeux. Quand Marie-Andrée reçut finalement son salaire de la semaine, l'incertitude quant à sa situation lui était devenue insoutenable. Avait-elle toujours un poste ou allait-on la congédier? Elle résolut de poser carrément la question à madame Laforest pour en avoir le cœur net. Anxieuse, cachant de son mieux son ressentiment grandissant, elle frappa à la porte du bureau de sa patronne, presque agressivement.

— Ah! s'écria madame Laforest en l'apercevant. Justement celle que je voulais voir.

Marie-Andrée n'eut même pas le temps de lui poser sa question. La secrétaire avait enfin trouvé le temps de soumettre son projet à son patron; il y était favorable, mais il restait encore des détails à régler. Par ailleurs, les deux semaines suivantes seraient très perturbées à cause des vacances de la majorité des employés, l'atelier lui-même fonctionnant au ralenti durant cette période. En fait, la décision au sujet de son emploi serait prise au début d'août, quand tout serait rentré dans l'ordre.

— Évidemment, ajouta-t-elle, je serai en vacances, moi aussi. Tu travailleras avec madame Vézina pendant la première semaine, et ensuite madame Chèvrefeuille, notre doyenne des dactylos, te fera trier des dossiers d'archives dans les classeurs.

Ayant vu Marie-Andrée entrer dans le bureau, Françoise crut qu'elle était congédiée. «J'ai trop attendu!» se reprocha-t-elle. Aussi, quand elle la vit ressortir, elle lui fit signe de la rejoindre. Passant outre à sa réserve naturelle, elle se hâta de lui proposer d'aller au restaurant à la fermeture du bureau. Marie-Andrée envia son assurance et accepta spontanément ce qu'elle-même n'avait pas osé suggérer.

Tout en sirotant une boisson glacée, elles bavardèrent. Françoise se réjouissait de disposer de deux autres semaines de travail pour nouer des liens d'amitié. Marie-Andrée voyait plutôt ce répit d'un point de vue négatif.

— Deux autres semaines assise entre deux chaises! dit-elle en soupirant profondément.

Il faisait atrocement chaud et elle coula un regard distrait sur une Volkswagen garée devant le restaurant, le toit chargé de matériel de camping.

— Du camping! Qu'est-ce que je donnerais pas pour essayer ça au moins une fois! Il me semble que ce doit être tellement rafraîchissant au bord d'un lac!

Marie-Andrée rentra chez elle une heure plus tard, les yeux brillants d'excitation, et elle dut faire un effort pour se rappeler que sa mère attendait impatiemment des nouvelles de son travail. Rassurée que la compagnie garde sa fille encore deux semaines au moins, Éva décela vite que quelque chose la réjouissait bien davantage et eut l'impression qu'elle faisait des cachotteries. Dès qu'elles se mirent à table, Marie-Andrée annonça que le frère de Françoise leur prêtait son matériel et qu'elles iraient camper, la fin de semaine prochaine. Trop contente de l'idée, même si le terrain de camping n'était situé qu'à quelques kilomètres de Valbois, elle en avait oublié les déboires liés à son travail.

Éva en eut le cœur serré. Elle sentait sa fille s'éloigner d'elle un peu plus chaque jour. Elle avait un travail d'adulte, une amie inconnue, et maintenant elle allait découcher. Le seul mot la remplit d'inquiétude. Comment deux jeunes filles innocentes pourraient-elles être protégées dans une tente de toile qu'un rien pouvait déchirer? Elle eut peur pour sa fille, l'imaginant à la merci des bêtes sauvages des forêts avoisinantes et, plus dangereux encore, des hommes, des autres campeurs.

— Perds-tu la raison? s'écria-t-elle. Deux filles sans défense? Il n'en est pas question!

Sa fille lui en voulut. Pourquoi fallait-il que sa mère lui gâche toujours ses plaisirs? «C'est peut-être le plaisir, justement, qui l'enrage tant. Elle devrait s'en payer, du plaisir, de temps en temps, elle serait moins sur mon dos.»

Elle s'étonna, par contre, que Luc ne profite pas de l'occasion pour provoquer un affrontement avec sa mère. Elle le vit, au contraire, tout souriant, et l'entendit proposer d'un ton mielleux :

— Si ça peut te rassurer, maman, je peux bien y aller avec elles.

Sa sœur le foudroya du regard.

— Quoi? Mais qu'est-ce qu'on ferait de toi toute la fin de semaine?

Les yeux de son frère brillèrent d'une lueur si coquine que sa sœur s'irrita encore davantage.

— Tu penses rien qu'à ça!

La mère s'énerva. De quoi parlaient-ils? Comme elle se sentait insignifiante quand ses enfants se parlaient à demi-mot et qu'elle n'y comprenait rien!

— Je ne vais pas t'achaler, moi, renchérit sa sœur, quand tu sors avec tes *chums*.

Elle était si visiblement contrariée que sa mère n'en fut que plus convaincue que cette fin de semaine de camping, avec cette fille qu'elle ne connaissait pas, devait être louche.

— On ne les connaît même pas, ces gens-là.

— Je ne vais pas camper avec *ces gens-là*, comme tu dis, mais avec Françoise, répondit sa fille qui s'efforçait de rester patiente.

— Tu ne la connais pas tellement non plus cette… cette …

Marie-Andrée savait que sa mère avait bien compris le prénom mais que, en prétendant l'avoir déjà oublié, elle marquait davantage sa désapprobation. Aussi la laissat-elle poireauter et feindre de chercher le nom de sa copine. Elle était mal à l'aise de la laisser s'enliser, mais c'était parfois la seule façon de lui faire prendre conscience de sa mauvaise foi. Éva connaissait sa fille, aussi. Quand elle se butait de cette manière, rien ne la faisait changer d'idée. «Cette Françoise-là a une mauvaise influence sur elle. Je ne sais pas pourquoi mes enfants se laissent influencer par n'importe qui, se chagrina-t-elle. C'est à croire qu'ils ne sont jamais capables de décider par eux-mêmes.»

Au fil de l'argumentation qui s'ensuivit, Marie-Andrée se laissa gagner par les craintes de sa mère et consentit à ce que Luc vienne dormir dans la tente, soi-disant pour protéger les campeuses, à la condition expresse qu'il arrive tard le soir et reparte tôt le matin. Ce qui la contrariait, par contre, c'était d'imposer la compagnie de son frère à Françoise. Enfin, elle aurait toute la semaine pour la prévenir.

Comme le bureau lui parut étrange quand elle y retourna. Il était quasi désert. Il n'y avait que la comptable et quelques dactylos, dont Françoise qui, engagée moins d'un an auparavant, n'avait pas encore droit à des vacances. Marie-Andrée travailla avec Georgette Vézina, la comptable, qui l'installa pour la semaine au bureau de son assistante, en vacances elle aussi.

En raison de l'ambiance si différente dans le bureau presque vide, des tâches toutes nouvelles en comptabilité et de la perspective du camping, Marie-Andrée se sentit quasiment en vacances elle aussi. Le jeudi soir, elle prépara ses bagages et des desserts pour la fin de semaine et, le vendredi, immédiatement après le souper, Luc fut chargé d'aller mener les filles avec l'auto familiale des Duranceau. Marie-Andrée se dit que c'était, pour sa mère, une façon de s'assurer que cette histoire de camping était vraie, mais elle était trop excitée par l'expérience qu'elle s'apprêtait à vivre pour laisser la méfiance maternelle l'atteindre. Son frère et elle allèrent chercher Françoise, et Luc commença immédiatement à ranger le matériel de camping qui les attendait sur le balcon arrière du petit appartement à l'étage qu'habitaient les Blanchard.

Françoise fit entrer sa copine et la présenta à son père, assis dans un fauteuil de style colonial recouvert d'un tweed à carreaux orange. Rosaire Blanchard avait les cheveux aussi raides que Raymond Duranceau les avaient bouclés mais, surtout, il affichait un air aigri et la souffrance se devinait au fond de ses yeux. Marie-Andrée se rappela que Françoise lui avait confié qu'il avait été amputé de la jambe gauche, mais elle ne s'attendait pas à un personnage aussi douloureux ; sans savoir pourquoi, elle avait imaginé son amie entourée d'affection et de jovialité. Mal à l'aise, elle détourna les yeux et porta son attention sur la mère. Muguette Blanchard était élancée comme sa fille ; ses cheveux, plus grisonnants que blonds, étaient relevés en un chignon, faisant ressortir ses yeux pers. Elle semblait douce et pondérée, attentive dans ses regards mais discrète dans ses paroles.

Monsieur Blanchard voulut se lever pour accueillir l'amie de sa fille, mais il heurta le cendrier sur pied qui se déversa sur la carpette.

— C'te maudite jambe ! jura-t-il en se laissant retomber dans le fauteuil.

Mal à l'aise, la visiteuse comprit, en observant la maîtresse de maison, que celle-ci devait avoir l'habitude de dédramatiser, avec patience, ces petits incidents, sans doute fréquents.

Dans l'auto, le siège arrière étant rempli de matériel, Marie-Andrée s'assit au milieu de la banquette avant, entre Luc et Françoise. Luc reluqua ostensiblement l'amie de sa sœur dans le miroir, qui ne semblait pas s'en offusquer, paraissant même flattée. Au camping, il aida les deux jeunes filles à monter la tente et déclara que, tant qu'à revenir dans une heure ou deux, puisqu'il devait dormir là pour les protéger, autant rester, et il sortit son bagage sans attendre leur assentiment. Sa sœur ragea. Le camping n'était qu'à quelques kilomètres de la maison; il aurait pu facilement faire l'aller-retour. Françoise demanda à Luc de se rendre utile en allant chercher du bois pour un petit feu de camp; elle semblait aussi à l'aise en camping que devant sa machine à écrire. Marie-Andrée l'admira et elle dut admettre qu'elle était agréablement surprise de la conversation amusante, presque hilarante de son frère. Finalement, sa présence n'était pas si contrariante, se dit-elle en dégustant des guimauves qu'elle faisait griller sur le feu, après en avoir calciné une, et laissé fondre une autre, à les vouloir trop dorées.

Puis vint l'heure du coucher. Marie-Andrée, en revenant du module sanitaire, eut de la difficulté à repérer la tente avec sa lampe de poche, mais la reconnut enfin. Le fanal au gaz l'éclairait de l'intérieur et découpait les deux silhouettes comme des ombres chinoises. Amusée, elle leva le nez vers le ciel de juillet, sans étoiles ce soir-là. Ensuite, en abaissant son regard, elle vit les deux silhouettes se rapprocher dans un baiser. «Que je suis naïve! se dit-elle. Je n'ai rien vu venir!» Elle ressentit d'abord une pointe d'envie, puis devint mal à l'aise. «Ouais, c'est moi qui suis de trop!» Elle n'osait entrer, ne sachant trop quoi faire, quand quelque chose de la grosseur d'un chat mais au corps massif frôla sa jambe. En poussant un cri de frayeur, elle se précipita, s'accrocha dans l'un des piquets et tomba tête première sur la tente, dont l'un des côtés s'abattit sur les têtes fusionnées.

— Hé! si on te dérangeait, fallait le dire! grogna son frère, contrarié d'être interrompu dans sa grande scène de séduction.

Françoise ne dit rien et sortit pour redresser les piquets. Gênée de son attitude avec Luc, elle évita le regard de sa copine. «Qu'est-ce qu'elle va penser de moi? Que j'embrasse tous les gars que je croise?» Dans l'obscurité, les deux filles se heurtèrent et éclatèrent de rire.

— Au moins, je suis rassurée; mon frère n'a pas l'air de trop te déranger...

Peu après le départ de Luc, le lendemain matin, une petite pluie fine se mit à tomber, contredisant ainsi les prévisions de temps ensoleillé pour la fin de semaine.

— *Rain before seven, sunshine before eleven!* dit laconiquement Françoise.

La nouvelle campeuse comprit que, s'il pleuvait très tôt, la pluie s'arrêterait tôt.

— Mais il a commencé à pleuvoir à neuf heures; ça veut dire...

— ... qu'il va mouiller toute la journée!

Elles s'en moquaient, mais, ne pouvant utiliser leur poêle Coleman parce qu'elles n'avaient pas d'auvent, elles durent se contenter d'un menu froid, alors qu'elles auraient apprécié un bon café chaud. Elles eurent amplement le temps de bavarder, en évitant soigneusement, cependant, de mentionner Luc.

Françoise parla plutôt de son père. Menuisier dans la construction, il avait commencé à souffrir du diabète sept ans auparavant et il avait finalement cessé de travailler quand il s'était fait amputer le pied gauche, nécrosé par l'arrêt de la circulation sanguine dans cette partie du corps. Mais la gangrène avait attaqué sa jambe et, deux ans auparavant, on avait dû l'amputer aussi.

— Parfois, confia-t-elle tristement, il dit que sa jambe et son pied lui font mal; il souffre vraiment, tu sais. Dans ces moments-là, il pense qu'il devient fou...

Son regard se perdit dans des souvenirs qu'elle garda pour elle. Puis, elle expliqua que les premières hospitalisations de son père, de quelques semaines chaque fois, avaient englouti toutes ses épargnes, puis une partie du produit de la vente de la maison familiale, heureusement sans hypothèque. Ils avaient vécu à même ce petit capital, mais il fondait à vue d'œil. Maintenant qu'elle travaillait, ajouta Françoise, son salaire leur permettait de s'en tirer un peu mieux.

L'aigreur de monsieur Blanchard et la résignation dans les yeux de sa femme se comprenaient mieux maintenant. Marie-Andrée était bouleversée, mais n'osait trop le manifester tant Françoise affichait un air serein ; elle ne semblait pas révoltée et paraissait contente de pouvoir aider ses parents. Marie-Andrée réalisa qu'elle agirait de même dans pareil cas. Un peu étonnée des problèmes financiers des Blanchard, elle dit :

— Il me semblait qu'on ne payait pas quand on se faisait soigner à l'hôpital.

— Maintenant non, mais dans ce temps-là c'était différent. En fait, la loi sur les soins gratuits a été votée quelques années après les hospitalisations de mon père, qui a quasiment fait une crise quand elle est entrée en vigueur ; s'il était tombé malade quelques années plus tard, il aurait encore sa maison et de l'argent en banque. Mais il est content quand même parce que maintenant, quand il retourne à l'hôpital, il n'a plus à payer et il est placé dans une chambre à quatre personnes, au lieu de six à huit comme avant, et, surtout, il est mieux soigné.

Marie-Andrée ressentit brusquement le poids qui pesait sur les épaules de sa camarade.

— Ça veut dire que tu ne peux pas partir de chez tes parents ?

— Pas nécessairement, rectifia l'autre. On vit avec peu et l'année dernière ma mère a reçu un petit héritage d'une tante éloignée. Mais mon père ne veut pas qu'elle s'en serve. Il dit que c'est leur sécurité, pour quand je les quitterai pour me marier. Ma mère est très patiente, soupira-t-elle en se remémorant certaines scènes de révolte de son père.

Comme elle se sentait libérée d'avoir enfin pu se confier; sa situation lui sembla moins lourde. Marie-Andrée, appréciant sa confiance, se laissa aller à son tour à des confidences. Elle déplora d'abord le manque d'affinités avec ses aînés, puis parla de sa mère qui, selon elle, avait peur de la solitude, ce qui expliquait sans doute sa rigidité. Puis elle s'arrêta, mécontente de parler d'elle ainsi à une étrangère, au fond.

La journée glissait paisiblement, comme la pluie sur la tente de toile épaisse qui dégageait une certaine odeur d'huile. À travers leurs interminables conversations, l'une apprenait les rudiments du camping, que l'autre lui enseignait sans ostentation. Elles décidèrent d'aller se baigner malgré la pluie de juillet puis elles enfilèrent des vêtements chauds et s'allongèrent pour faire la sieste. Elles somnolèrent, envoûtées par le son étouffé des gouttes de pluie qui tombaient inlassablement sur la toile, comme le chuchotement sans fin d'une berceuse. Il semblait à Marie-Andrée que cette fin de semaine était irréelle, qu'elle avait été transportée dans un univers feutré, au pays de la brume et de l'eau. La journée se déroula ainsi : les filles se réveillaient, bâillaient, grignotaient, parlaient, et somnolaient de nouveau. Elles étaient dans une île de toile, loin de la réalité, au cœur de l'amitié et des confidences.

Vers six heures, Luc revint pour les ramener à Valbois, mais Françoise déclina l'invitation.

— On ne peut pas replier une tente aussi trempée, ça l'abîmerait. Et puis, décamper à la pluie, ça mouille tout le matériel. Moi, je reste.

Luc retourna informer sa mère de la décision des filles, pour qu'elle ne s'inquiète pas, mais il revint une

101

heure plus tard avec le souper chaud qu'elle leur avait préparé. Marie-Andrée apprécia le geste maternel, qui tombait si bien à propos, préférant ne pas s'attarder au fait que Luc avait dû négocier ferme pour ne pas avoir à insister auprès des filles pour les ramener à la maison. «Il profite de la situation pour s'incruster!» comprit-elle. Ils jouèrent tous les trois au Scrabble, perdant deux morceaux du jeu dans les couvertures et les sacs de couchage, et parlèrent longtemps. Comme les filles avaient flâné et somnolé toute la journée, elles n'avaient pas sommeil. Luc s'endormit avant elles et ronfla.

Au petit matin, la pluie avait cessé. Marie-Andrée sortit silencieusement pour aller marcher dans le camping encore endormi. Elle se sentait légère et heureuse. Cette fin de semaine avait agrandi son univers. Dans toutes ses confidences de la veille, elle s'était révélée comme jamais elle ne l'avait fait avec les membres de sa famille. Et les confidences qu'elle avait reçues lui montraient qu'il existait d'autres univers que celui de sa famille, d'autres souffrances et d'autres manières de vivre. Pour la deuxième fois en un mois à peine, elle avait ainsi accédé à deux univers auxquels sa mère n'avait pas accès : son travail et sa nouvelle amitié. Elle conclut, un peu naïvement, qu'elle ne subirait pas d'ingérence de la part de sa mère dans ces deux sphères puisque celle-ci y était étrangère. Une pulsion de liberté la remplit à la fois d'une sorte d'ivresse et de confiance paisible. La brume dans laquelle elle baignait s'accordait si bien avec l'ivresse de liberté qu'elle ressentait, qu'elle les fondit ensemble.

Elle marcha lentement, longuement, puis, ici et là, le silence presque sacré de l'aube fut rompu par des chants d'oiseaux, les pleurs d'un bébé, des voix étouffées, l'aboiement d'un chien. La promeneuse solitaire revint à la tente. Les deux autres dormaient encore profondément. Elle se glissa dans son sac de couchage pour un autre petit bout de sommeil heureux.

La fin de semaine suivante, le film que tant de journaux mentionnaient était enfin à l'affiche à Valbois. Comme le cinéma n'ouvrait que les trois soirs de fin de semaine, Marie-Andrée et Françoise s'y rendirent dès le vendredi soir, appréhendant le tapage qui y régnait habituellement. Quelques adolescents profitaient de la quasi-obscurité pour se lancer des injures quand ce n'étaient pas des papiers de tablettes de chocolat ou du maïs soufflé. Les deux filles choisirent des places vers l'avant, où elles risquaient moins d'être dérangées pendant la projection des deux films.

Dès l'apparition du titre sur l'écran géant, et malgré le chahut qui accompagnait souvent le début d'un film, Marie-Andrée sut qu'il s'agissait là d'un film différent. Pas de titre racoleur ou ronflant, mais tout simplement *Un homme et une femme*. Elle fut tout de suite séduite par l'atmosphère réaliste, sobre, d'une journée pluvieuse de novembre. L'action n'existait pas pour elle-même mais était au service des émotions des personnages, qui constituaient la véritable trame du film. Les décors naturels servaient admirablement le propos. Un bord de mer avec un ciel gris et sépia, par exemple. Dans une scène du film, elle ne put s'empêcher de sourire devant l'auto sale du coureur automobile qui revenait de Cannes d'une seule traite pour répondre au télégramme criant de vérité et de sobriété qu'il avait reçu : «Je vous aime. Anne.» Et elle fut émue et charmée par ses efforts pour trouver la phrase convenant aux retrouvailles avec la femme aimée. «Ça c'est la vraie vie! rêva Marie-Andrée. Ils s'aiment parce qu'ils le souhaitent autant l'un que l'autre, tout simplement.»

Les deux filles ne restèrent pas pour le second film, tellement elles avaient hâte de commenter le premier, et elles se rendirent au restaurant en bavardant avec animation. Était-il vraiment possible d'aimer deux fois? Quel était le conjoint idéal : celui qui était pareil à soi ou quelqu'un de complètement différent? Françoise, qui n'avait qu'un frère plus âgé, idéalisait les jeunes hommes de son âge. Quant au modèle masculin qu'elle avait sous les yeux, son père qui passait de l'euphorie à la dépression dans le refus de sa condition et qui se déplaçait avec des béquilles ou dans un volumineux fauteuil roulant en bois, il n'était certes pas représentatif de tous les autres hommes et encore moins de celui que sa fille épouserait un jour.

— Est-ce que ça existe, l'amour, l'amour qui dure? murmura soudain Marie-Andrée.

— Oui, il me semble! affirma Françoise comme pour s'en convaincre. On ne peut quand même pas être les seules à y croire.

— Qui ça, nous?

— Nous, les filles.

— Les filles… Et les femmes aussi, je suppose, précisa Marie-Andrée en pensant à sa sœur et à sa belle-sœur. Ouais! s'écria-t-elle tout à coup, est-ce que ça inclut aussi nos mères?

Elles se regardèrent puis éclatèrent de rire. Elles étaient moins certaines que leur conception de l'amour puisse être partagée par celles-ci. Il y eut ensuite un long silence. Les deux jeunes filles rêvaient chacune à leur façon de l'amour de leur vie, qui viendrait un jour. Marie-Andrée n'en avait qu'une vague idée, comme si elle s'empêchait de préciser son rêve, son attente. Pour ne pas tenter le sort, peut-être, qui, pour faire exprès, ne lui accorderait pas l'homme qu'elle aurait souhaité trop précisément. Il lui arrivait aussi de prendre les hommes qu'elle connaissait comme point de comparaison : son père, ses deux frères, son beau-frère. L'éventail des hommes qu'elle voyait vivre presque au quotidien était, somme toute, assez limité. Et pas forcément emballant à ses yeux. Le simulacre de couple de ses parents, par exemple, la rebutait. Selon elle, ils vivaient en solitaires, chacun dans son monde même quand ils étaient ensemble. «Du moins, leur façon de vivre ensemble n'est pas celle que je voudrais!» nuança-t-elle.

Elle souhaitait une complicité avec celui qui partagerait sa vie : la complicité de cœur, certes, mais exprimée! Une complicité exprimée en mots, en caresses, en rires, en projets partagés. Malgré elle, elle sentit son cœur se gonfler d'espoir. Oui, c'était un homme comme cela qu'elle voulait. Et rien d'autre. De cela aussi elle était certaine : pas de demi-mesures. Pas de solution à rabais. Trop de couples, lui semblait-il, se contentaient d'une relation à rabais.

Françoise était distraite; son regard s'attardait sur un garçon dans l'une des banquettes devant elle. Elle aurait voulu que cela ne paraisse pas trop, mais soudain elle rougit, prise sur le fait.

— Aurais-tu aperçu un prince charmant? lui demanda Marie-Andrée sans se retourner malgré sa curiosité.

Françoise secoua la tête

— Non, non. C'est… Je pense que c'est ton frère.

Marie-Andrée se retourna à demi et le vit avec des amis : deux filles et un autre garçon. Elle reprit sa place en jetant un coup d'œil discret à Françoise, redevenue imperturbable. Connaissant son frère, elle se demandait pourquoi il n'avait pas cherché à la revoir après la fin de semaine de camping; il avait pourtant semblé la trouver de son goût. Sa copine redevint tout à coup intimidée et elle déduisit que Luc venait vers elles.

— Salut, la petite sœur. Ça va, Françoise?

Il leur présenta sa copine de l'heure, une petite blonde délurée qui les regarda de haut. Françoise se raidit et cacha mal une moue de déception, qu'il interpréta à sa façon : «Elle me trouve insignifiant.» Froissé, il n'insista pas et repartit. Cette courte visite avait brisé le rythme des confidences et les deux amies demandèrent l'addition. Mais, trop fébriles, ni l'une ni l'autre n'avaient sommeil, et Françoise suggéra de poursuivre la conversation chez elle en écoutant du Brassens.

Une fois installée dans la petite chambre, Marie-Andrée lui demanda brusquement :

— Toi, veux-tu te marier, avoir des enfants?

— Oui, bien sûr. J'en veux trois ou quatre, ça, c'est sûr.

Marie-Andrée la regarda et trouva qu'effectivement elle était du genre à se marier. Plus qu'une intuition, c'était une certitude. Elle l'imaginait aisément mariée à un homme intéressant, avec quelques enfants, comme si cela allait de soi pour elle. Elle ferait sans doute une excellente épouse et mère, et elle l'imagina encore plus épanouie.

— Et toi? demanda Françoise à son tour.

— Oh moi…

Elle pensa au quotidien de sa mère, qui ne constituait pas une incitation à s'engager pour la vie.

— … je ne sais pas.

— Évidemment, tu as tout, toi! Des frères, des sœurs, des nièces, un neveu!

— Toi aussi!

— Un seul frère, rectifia l'autre, et qui a dix ans de plus que moi. Et sa femme est stérile. Ça ne se fait pas, et ça ne se fera jamais, de grosses réunions de famille!

Stérile. Cela chagrina Marie-Andrée qui, pourtant, ne connaissait pas la belle-sœur de Françoise. «On devrait pouvoir choisir la maternité ou non!»

Le lendemain matin, flânant encore dans son lit à neuf heures, contrairement à son habitude de se lever tôt, elle repensait au film. Décidément, elle ne trouvait pas, dans sa famille, d'exemple emballant ou même simplement rassurant. Les trois couples avaient l'air de vivre ensemble pour toutes sortes de raisons autres que l'amour, du moins le vrai amour, celui que Marie-Andrée imaginait au seuil de ses dix-huit ans. «Des fois je pense que les couples sont ensemble parce qu'il faut bien faire quelque chose dans la vie et que se marier et avoir des enfants, ça fait bien. Tout le monde le fait. Depuis la nuit des temps. C'est la solution la plus simple, au fond : il n'y a qu'à répéter les modèles.» Marie-Andrée se reprocha sa conclusion sévère, pourtant, elle lui sembla traduire suffisamment bien la vérité pour être valable. «Mais moi, je veux plus que ça. Vivre, ce doit être plus que ça. Je ne sais pas ce que ça pourrait être et je n'ai peut-être pas d'ambition dans la vie, mais je sais que ça, je n'en veux pas. Ou du moins pas vécu comme ça. Pourquoi est-ce que je n'ai pas l'ambition ni le désir de me marier, comme Françoise, comme la plupart des filles? Est-ce que je suis normale?»

Les idées partagées, la veille, bouillonnaient en elle et la sortaient de son isolement. Françoise devenait la sœur complice qu'elle n'avait jamais eue. Françoise n'était ni responsable d'elle, ni son bouc émissaire, ni sa *petite* sœur, ni sa *grande* sœur. Marie-Andrée était son égale, une amie, une amie-sœur. Elle se sentait cautionnée parce que quelqu'un partageait des rêves semblables aux siens, différents dans leurs manifestations mais similaires dans leur visée : être heureuse avec des gens qu'on aime autour de soi. Cela la changeait de la hiérarchie subtile et parfois oppressante qui régnait chez elle. «Comme dans toutes les familles, peut-être.» Quoi qu'il en soit, ce sentiment nouveau d'être comprise et de pouvoir se confier librement renforçait sa conscience du monde qui l'entourait et sa confiance en elle.

Quand Marie-Andrée se prépara des rôties et se versa un café, sa mère, déjà habillée et qui avait l'air de l'avoir attendue, retourna s'asseoir à la table encore dressée. Elle s'était inquiétée la veille, même si sa fille l'avait assurée que Françoise viendrait la reconduire avec l'auto de ses parents. Marie-Andrée finit par s'étonner de son silence.

— Veux-tu un café? lui offrit-elle.

— T'es rentrée tard, répondit sa mère en lui présentant sa tasse.

— On a pas vu le temps passer. C'était un beau film. Puis après, on est allées prendre une bouchée au restaurant. Luc y était aussi, d'ailleurs. Finalement, je suis allée écouter de la musique chez Françoise.

La mère déposa sa tasse après une gorgée, l'air renfrogné.

— Qu'est-ce qu'il y a? lui demanda sa fille.

La mère haussa les épaules d'un air boudeur. Sa fille soupira, se doutant que sa mère finirait par trouver le moyen d'être rabat-joie. Elle opta pour le silence, pour la forcer à sortir de son mutisme.

— En tout cas, il devait être pas mal tard quand t'es rentrée.

Voilà donc où elle voulait en venir! Des nombres, des faits: l'heure! Savoir exactement à quelle heure sa fille, qui allait avoir dix-huit ans et qui était déjà sur le marché du travail, était rentrée. Marie-Andrée n'avait rien à cacher et décida qu'elle ne laisserait pas l'attitude de sa mère l'atteindre.

— Il devait être une heure, répondit-elle le plus sereinement du monde.

— Mon doux, elle devait avoir hâte que tu partes!

Marie-Andrée se figea. «Hâte que je parte?» Elle était sidérée par une telle méchanceté. Sa mère pouvait-elle être aussi mesquine? Croyait-elle sa fille si ennuyeuse que personne ne pouvait souhaiter parler longuement avec elle? C'était là l'opinion que sa mère avait d'elle? Elle but son café lentement, presque avec méfiance, comme si elle avalait le fiel que sa mère avait lancé d'un jet. Puis, le doute s'insinua en elle. Et si c'était vrai? Peut-être avait-elle abusé de l'hospitalité de Françoise. Peut-être que, toute au plaisir que lui procurait la conversation, qui lui avait pourtant semblé réciproque, n'avait-elle pas su déceler des signes de fatigue chez son interlocutrice.

Maintenant le doute se déployait à son aise. Le mépris sous-jacent de la réplique de sa mère avait créé un nid accueillant pour lui. Le doute tenaillait sa mère, cela Marie-Andrée le savait. Sa mère doutait de tout, de tous et encore plus d'elle-même. Mais qu'elle le lui insuffle constamment, à petites ou à fortes doses, cela elle ne voulait plus l'accepter.

La jeune fille releva lentement la tête et dévisagea sa mère sans rien dire. Celle-ci perdit son assurance, pour ne pas dire son arrogance; elle lisait dans les yeux de Marie-Andrée quelque chose qui lui glaçait le cœur. «Pourquoi on sait pas se parler? songea-t-elle douloureusement. J'ai jamais les bons mots.» Elle cligna des yeux pour chasser des pensées qu'elle craignait trop visibles et brassa son café. Sa fille l'observait toujours, le visage impassible mais le regard chargé du même mépris que celui de la remarque cinglante de sa mère. Éva but son café d'un trait. «Cette Françoise-là a une mauvaise influence sur ma fille.»

Marie-Andrée finit son café posément même si elle étouffait. «Je devrais sortir plus souvent. Ça me ferait du bien.» Un besoin immense d'amour l'envahit brusquement, lui faisant percevoir avec une acuité nouvelle à quel point les gens avaient besoin d'être aimés, elle comme les autres. Le besoin était si grand qu'il provoquait les actions les plus généreuses comme les plus mesquines. «On aime mal. On ne sait pas comment aimer...» La mesquinerie maternelle s'inscrivit dans un constat bouleversant : l'être humain ne savait pas aimer!

Le lundi suivant, jour de la rentrée des vacances au bureau, Marie-Andrée avait quasiment aussi hâte de connaître la fameuse Raymonde Sinclair, grâce à qui elle avait obtenu un poste, mais qui maintenant chambardait complètement sa vie, que de savoir si elle avait toujours un emploi ou non.

En quinze minutes, le paisible bureau de la période des vacances changea du tout au tout et ressembla à une véritable ruche. Chacune y allait de ses commentaires sur ses vacances tout en s'installant à son bureau, ressortant crayons, feuilles et papier carbone. Raymonde Sinclair fit ensuite une entrée remarquée à neuf heures pile. Sa remplaçante ne l'avait pas attendue pour quitter son bureau sous les hautes fenêtres. Marie-Andrée avait été reléguée au bout de la seconde rangée, près de la salle de repos, à côté de Françoise, un endroit passant réservé aux dernières venues. «Je suis quasiment dans le chemin», constata Marie-Andrée avec déception. Elle visualisa concrètement sa réflexion et se vit quitter Field & Sons, le baluchon sur l'épaule pour reprendre la route. L'image était si cocasse qu'elle en rit spontanément. Ce rire inattendu fut interprété selon l'humeur de chacune, mais que lui importait l'opinion des autres? «Mal partie comme je suis, un pépin de plus ou de moins...» La proximité de Françoise la réconforta et elle se mit à l'ouvrage comme toutes ses autres collègues.

Pendant ce temps, un long conciliabule se déroulait entre monsieur Bilodeau et sa secrétaire, plus prolongé que celui qui avait lieu tous les lundis matin. Personne ne s'en formalisa; c'était normal, au retour des vacances. Ensuite la secrétaire du président s'enferma avec eux. Enfin, la comptable, Georgette Vézina, entra dans le bureau à son tour. Raymonde Sinclair s'offusqua; tout cela risquait de faire passer son retour inaperçu. Finalement, les trois femmes ressortirent du bureau de monsieur Bilodeau et, machinalement, jetèrent un coup d'œil dans la direction de Marie-Andrée. Il n'en fallait pas plus pour que des questions jaillissent dans plusieurs têtes. Quand Françoise fut ensuite convoquée dans le bureau de madame Laforest et, qui plus est, en ressortit avec un grand sourire et un regard complice vers sa copine, certaines employées laissèrent libre cours à leur imagination. Des hypothèses s'échafaudèrent sous le crépitement incessant des machines à écrire, hypothèses cocasses, sympathiques, curieuses ou mesquines, selon le cas.

Déjà stressée par sa situation précaire, Marie-Andrée se sentait maintenant impliquée dans tout ce va-et-vient sans rien y comprendre. «Si j'étais concernée, moi aussi j'y serais allée dans ce bureau de malheur!» ronchonna-t-elle en continuant à taper son texte pour se donner une contenance et empêcher ses craintes d'envahir tout son espace mental comme des mauvaises herbes dans un potager. Mais elle était si peu concentrée qu'elle faisait faute sur faute. Lorsqu'elle s'arrêta pour corriger, Raymonde Sinclair marmonna un commentaire désobligeant, sans même lever la tête de sa feuille.

— Bonne de même, je comprends qu'il faut faire des sparages pour la garder.

Quelques rires se perdirent dans le brouhaha des chaises puisque c'était déjà la pause-café. Françoise s'attarda sur son texte pour ne pas avoir à subir un interrogatoire dans la salle de repos, puis elle sortit prendre l'air, évitant nettement tout contact, même avec Marie-Andrée. Celle-ci, perplexe, assista aux démonstrations d'amitié des employées envers Raymonde Sinclair qui, enfin, recevait toute l'attention qu'elle souhaitait. Forcée malgré elle d'entendre le récit de l'événement malheureux qui venait de lui arriver, Marie-Andrée ressentit un élan de compassion pour cette femme en la comparant avec Louise, si comblée par ses maternités. «Peut-être qu'elle serait hargneuse, elle aussi, si elle vivait une situation comme celle-là.» Ses déboires lui apparurent mineurs à côté de la perte d'un enfant et elle se détendit. Elle se sentit ensuite d'attaque pour continuer son travail et rattraper le temps perdu.

Mais madame Laforest l'intercepta et l'amena dans son bureau, refermant la porte derrière elle. «Ça y est. C'est fini!» déchanta la jeune dactylo. Mais une douche d'eau froide n'aurait pas eu un effet plus inattendu que les réaménagements proposés. Françoise, qui était bilingue, venait d'être affectée à mi-temps auprès de madame Lanctôt, la secrétaire du président. Marie-Andrée devrait donc remplacer sa copine pendant ce mi-temps. Ensuite, Georgette Vézina la réclamait à la comptabilité une journée par semaine.

— Et le reste du temps? demanda-t-elle, voyant déjà sa semaine de travail amputée d'une journée au moins et son maigre salaire réduit.

— Le reste du temps, tu es disponible pour le travail le plus urgent; dactylo, comptabilité, service du personnel ou remplacement des absentes.

Marie-Andrée s'imagina tiraillée de tous côtés, passant d'un travail à l'autre, écrasée sous le poids de tant d'apprentissages différents.

— Ça va te demander un peu de souplesse, concéda madame Laforest, mais je pense que tu en es capable. Tu ne sembles pas une fille de routine. De toute façon, c'est un essai. Depuis le temps que Ghislaine et Georgette se plaignent d'être débordées, elles sont très contentes de cet arrangement. Mais je te préviens : Georgette n'est pas facile à contenter.

— Ouais, j'ai vu ça pendant les vacances, confirma spontanément la jeune dactylo.

— Mais ça devrait aller si tu y mets du tien. Elle ne te l'a pas dit, mais elle trouve que tu apprends vite.

— Mais pourquoi moi? demanda Marie-Andrée tout à coup. Il y en a d'autres qui sont plus habituées que moi à taper du courrier.

— Justement. Elles sont habituées à leur travail. Le changement constant, tu sais, ce n'est pas tout le monde qui aime ça. Ni le fait d'avoir deux patronnes.

— Et moi, vous pensez que…

Madame Laforest se mit à rire.

— Toi? Tu n'es pas encore habituée, justement. Et puis, entre nous, tu n'as pas grand choix.

Marie-Andrée respira enfin. Oui, cela pouvait être intéressant.

— Tu verras, insista la secrétaire, une expérience aussi diversifiée, ça pourra te servir bien plus que de taper à la machine à longueur de journée. Dans le fond, c'est presque une promotion.

Madame Laforest téléphona à l'usine et demanda qu'on lui envoie deux hommes pour quelques minutes. Marie-Andrée, perplexe, s'interrogeait : la venue de ces deux ouvriers était-elle en rapport avec son nouveau travail? Elle eut l'air si abasourdie que la secrétaire ne put s'empêcher de la taquiner.

— Au cas où tu te demandes si ça te concerne, oui, c'est le cas.

Les ouvriers arrivèrent et elle les amena dans la salle de réunion d'où ils ressortirent avec un lourd bureau de chêne. L'un des hommes était du même âge que la jeune dactylo et il lui décocha un clin d'œil frondeur en revenant près d'elle. Elle cligna des yeux, peu habituée à susciter ce genre de réaction.

— Envoye, ti-gars; on a pas rien que ça à faire, commanda le plus vieux.

Les ouvriers déposèrent finalement le bureau et madame Laforest les remercia. La jeune fille réalisa tout à coup où elle travaillerait.

— Là? demanda-t-elle, incrédule.

— Oui, là, confirma madame Laforest, amusée.

Marie-Andrée déglutit de se voir ainsi prise en sandwich entre les deux comptables dans son dos et la masse des trente dactylos en face d'elle. Sa déconvenue se lisait tellement facilement sur son visage que sa patronne éclata de rire.

— Tu t'habitueras. Bon, aujourd'hui, tu travailles pour moi. J'ai des dossiers du personnel à te faire compiler. C'est pas compliqué, mais je n'ai jamais le temps de le faire; enfin, on va être à jour.

Elle sortit les dossiers et expliqua le travail à accomplir. Marie-Andrée emporta les documents et s'assit à son bureau, décidément mal à l'aise d'avoir la comptable dans son dos. D'ailleurs, celle-ci manifesta sa contrariété de voir son horizon désormais bouché par ce bureau et la jeune fille tout juste devant elle, si près que, si la chaise était reculée trop vivement, elle heurterait son propre bureau. Acceptant son sort, Marie-Andrée regarda au-delà de madame Vézina et sourit à Gemma Latour, l'aide-comptable plus que rondelette qui, selon les quelques phrases échangées avec la nouvelle venue depuis son arrivée à la compagnie, semblait s'être formée elle-même, sur le tas. Les deux femmes travaillaient ensemble depuis une dizaine d'années et dans une relative harmonie faite surtout du respect de la hiérarchie, que semblait maintenir rigoureusement la petite Georgette Vézina, vive et nerveuse.

Marie-Andrée se cala au fond de sa chaise à roulettes, qu'elle ramena d'un coup de reins vers le bureau. Dans son geste, elle leva les yeux. Au-dessus de la trentaine de machines à écrire dont le crépitement n'avait jamais cessé, une soixantaine de yeux la regardaient. «Une vitrine! Je suis comme un chien dans une vitrine!» Elle rapprocha la pile de dossiers vers elle. «Deux ans de secrétariat pour aboutir à ça…» Elle soupira et se plongea dans son travail de compilation. Les fiches de chaque employé de l'usine avait été retapées et complétées avec le récent numéro du régime de rentes provincial et elle devait les comparer avec l'ancienne liste pour s'assurer que tout avait été retranscrit sans erreur. Elle soupira encore, puis nuança sa déception. Même simpliste et routinière, cette tâche était du travail, et du travail rémunéré. Sortant une règle, elle aligna les deux documents et commença à lire les dates de naissance, adresses, numéros de téléphone et numéros de la Régie des rentes du Québec, soucieuse de remettre un travail impeccable, quel qu'il soit. Levant un instant les yeux, elle vit Françoise lui décocher un clin d'œil. Amusée, elle lui retourna son sourire, puis se concentra à nouveau sur sa tâche.

Il lui vint à l'esprit que, finalement, son travail serait très varié et que, si elle était honnête avec elle-même, cela ne lui déplaisait pas du tout, au contraire. Marie-Andrée réalisa alors quelque chose qui lui fit le plus grand bien : malgré les apparences, elle avait tout compte fait pris la bonne décision en suivant son intuition et en choisissant de travailler chez Field & Sons.

5

«Comme un vrai passeport!» Marie-Andrée palpa pour la nième fois la couverture sur laquelle figurait le dessin stylisé de personnes groupées par deux, bras en l'air, et formant un cercle. Il symbolisait la fraternité des humains à travers le monde, ce qui était clairement exprimé par le titre : *Terre des hommes*. Elle ouvrit son passeport et contempla, presque avec béatitude, les pages blanches qui seraient tamponnées à chacune de ses visites.

Puis elle feuilleta encore une fois le guide officiel de l'exposition universelle. À la page expliquant l'emblème, elle lut : «... cette pensée de Saint-Exupéry qu'être homme, c'est sentir, en posant sa pierre, que l'on contribue à bâtir le monde». Cette vision de la vie lui parut un idéal très noble : la contribution de chaque individu à l'humanité, l'apport de chacun, si modeste soit-il, à l'amélioration du grand tout. La pensée qu'elle faisait partie de cette humanité et, à court terme, qu'elle participerait à un événement aussi grandiose qu'Expo 67 lui donnait des ailes.

— Soixante-trois pays, ici! s'exclama-t-elle tout à coup. Ici, au Québec, à Montréal! Mon passeport va être plein!

— C'est sûr qu'une exposition de même, c'est quelque chose de rare, commenta sa mère. Y aller avec Marcel...

— Marcel? fit Diane, qui enseignait maintenant à Montréal et qui était venue passer la fin de semaine à Valbois. Qu'est-ce qu'il vient faire là-dedans?

— Avec un homme, c'est plus sécurisant. Toutes ces races de monde-là, on sait jamais ce que ça peut faire.

Marie-Andrée leva les yeux au ciel, découragée devant ce qu'elle appelait une «bêtise calculée pour susciter un effet précis».

— Maman! protesta-t-elle. T'arrêtes pas de t'exclamer et d'admirer les astronautes mais tu penses qu'ici, au Québec, on a besoin d'un garde du corps pour aller à Montréal? (Elle baissa les bras.) Je ne te comprends pas.

Éva poursuivit sur sa lancée.

— C'est sûr que si j'y allais avec vous autres, je serais moins inquiète.

Les filles se regardèrent, étonnées de l'intérêt soudain de leur mère.

— Ça t'intéresse vraiment? voulut savoir Marie-Andrée.

La question était si directe qu'Éva ne sut comment y répondre, incapable de donner simplement son opinion en répondant oui. «Je vais être dans leurs jambes. Elles sont plus instruites que moi et elles ne voudront peut-être pas visiter les mêmes affaires que moi.» Pourtant, elle avait glané tant d'informations ces derniers mois qu'elle en savait déjà beaucoup sur de nombreux pavillons, sans toutefois en parler ouvertement avec son entourage. Au fond, elle aurait voulu que ses filles l'invitent; oui, c'est ainsi que les choses auraient dû se passer selon elle. Mais ses filles ne se doutaient pas qu'elle s'intéressait à l'exposition.

Quoi qu'il en soit, il était hors de question qu'elle renonce à la visiter. «Une affaire de même, avec du monde de partout, jamais je reverrai ça.» Comment aurait-elle pu

117

ne pas souhaiter y aller, elle aussi? Les médias commentaient l'événement à venir depuis des mois, entretenant la population des nations qui auraient un pavillon, des visiteurs étrangers à héberger, des activités à ne pas manquer. Éva Métivier, qui ne connaissait que la Beauce et les Cantons de l'Est, ressentait des velléités de découvertes qui la démangeaient.

Diane était fière de l'intérêt de sa mère pour cette fête internationale et ne s'en cachait pas. Elle réalisa cependant que cela devait représenter un événement stressant pour elle qui connaissait si peu Montréal.

— On a pas besoin de quelqu'un d'autre. Ça fait trois ans que je vis à Montréal et je connais bien la ville, dit-elle pour la rassurer.

Marie-Andrée était emballée.

— J'ai acheté mon passeport ici, à la caisse; on peut t'en acheter un, si tu veux. Il paraît qu'ils vont le tamponner, comme si on avait voyagé dans tous ces pays-là!

— Un passeport, un passeport, ronchonna la mère, émue de l'obligeance de ses filles, on en a jamais vu un vrai, de toute façon.

— Françoise non plus, mais on a bien hâte d'avoir des tampons dans les nôtres, poursuivit Marie-Andrée avec enthousiasme, déjà rendue dans les îles en pensée.

— Il me semblait bien, aussi, qu'elle ne serait pas loin, celle-là, grogna la mère, déçue de ne pouvoir se trouver seule en compagnie de ses filles.

Marie-Andrée ignora délibérément son air désobligeant.

— Après tout, c'est avec l'auto de ses parents qu'on va y aller, précisa-t-elle, moqueuse.

— Leur auto? protesta la mère.

— Tu pourrais toujours prendre la tienne, maman, suggéra Diane. Évidemment, si ma petite sœur avait son permis, elle pourrait aussi. Mais voilà, elle ne l'a pas.

Elles se toisèrent. Diane avait fait un esclandre quand elle avait appris que Luc, plus jeune qu'elle, avait obtenu la signature de ses parents pour qu'il puisse demander un permis de conduire, signature qui lui avait été refusée, à elle, au même âge. Et si elle savait maintenant conduire, c'était parce qu'une de ses deux colocataires le lui avait appris.

— Ah! s'irrita la mère. Arrête donc de penser que je fais moins pour vous autres que pour lui. Je vous aime tous pareil.

— Ah oui? Et Marcel? Et Luc?

— Quoi? s'énerva la mère. Qu'est-ce qu'ils ont, Marcel et Luc?

— Tu les aimes pas pareil.

— C'est normal, c'est des garçons. On aime pas des garçons et des filles de la même manière : vous êtes pas pareils!

— Pas pareils, insista Diane d'un ton amer, ça veut dire moins ou plus?

La mère se sentit piégée, sans toutefois identifier où, exactement. Dans ces moments-là, elle éprouvait une douloureuse humiliation de n'avoir effectué que des études primaires. Son mari et elle, aussi peu instruits l'un que l'autre, avaient voulu mieux pour leurs enfants. Aussi avaient-ils consenti à moins de confort et à de nombreux sacrifices pour leur payer des études, persuadés que cela leur assurerait une vie moins difficile et plus réussie. En cela, les parents avaient atteint leur objectif.

Mais cette différence d'instruction les éloignait aussi de leurs enfants. Leurs goûts différaient, leurs manières de s'exprimer aussi. Parfois la mère ne comprenait pas certains mots qu'utilisaient ses filles et elle n'osait leur en demander la signification. Il était loin le temps où la jeune mère apprenait à ses marmots le nom des objets. «La roue tourne, se désolait parfois Éva; on les a fait instruire, mais ça les a éloignés de nous.» Avait-elle bien fait? Aurait-elle dû agir autrement? Elle ne savait plus. Elle savait seulement que le fait de ne pas être comprise par les enfants qu'elle avait mis au monde lui causait un chagrin difficile à décrire. Avec le temps, elle s'était persuadée que son manque d'instruction l'avait tellement marquée que cette carence était la source de tous ses maux, y compris l'absence de communication avec ses enfants.

— J'ai jamais les bons mots pour dire les affaires, dit-elle d'un ton plaintif. Vous autres, avec votre instruction…

— Recommence pas avec ça! l'interrompit Diane, exaspérée. Quand t'es dans le tort, tu nous ressors toujours ça pour te défendre.

Le mot *défendre* heurta sa sœur. Une mère avait-elle à se défendre contre ses enfants? Cela lui parut odieux.

— Arrête! T'exagères!

— C'est ça, mets-toi de son bord!

Deux larmes glissèrent sur les joues de la mère qui quitta la pièce et s'en alla dans sa chambre.

— Tu la vois faire? s'énerva Diane. Du chantage! Elle nous fait du chantage chaque fois qu'elle a tort.

— Tort? Tort de quoi, seigneur? éclata à son tour Marie-Andrée. De pas penser comme toi?

Se levant brusquement, elle alla à la cuisine; sa sœur avait le don de rendre l'air irrespirable autour d'elle. Autrefois, quand elle avait commencé à percevoir l'affrontement constant de cette dernière avec sa mère, la benjamine en avait été si peinée qu'une seule raison lui avait semblé plausible : sa sœur était une enfant adoptée! Au fil des années, elle avait dû convenir qu'elles étaient bel et bien toutes les deux les filles d'Éva et de Raymond. Mais la benjamine était toujours aussi déconcertée par cet affrontement systématique. Elle avala un grand verre d'eau pour se calmer et revint à des pensées qui la concernaient. Si son aînée s'était attardée sur le mot *pareil*, la benjamine retenait plutôt le mot *aime* : «Je vous aime tous pareil!» avait dit sa mère. Combien de fois sa mère avait-elle prononcé ces mots? En principe, l'amour devait être un sentiment, une émotion que ressentait fréquemment une mère. Alors, pourquoi la sienne l'exprimait-elle si peu souvent? Quoi qu'il en soit, elle venait de les dire, ces fameux mots! Fallait-il que Diane envenime encore la situation?

La mère et ses filles avaient finalement décidé d'aller ensemble, la première fois, à l'exposition. Aussi impatientes les unes que les autres, elles préférèrent cependant attendre quelques jours pour éviter les foules qui se bousculeraient sans doute aux guichets dès l'ouverture. Elles eurent raison. La réponse du public dépassait les prévisions optimistes des organisateurs. Ce succès décupla leur impatience et, n'y tenant plus, elles s'y rendirent enfin.

Il s'avéra plus pratique pour Marie-Andrée et sa mère d'y aller avec l'auto des parents de Françoise; quant à Diane, déjà à Montréal, elle les rejoindrait directement au métro qui débouchait sur le site même d'Expo 67. Marie-Andrée et Françoise avaient attendu et planifié cette journée depuis longtemps mais, dans les faits, rien ne se déroulait selon leurs plans. Par déférence, Marie-Andrée avait offert la banquette avant à sa mère; elle se retrouva donc derrière, auditrice impuissante devant l'interrogatoire que sa mère infligeait à son amie.

Cette dernière, ayant décelé que la mère de cette famille se méfiait d'elle, souhaitait que cette journée à l'exposition l'amadouerait et, par ricochet, le fils, qui sait? Même si Luc Duranceau se contentait de banalités quand il la croisait, elle voulait croire qu'elle l'intéressait, du moins un peu, même si, à la suite du baiser rapide au camping, elle affectait maintenant une certaine réserve, pour ne pas paraître une fille facile. Aussi supportait-elle les questions plus ou moins discrètes de madame Duranceau avec une patience exemplaire.

À l'arrière, Marie-Andrée, mal à l'aise, essayait de se détendre en examinant l'appareil photo qu'elle venait de s'acheter. Les photos en noir et blanc étaient maintenant dépassées, mais les photos couleur étaient très chères. Aussi préférait-elle prendre des diapositives, leur développement étant beaucoup moins coûteux. Elle devrait, au début, se contenter de regarder ses diapositives à travers une petite visionneuse, mais elle comptait bien acheter un projecteur à l'automne ou l'année suivante. L'écran viendrait plus tard. Pour l'heure, elle accordait toute l'importance aux diapositives à prendre, les imaginant magnifiques, presque dignes de figurer dans un magazine.

Sa mère commença à se stresser vingt kilomètres avant d'arriver à destination, mais la conductrice se débrouillait fort bien et sa copilote du siège arrière, en se tordant le cou, parvenait à lire les panneaux de signalisation routière et à la guider. Aux abords du site, les panneaux étaient bien situés et explicites; heureusement, parce que l'ampleur du stationnement les déconcerta. Par ailleurs, les placiers étaient si efficaces que l'auto fut garée assez rapidement compte tenu du nombre époustouflant de voitures.

Françoise respira de soulagement : elles étaient rendues et elle pourrait échapper à la conversation parfois lourde de sa passagère. Marie-Andrée voulut se rendre utile et noter le numéro de leur section, mais elle ne vit aucun chiffre.

— Génial! s'exclama-t-elle. On est dans les girafes!

Les pictogrammes haut perchés affichaient en effet des dessins d'animaux.

— Mon doux, ils nous prennent pour des enfants! commenta Éva d'un ton irrité pour masquer sa nervosité.

— C'est sans doute pour accommoder les visiteurs étrangers, suggéra calmement Françoise. Il y en a peut-être beaucoup qui parlent ni français ni anglais. Peut-être qu'ils écrivent leurs chiffres différemment aussi. Et des animaux, c'est probablement plus facile à retenir.

À peine sorties de l'auto, les trois femmes furent plongées dans la foule cosmopolite qui les engouffra. Des autos arrivaient continuellement et déversaient leur cargaison humaine d'hommes, de femmes et d'enfants. Elles montèrent dans une navette et la mère agrippa sa fille.

— Perdez-vous pas! recommanda-t-elle, convaincue qu'elle s'inquiétait pour les deux filles quand, en réalité, c'était elle qui avait besoin de leur présence pour se rassurer.

Dans le petit véhicule bondé, elles entendirent des gens s'exprimer dans des langues totalement inconnues. Elles n'avaient pas encore mis les pieds sur le site de l'exposition que, déjà, elles étaient complètement dépaysées. Éva en ressentit une frayeur inattendue. «Je pourrais avoir besoin d'aide et... on ne me comprendrait pas? Ici? Dans mon propre pays?» Les deux filles aussi réalisèrent qu'elles ne seraient pas toujours en mesure de communiquer avec les personnes qui les entoureraient. Françoise eut un petit frisson grisant devant tant d'inconnu, mais se rassura en se disant que, bilingue, elle finirait toujours par se débrouiller. Marie-Andrée s'inquiéta pour sa mère et ne prit pas le temps d'analyser ce qu'elle ressentait.

Enfin parvenues aux guichets d'entrée, elles exhibèrent fièrement leurs passeports et passèrent dans les tourniquets. Elles étaient arrivées! Diane les rejoignit à grandes enjambées.

— On avait dit à la sortie du métro, mais j'ai pensé que ce serait moins compliqué pour vous autres si je vous retrouvais ici.

Elle semblait si à l'aise dans cette foule que le trio campagnard se rassura. Surexcitées, les quatre femmes décidèrent d'explorer le site au hasard. Lorsqu'elles pénétrèrent dans un premier pavillon, les passeports reçurent enfin leur premier tampon. Euphorique, Diane, qui avait toujours désiré voyager, se promit qu'au cours de l'année suivante elle demanderait un véritable passeport dans lequel on apposerait un vrai tampon. Son rêve!

La foule était présente tout autour d'elles et pourtant chaque personne circulait à l'aise. Les paroles de la chanson thème, «un jour, un jour, quand tu viendras...», flottaient parfois dans l'air et prenaient tout leur sens. Marie-Andrée se dit que sur la *Terre des hommes* de Saint-Exupéry, ce serait sans doute ainsi : il y aurait de l'espace pour chacun des milliards d'êtres humains.

Ses yeux captaient tout ce qu'ils pouvaient : les physionomies et les costumes des visiteurs des quatre coins du monde, les pavillons audacieux à l'architecture unique, les spectacles gratuits qui se déroulaient un peu partout, les fontaines miroitantes sous le soleil printanier. Ses oreilles captaient des musiques connues et inconnues; des mots à l'étrange modulation devenaient familiers et, tout à coup, une phrase prononcée par un compatriote la ramenait brusquement chez elle en lui inspirant une émotion curieusement bouleversante.

Après avoir visité quelques pavillons, les quatre femmes constatèrent qu'il n'était pas facile de tenir compte des goûts et du rythme de chacune. Elles dînèrent dans un restaurant choisi au hasard. Malgré leur appétit, les plus jeunes durent faire des efforts louables, ne serait-ce que pour goûter un liquide dont l'aspect et l'odeur étaient très éloignés de leurs mets habituels. Devant leurs airs de dégoût, Éva Métivier se mit à rire.

— C'est du lait caillé. Ma mère adorait ça et s'en faisait toujours pendant l'été.

Elle réalisa tout à coup que les goûts maternels étaient revalorisés aujourd'hui par la présence des visiteurs étrangers. Elle pavoisait, se délectant de pouvoir enfin apprendre quelque chose à ses filles et, plus encore, d'être écoutée si attentivement par elles, comme elle-même le faisait, autrefois, avec sa mère. Sa mère... Comme elle aurait été fière si elle avait pu l'amener à cette exposition internationale, elle qui avait tant besogné pour sa famille, toute sa vie, entre les murs de sa maison ou aux champs sans jamais s'éloigner de son village. Comme elle aurait pris soin d'elle! Comme elle aurait eu du plaisir à lui faire découvrir tant de nationalités différentes, de pavillons exotiques, de...

— Et toi? demanda Diane. Aimes-tu ça, le lait caillé?

Sa mère fit une petite moue d'enfant prise en faute.

— Non!

Sa mimique enfantine déclencha un fou rire général. Elles riaient de si bon cœur que la tension de cette journée excitante mais stressante diminua d'autant. Marie-Andrée aimait voir et entendre rire sa mère, persuadée que celle-ci était plus authentique dans la joie et l'humour que dans la sévérité qu'elle affichait si souvent. Éva glissa dans ses souvenirs. La vie était-elle meilleure autrefois? Était-ce vraiment le bon vieux temps? «Pas de saint grand danger!» En comparant la vie difficile d'autrefois, faite de travail incessant avec si peu de confort, avec l'aisance relative d'aujourd'hui, elle se sentit comblée.

Quand elle revint à la conversation qui s'était poursuivie autour de la table, sa brève assurance s'effrita. Ses filles et Françoise évoquaient maintenant des civilisations qu'elle ne connaissait pas, des sites touristiques dont elle n'avait jamais entendu parler, et ce, comme si elles étaient nées là-bas, dans ces temps et ces pays dont elles s'entretenaient avec tant d'aisance. Éva retomba dans son sentiment d'infériorité et ne trouva, pour se rassurer, que son expérience de vie. «Ça, au moins, j'en ai plus qu'elles.»

Une fois restauré, le quatuor poursuivit son périple. Imperceptiblement, tout au long de cette journée exceptionnelle, Marie-Andrée se rengorgeait d'être québécoise et découvrait un sentiment d'appartenance si fort qu'il la surprenait elle-même. Elle était remplie de fierté, d'une fierté innée, naturelle et surtout solide; elle appartenait à un peuple hospitalier, ouvert, et son pays était merveilleusement beau. Pour un peu, elle aurait amené les visiteurs au barrage Manic-5, où travaillait son père, et qui était «le plus grand barrage-poids à joints évidés jamais construit dans le monde», comme son père le lui avait tant de fois répété. Comme elle était fière de lui! Son travail était peut-être modeste, mais il participait tout de même aux impressionnantes réalisations technologiques. Cette exposition lui montrait que le Québec sortait de l'isolement, qu'il faisait partie de la grande collectivité humaine; plus encore, qu'il innovait. En tant que Québécoise, elle avait l'impression de recevoir tous ces invités étrangers chez elle et elle souhaita qu'ils soient heureux d'y être.

En fin d'après-midi, malgré le guide et les indications claires, le groupe hésita sur la direction à prendre.

— Je vais lui demander, proposa Diane en apercevant une hôtesse.

— Voyons donc, s'objecta sa mère. On dérange pas le monde pour rien.

— Mais les hôtesses sont là pour ça, justement, dépanner le monde!

— Vous autres, les jeunes, vous pensez toujours que tout le monde est à votre service. S'il avait fallu que j'attende après tout un chacun pour régler mes problèmes dans la vie, je te dis que…

— Et toi, tu penses toujours que tu n'as droit qu'à des miettes! rétorqua Diane.

— C'est par là! dit sèchement Françoise qui avait eu le temps d'aller s'informer et qui maîtrisait son impatience avec difficulté.

Éva Duranceau se raidit; ces trois jeunesses verraient bien, en temps et lieu, qu'on ne devait compter sur personne. Diane, de mauvaise humeur et pressée de visiter un autre pavillon, hâta le pas et rejoignit Françoise, déjà rendue plus loin. Marie-Andrée n'osa pas laisser sa mère marcher seule et, ralentissant son pas, l'accorda avec le sien. En entendant Diane et Françoise bavarder et rire, elle se sentit délaissée. Les deux amies avaient tant rêvé de cette première visite à Expo 67, mais elles avaient à peine eu le temps de se dire trois mots depuis le début de la journée.

Plus tard, elles se retrouvèrent toutes dans un pavillon circulaire et vide, où l'on projetait un film sur tous les murs en même temps, donnant l'impression aux spectateurs qu'ils se trouvaient au centre de paysages canadiens grandioses. La musique, fort bien choisie selon les images, les enveloppait également. C'était si envoûtant que Marie-Andrée serait restée là pendant des heures à voir et revoir le film, subjuguée.

— Viens avec moi! lança soudain Éva. Si je m'assois pas, je vais m'écraser.

À regret, elle quitta la salle; Françoise et Diane s'en rendirent à peine compte, fascinées par les paysages de rêve. Marie-Andrée repéra un banc pour sa mère.

— Franchement, je pense que j'en ai assez, avoua cette dernière. Si les autres sont prêtes aussi, on pourrait s'en aller.

S'en aller? Le sang de Marie-Andrée ne fit qu'un tour. Que sa mère en ait assez, cela se comprenait, elle était plus âgée qu'elles. Mais insinuer que les autres pourraient souhaiter partir, c'était confondre ses rêves avec la réalité.

— Non, je ne pense pas qu'on soient prêtes, répondit-elle calmement. Mais Diane et moi on peut se relayer pour rester avec toi, si tu veux.

La mère fronça les sourcils.

— J'ai plus votre âge, moi.

— Oui, on le comprend. C'est pour ça qu'on peut rester avec toi, chacune notre tour.

La mère fut blessée. Ainsi donc, elle constituait un poids pour les autres. Sa fille vit son regard autoritaire se muer en celui d'une victime. La colère gronda en elle. Aucun arrangement n'était possible avec sa mère; il fallait se conformer à ce qu'elle désirait. Rien de moins. De plus, elle se percevait comme une mère délaissée quand, dans les faits, c'était elle qui allait gâcher le reste de leur journée.

C'est en effet ce qui arriva. Diane exigea qu'on la laisse visiter un dernier pavillon et Françoise, calme et posée, en négocia patiemment un autre. Cependant, elles écourtèrent cette dernière visite, en proie au remords d'abandonner une dame qui semblait avoir subitement pris un coup de vieux, mais qui les attendait pourtant confortablement installée dans un restaurant au décor enchanteur de fleurs exotiques. Marie-Andrée se rappela le terme «chantage» employé par Diane, et elle s'en voulut de se plier aux quatre volontés de sa mère. Elle espéra qu'au moins celle-ci n'insisterait pas pour les accompagner chaque fois qu'elles reviendraient à l'exposition.

Françoise avait dû avoir la même pensée, car, quand elle les laissa chez elles, à Valbois, elle glissa à l'oreille de son amie :

— Ta mère, c'est ta mère; je te comprends. Mais c'est pas la mienne.

«Et elle ne le sera jamais!» aurait-elle pu ajouter. Elle revenait désenchantée de sa journée quant à sa perception de madame Duranceau, et cela refroidit ses sentiments vis-à-vis de Luc, chez qui elle reconnaissait maintenant ce mépris subtil que la mère de son amie lui avait servi à plusieurs reprises durant la journée.

La vie continua, mais rien n'était plus pareil. L'horizon de Marie-Andrée s'était ouvert au monde entier. Elle percevait une vaste communauté humaine qui débordait largement le cadre de sa famille, de sa parenté, de sa petite ville. Ce sentiment se renforçait à chacune de ses visites, presque hebdomadaires, à l'exposition universelle.

Sa mère et elle y retournèrent quelques fois ensemble. Éva s'était enhardie et conduisait l'auto jusqu'au site. Marie-Andrée réalisait que sa mère découvrait de nouveaux champs d'intérêt, elle aussi, qu'elle sortait de son isolement. Ces visites les rapprochaient, et cela leur faisait du bien à toutes deux. Un jour où l'atmosphère avait été particulièrement détendue et heureuse, Marie-Andrée se dit que la vraie nature de sa mère, c'était celle-là, qu'elle avait l'âme d'une aventurière mais que la vie ne l'avait jamais autorisée à la laisser s'exprimer. Elle le regretta pour elle.

Un soir de juillet, Diane téléphona à sa sœur.

— J'ai l'appartement pour moi toute la fin de semaine. Ça te tente de venir à Montréal avec Françoise?

Marie-Andrée n'était pas emballée. À Valbois, elle pouvait s'esquiver quand elle en avait assez des sautes d'humeur de Diane, mais dans son appartement à Montréal, pourrait-elle supporter sa hargne deux jours d'affilée?

— Je vais voir et je te rappelle, répondit-elle simplement.

Elle cherchait une excuse pour décliner l'invitation, quand sa mère s'en mêla. Elle craignait que ses filles ne la critiquent toute la fin de semaine, devant Françoise. Quand elle essaya de dissuader Marie-Andrée d'accepter, sa fille ne supporta pas cette ingérence maternelle jusque dans ses rapports avec sa propre sœur. Contrariée, elle changea d'avis, consulta Françoise sur-le-champ et confirma à Diane qu'elles viendraient.

Quand elle sortit le bottin pour téléphoner au terminus, sa mère lui rappela que Louise venait dîner dimanche. Marie-Andrée haussa les épaules.

— Elle ne s'apercevra même pas si je suis là ou non. Elle s'intéresse à moi seulement quand c'est le temps de faire garder ses enfants.

— Que j'haïs ça quand tu fais la mauvaise tête! s'irrita sa mère.

— La mauvaise tête? Tu veux dire que Diane, qui m'invite pour la première fois, compte moins que Louise qui se ramasse ici une ou deux fois par mois? Et c'est moi qui ferais la mauvaise tête?

— Parler de même de sa sœur! Tu changes, Marie-Andrée! lui reprocha sa mère.

— Évidemment que je change! C'est ça, être vivant : changer!

La mère se rabattit sur le travail.

— Vous serez bien trop fatiguées pour travailler lundi!

Sa fille ignora la remarque et chercha le numéro du terminus. Éva ne bougeait pas, attendant, exigeant une réponse. Marie-Andrée finit par dire :

— J'ai pas cinquante ans, j'en ai dix-huit! On s'en remettra.

130

— Tu peux bien penser ce que tu veux! Toi aussi, tu vas vieillir, répliqua la mère qui venait de trouver un sujet lui permettant d'exprimer sa mauvaise humeur. T'es pas plus fine que les autres.

«Comme si j'avais déjà dit que j'étais plus fine que les autres! Elle est pas contente que j'aille à Montréal. Mais pourquoi? Parce qu'elle pourra pas me surveiller comme si j'avais cinq ans? Ou parce qu'elle croit que j'attends seulement de partir pour devenir délinquante, perverse ou pire encore? C'est ça qu'elle pense de moi?» Cette absence de confiance lui faisait mal, elle qui, pourtant, s'était toujours conduite si raisonnablement. Le regard inquiet de sa mère ne la fit pas changer d'idée. «Je vais simplement vivre autre chose, sans elle. Je ferai des activités qu'elle ne connaît pas, qui lui échappent. Rien d'autre! Mais que je m'amuse, que je découvre des gens nouveaux, des activités intéressantes, ça compte pas à ses yeux. Elle se sent exclue: c'est tout. Je ne suis même pas encore allée à Montréal et elle me le fait déjà payer. Qu'est-ce que ça va être au retour!»

Ces agaceries maternelles devenaient de plus en plus insupportables. Malgré sa bonne volonté, Marie-Andrée avait épuisé presque toute la liste, assez longue d'ailleurs, des excuses qu'elle s'obstinait à invoquer pour expliquer le comportement de sa mère: «Je suis la plus jeune; elle a peur pour moi comme toutes les mères; elle aimerait bien être à ma place; elle a peur que je prenne goût à Montréal et que j'aille y vivre comme Diane, avec Diane!» Ces réflexions la ramenèrent au conflit constant entre sa mère et sa sœur. Comme pour le confirmer, sa mère ajouta:

— Laisse-toi pas influencer par ta sœur.

On y était. Elle venait d'énoncer sa véritable crainte. Jusqu'à maintenant, les deux sœurs n'avaient pas manifesté beaucoup d'affinités et cela rassurait la mère pour une raison confuse. Mais si les deux sœurs se rapprochaient, bien que ce soit assez peu probable, la benjamine s'éloignerait-elle de sa mère? «Je ne veux pas la perdre, se disait Éva; celle-là, c'est ma consolation. C'est la seule qui me comprend. Je ne veux pas la perdre», se répétat-elle.

Devant son visage douloureux, Marie-Andrée sentit encore poindre la culpabilité et elle en fut si irritée qu'elle perdit patience.

— J'ai pas besoin d'elle pour savoir quoi faire.

— T'es pas mal plus influençable que tu penses! s'écria sa mère. C'est pas parce que je dis rien que je te vois pas aller.

— Que tu dis rien? s'exclama sa fille. Qu'est-ce que ce serait si tu disais quelque chose! Tu passes ton temps à critiquer tout ce que je fais!

Éva Duranceau en resta stupéfaite. «Moi? Moi, je critique? Je dis pas la moitié de ce que je pourrais dire. Elle pense que je vois rien, qu'elle a tout inventé, que moi, sa mère, je connais rien. Mais je vois bien qu'elle change depuis qu'elle travaille avec cette… Françoise. Et là, elle va passer la fin de semaine avec Diane! Je vois ça d'ici! Elles vont parler dans mon dos toute la fin de semaine; elles vont me trouver tous les défauts, à moi, leur mère.» Elle souffrait profondément, persuadée d'être incomprise, abandonnée. «Puis moi, qu'est-ce que je fais ici? J'attends que le monde vienne me voir! Je reste là au cas où quelqu'un viendrait. Je passe ma vie à attendre! Raymond est jamais là. Même quand il est là, il est pas vraiment là. Quand il revient des chantiers, il s'enferme dans son maudit atelier ou se cache derrière la maudite boucane de ses maudites cigarettes.» Le cœur en lambeaux, elle attrapa le premier chiffon qui lui tomba sous la main et frotta pendant un long moment les robinets de l'évier, qui n'en avaient nul besoin.

Sa fille la regarda faire. «Peut-être qu'elle s'ennuie! Mais je ne vais quand même pas rester ici pour la désennuyer! Pourquoi elle ne se trouve pas des activités en dehors de la maison? Il doit y avoir des choses ou du monde à Valbois qui seraient intéressants, il me semble? Pourquoi elle ne s'occupe pas d'elle au lieu de me suivre à la loupe?»

Stoïque, elle téléphona et nota l'heure des autobus du vendredi soir et du dimanche soir. Elle recopia l'information pour sa mère et lui laissa le papier sans ajouter un mot de plus. Elle se fit ensuite couler un bain et s'immergea dans l'eau, les genoux relevés dans la vieille baignoire à pattes, profonde mais étroite.

Luc entra dans la maison en coup de vent, se changea de vêtements et lui cria à travers la porte :

— Je vais voir un film. Viens-tu?

Elle ragea. Il avait le don de lui proposer des sorties intéressantes à la dernière minute. Elle fut tentée d'accepter, quitte à sortir immédiatement de la baignoire, mais se ravisa.

— Je peux pas; je prends un bain.

Elle l'entendit repartir et se cala dans l'eau, à nouveau tiraillée par le doute. «Est-ce que c'est vrai que je suis influençable?» Elle agitait l'eau pour mouiller régulièrement ses genoux qui, hors de l'eau, lui causaient une sensation de froid. Sa nuque et ses épaules dépassaient aussi et elle s'aspergea lentement, regardant l'eau ruisseler sur sa gorge, puis glisser sur sa poitrine. La jeune fille palpa lentement ses seins, les trouvant doux et lisses. Elle se demanda quel garçon, quel homme les caresserait, un jour, imaginant des gestes tendres et passionnés à la fois, convaincue que les mains du mâle sauraient naturellement lui faire atteindre l'extase. Ces pensées la troublèrent et elle préféra revenir à son questionnement.

«Ça veut dire quoi, être influençable? Quand je rencontre des gens nouveaux, je trouve normal qu'ils m'apportent une vision différente de la vie, sinon on serait aussi bien d'être tous pareils, comme des objets en série! Il me semble que c'est un signe d'intelligence que de prendre ce qui est bon chez les autres, comme les autres peuvent prendre ce qu'il y a de bon chez moi. Être vivant, c'est être capable de changer, de se transformer, non? Oui, Françoise me fait changer. Oui, mon travail me fait changer. Mais il me semble que c'est normal! C'est le contraire qui serait anormal!»

Elle ouvrit le robinet pour réchauffer l'eau et laissa ses pensées dériver au fil du clapotis de l'eau que ses mains provoquaient au hasard de leurs mouvements nonchalants. Elle constatait que sa vision de la vie s'était modifiée, imperceptiblement mais sûrement, tout au long de sa courte vie. Il lui sembla aussi que, depuis un an ou deux, le mouvement de transformation s'accélérait en elle et autour d'elle. Des airs à la mode surgirent dans sa tête. Elle sourit au souvenir de groupes de chanteurs populaires canadiens-français qui chantaient en anglais des airs américains à l'émission *Jeunesse d'aujourd'hui*. Un sourire de connivence lui vint spontanément aux lèvres en pensant à Félix Leclerc et à Gilles Vigneault, deux chanteurs qui chantaient en français, et dont les chansons portaient sur les gens du Québec, les parlants français d'Amérique du Nord. *Les gens de mon pays, ce sont gens de parole. Et gens de causerie.* «Quand j'étais petite, on était des Canadiens français. Maintenant on est des Québécois!» Oui, elle changeait, oui elle pensait autrement, comme tant de gens autour d'elle. Et c'était normal.

Une phrase de sa mère lui revint en mémoire : «Toi aussi, tu vas vieillir.» Le verbe, appliqué à elle, une jeune fille de dix-huit ans, la fit sourire. «J'imagine que oui, comme tout le monde. Mais j'ai bien le temps.»

Ces réflexions lui semblèrent bien lointaines, le vendredi soir, quand elle se retrouva dans une crêperie à Montréal. On avait donné au restaurant les allures d'une maison de campagne française, avec des poutres sombres et des murs de pierre. Dans une sorte d'enclave, face aux clients, le cuisinier faisait cuire les crêpes sur une énorme plaque pouvant en recevoir plusieurs à la fois. Marie-Andrée était fascinée par la dextérité avec laquelle il versait la pâte sur la plaque d'un geste circulaire rapide et précis, l'étendait prestement avec un minuscule râteau de bois, puis la retournait dans un large mouvement.

Les filles choisirent chacune une crêpe différente et goûtèrent aux trois. Diane offrit le cidre et elles parlèrent bientôt plus fort qu'à l'accoutumée. Marie-Andrée savourait chaque minute de cette soirée dans une ambiance différente et joyeuse. À sa grande surprise, elle aimait le bruit, le va-et-vient bruyant des gens autour d'elle. «Luc ne me reconnaîtrait pas, se dit-elle, amusée. Dans le fond, j'aime sortir; mais je n'aime pas son genre de sorties. Nuance!»

Dans ce lieu inhabituel où l'air était à la fête, elle regardait sa sœur discuter avec Françoise et, étant ainsi observatrice plutôt qu'interlocutrice, elle découvrait une Diane primesautière et amusante. Agréablement surprise, elle se demanda si sa sœur était toujours ainsi. Si c'était le cas, comment avait-elle pu la méconnaître à ce point? Diane voyait tout, pensait à tout, soucieuse de faire plaisir à ses deux invitées et éprouvant manifestement beaucoup de plaisir elle-même. Sa cadette n'arrivait pas à reconnaître en elle la sœur irascible qu'elle avait côtoyée pendant toute son enfance et son adolescence. «C'est le travail et la vie dans une grande ville qui la changent à ce point-là?» Une autre possibilité l'effleura : «Ou le fait de vivre loin de Valbois... ou de maman?»

Le verbe «changer» revenait spontanément. Oui, sa sœur changeait, ou avait changé, la nuance importait peu. La jeune femme qu'elle voyait ici ce soir, dont les blagues désopilantes la faisaient rire à gorge déployée, cette jeune femme-là lui était terriblement sympathique, tout à coup. Marie-Andrée se découvrait des affinités avec son aînée : une joie de vivre, une fureur de vivre qui transparaissait dans ses gestes et ses paroles, manifestée autant par son rire que par ses yeux moqueurs. Elle se sentit proche, très proche de sa sœur, et un bien-être nouveau et réconfortant cautionna cette prise de conscience.

Diane avait dû ressentir la nouvelle connivence qui les unissait parce qu'elle confia tout à coup son projet aux deux amies : enseigner à l'étranger. Elle ne savait trop où ni quand, et encore moins comment, mais elle en mourait d'envie.

— C'est peut-être tout ce que je vois à l'Expo qui me donne le goût de connaître le monde entier.

Marie-Andrée voulait en savoir davantage et posait question sur question. Déconcertée par cet intérêt sincère, Diane, par une sorte de pudeur, orienta la conversation autrement.

— Et toi, tu n'as pas le goût de voyager?

Françoise et elle échangèrent un clin d'œil complice et révélèrent leur projet d'aller en Europe dans deux ans.

— Deux ans? C'est loin!

— On ne gagne pas des salaires de prof, nous autres! protesta sa sœur.

— Ah oui? Faites-vous pas d'illusions, les filles. On est tellement mal payés qu'on va faire une grève si ça continue.

Elles déambulèrent ensuite dans des rues aussi animées qu'en plein jour, puis s'engouffrèrent dans un sous-sol où le décor ressemblait un peu à celui de la crêperie. Les visiteuses découvrirent *Le caveau des moines* et Diane commanda une bouteille de vin.

— Ça vous changera d'une cruche de Saint-Georges aux fêtes!

Enveloppées de voix, de musique et des allées et venues autour d'elles, les trois filles bavardaient joyeusement dans l'euphorie que provoquait le vin. Marie-Andrée, détendue, se sentit belle tout à coup, jeune et désirable.

— Ouais, tu fais de l'effet, lui glissa sa sœur. Je t'amènerai plus; tu voles la vedette.

— Ah! arrête donc de te moquer de moi! protesta sa cadette du même ton avec lequel sa mère refusait tout compliment.

Elle était cependant forcée d'admettre, et elle en était la première étonnée, qu'elle ne pouvait résister à un puissant désir de séduction. Était-ce dû à l'ambiance? Chaque regard d'homme qui glissait sur elle décuplait la sensation enivrante d'être désirable. Ici, dans cette ville étrangère, elle se sentait devenir une femme du seul fait que des hommes la regardaient. «Et à Valbois, se demanda-t-elle, pourquoi je ne ressens pas ça?»

— Cache tes yeux, Marie-Andrée! lui recommanda Diane en riant.

— Mes yeux? Pourquoi? demanda sa sœur innocemment.

Les deux autres se jetèrent un coup d'œil de connivence.

— Parce qu'ils flambent trop! répondit Diane, envieuse.

— Ah oui?

Elle prit tout à coup conscience que plusieurs hommes la zieutaient et que ses compagnes en concevaient un léger dépit.

— J'ai les mêmes yeux que d'habitude, s'excusa-t-elle.

— Certainement pas, affirma Françoise en riant. Si tu avais ces yeux-là à Valbois, tu ne serais pas seule le samedi soir.

— Voyons donc! protesta-t-elle pour calmer les frémissements inhabituels qui l'assaillaient.

Un bel homme au début de la trentaine, grand et mince, vêtu d'un beau complet gris cendre, se dirigea vers leur table d'une démarche féline et s'assit avec les trois filles. Il entama une conversation de badinage avec Diane tout en la reluquant Marie-Andrée, qui se pencha vers Françoise pour lui marmonner :

— Pourquoi j'aurais ici des yeux différents de ceux que j'ai à Valbois?

Françoise n'eut pas le temps de répondre. Le copain de l'autre venait le rejoindre. Les deux hommes étaient volubiles et drôles, et l'homme en gris adressait à Marie-Andrée des regards de plus en plus appuyés, qu'elle lui rendait volontiers, ravie de l'intérêt qu'elle suscitait, l'ayant si rarement perçu chez d'autres. La tablée s'amusa ferme le temps d'une autre coupe de vin, puis Marie-Andrée s'esquiva discrètement pour aller aux toilettes.

Quand elle en sortit, le bel homme au complet gris l'attendait dans l'étroit corridor, lui fermant à demi le passage. Il badina, elle aussi; il se rapprocha et elle ne recula pas. Le vin faisait effet, l'air de guitare était à la sensualité. Il l'embrassa et, tout émoustillée, elle lui rendit son baiser. Il la colla davantage contre lui et elle se sentit femme en sentant sa virilité contre sa jupe mince. Troublée, elle ne réalisa pas tout de suite que son partenaire glissait maintenant sa main droite sous sa minijupe. Quand elle sentit la main de l'homme contre sa cuisse, elle n'éprouva plus de volupté, mais de la déception. C'était bon, mais c'était trop et trop vite. Elle se dégagea sans faire un éclat, mais fermement, et rejoignit les autres.

Son trouble se voyait-il? Elle était furieuse de sa naïveté, mais aussi déçue d'avoir pu donner l'impression d'être une fille facile ou, à l'inverse, une fille pudibonde. L'attitude de l'homme avait changé complètement et il l'ignorait délibérément. Diane jugea prudent de donner le signal du départ.

— Allez, les filles, on a un rendez-vous demain matin!

Elle se leva sans attendre leur réponse, à la déception des deux hommes qui ne purent la persuader de rester plus longtemps. Quand Marie-Andrée passa devant l'homme en gris, il lui décocha un regard froid comme l'acier. Dès qu'elles se furent engouffrées dans un taxi, Diane lui chuchota :

— Tu voulais passer la nuit avec lui?

— Moi? Jamais de la vie!

— Ah bon! À la manière dont tu le regardais, ma petite sœur, c'est ce qu'il a compris, lui! J'espère que tu prends la pilule!

— J'en ai pas besoin! protesta sa cadette.

Diane s'inquiéta.

— Alors cache tes yeux!

Après la bruyante cave de la veille, l'atmosphère feutrée du salon de l'esthéticienne, le lendemain matin, les plongea dans une tout autre ambiance. Marie-Andrée avait l'impression que c'était la première fois de sa vie que quelqu'un se souciait autant d'elle. Même si cette attention n'était que commerciale, elle la savoura comme un grand bien-être. Son visage enduit de crème fut soumis à un jet de vapeur humide pendant de longues minutes, et elle se détacha imperceptiblement de la réalité pour flotter dans une torpeur très agréable. L'esthéticienne revint et lui massa doucement le visage. Sous ses doigts experts, elle prenait conscience de ses joues, de son menton, de sa gorge. Elle réalisait qu'elle ne s'était jamais souciée de son apparence. «Quand on rencontre des gens, la première partie qu'ils voient, c'est le visage!» Elle se rappela le regard de l'homme en gris de la veille. «Les hommes veulent peut-être voir autre chose, ou ils imaginent autre chose mais ce qu'ils voient, c'est le visage», se dit-elle, amusée. Et elle glissa dans le souvenir du baiser et des caresses de la veille, encore étonnée de son pouvoir de séduction.

Le traitement facial fut trop vite terminé à son goût, mais elle s'intéressa tout autant au cours élémentaire de maquillage que Diane leur avait réservé. Chacune des filles se découvrit différente des deux autres, et le maquillage léger qui leur fut proposé leur était personnel. Des mots nouveaux, mais qui deviendraient vite familiers, voltigeaient dans la pièce : crème de jour, fond de teint, poudre, mascara, crayon noir, ombre à paupières, etc. L'esthéticienne leur proposa différents rouges à lèvres et chacune repartit finalement avec une petite trousse de maquillage.

— Ouais, c'est pas tout, ça, murmura Françoise en sortant; il va falloir nous maquiller nous-mêmes, maintenant.

— Mettez-en pas trop, les filles, leur recommanda Diane.

— Au fait, depuis quand tu te maquilles, toi? lui demanda soudain sa sœur.

— Moi? Je ne me maquille jamais. Mais je prends soin de ma peau. Je me fais faire un soin du visage aux trois mois et je mets ma crème de jour et de nuit.

Marie-Andrée admira le teint de sa sœur, velouté et en santé. «Comment ça se fait que je la connaissais si mal?» se reprocha-t-elle.

Les nouveautés de la fin de semaine : le métro, la crêperie, la cave à vin, le salon d'esthétique, toutes intéressantes en soi, comptaient bien peu, cependant, comparativement à la découverte de sa sœur, si différente à Montréal, presque une autre femme, en fait. Mais elle-même n'avait-elle pas été différente toute la fin de semaine? Elle s'amusa à la pensée que Diane pensait peut-être la même chose à son sujet en ce moment. Une autre découverte la grisait : la conscience nouvelle et plaisante, très plaisante, d'être belle et attirante. Mais elle ne regretta pas d'avoir éconduit le bel homme en gris. «Ces gestes-là, je les accepterai d'un homme que j'aimerai!» décida-t-elle. Malgré sa réserve, Marie-Andrée était troublée par son potentiel de séduction, si nouveau pour elle. «Ou dont je n'avais jamais pris conscience avant!» nuança-t-elle.

Au fur et à mesure que l'autobus avalait les kilomètres la ramenant à Valbois, Marie-Andrée réalisait ce que signifiait vivre chez ses parents : c'était vivre selon leurs valeurs, en fonction de leurs craintes, de leurs échecs, bref, de leur mode de penser.

Elle rêva d'un appartement à elle, décoré à son goût, dans lequel elle pourrait recevoir Françoise ou d'autres amies, et un copain, un jour. Un appartement où elle aurait le loisir de vivre à sa façon ce que la vie lui apporterait. Valbois était désormais trop petit pour elle.

6

Vendredi, presque cinq heures. Une fin d'après-midi sombre de mars qui ressemblait plus à l'hiver qu'au printemps. Marie-Andrée jeta un coup d'œil fatigué à l'horloge et entreprit de taper le quatrième texte dans lequel elle modifia l'accord d'un verbe. Sa bonne connaissance de la grammaire lui servait une fois de plus et elle en était fière. Au cinquième et dernier texte, elle ne put s'empêcher de sourire malgré son stress. Il y avait là un anglicisme si trivial qu'elle s'étonna que madame Lanctôt, la secrétaire du président, ait pu l'inscrire sur son brouillon. Elle le corrigea au crayon sur le bloc-notes puis s'arrêta, le crayon en l'air, confuse d'avoir annoté le brouillon de la secrétaire de direction. Devant son air dépité, Françoise, curieuse, lui demanda sans cesser de taper :

— Un problème?

— Euh… Oui et non. Il y a un anglicisme. J'imagine que je le corrige?

L'autre brisa son rythme pour réfléchir un peu.

— L'as-tu vérifié dans le dictionnaire?

Marie-Andrée alla consulter le dictionnaire français-anglais qui trônait sur un classeur. Elle avait raison.

— Tu te penses plus fine que la Lanctôt? gloussa Raymonde Sinclair à mi-voix, du bout de la rangée.

— Une distraction, ça arrive à tout le monde, répondit-elle simplement.

Elle se concentra et poursuivit son travail. Dans le dernier paragraphe de ce dernier texte, elle fit une faute de frappe dans les salutations d'usage. Déçue de n'avoir pu taper tout le texte sans faute, elle fit la correction, même si, se dit-elle, les hommes d'affaires ne lisaient sans doute pas ce genre de paragraphe. Les deux dactylos réussirent à terminer tout juste avant cinq heures et remirent avec soulagement les textes urgents qui leur avaient été demandés à la dernière minute.

Marie-Andrée rangeait son matériel quand madame Lanctôt se précipita vers elle avec un air contrarié et lui remit le cinquième document sur lequel, ô horreur, elle avait encerclé un mot en rouge et en avait griffonné un autre en lettres carrées. Puis elle lui ordonna sèchement de retaper immédiatement la version corrigée.

La jeune dactylo eut à peine le temps de repérer le mot rectifié que l'autre s'éloignait déjà. Elle dut alors hausser la voix pour lui dire qu'elle ne pouvait pas remettre ce mot : c'était un anglicisme. La secrétaire du président réalisa d'un coup d'œil que le tiers des dactylos venait d'entendre la remarque. La jeune employée prit conscience de son impair au même moment, mais il était trop tard. Elle voulut se reprendre en assurant que c'était une faute courante, croyant que madame Lanctôt se la pardonnerait plus facilement, mais ce fut le contraire, d'autant plus qu'une vingtaine de paires de yeux suivaient maintenant la scène. Marie-Andrée était si décontenancée qu'elle se justifia en faisant référence au dictionnaire, ce qui acheva de courroucer la secrétaire revenue près d'elle.

— Si vous préférez que je remette le mot…, bafouilla-t-elle enfin.

— C'est ça ! Remets-le ! Ça presse !

Les talons hauts claquèrent sur le plancher comme autant de coups de fouet. Marie-Andrée se rassit, imperturbable au-dehors mais profondément humiliée. «Je me fais engueuler parce que j'ai corrigé une faute! On ne dit pas *faire du sens* mais *avoir du sens*. Je sais que cela se dit *make sense* en anglais, mais en français c'est *avoir du sens*! Je suis sûre de mon affaire.» Elle était loin d'être bilingue, mais cet anglicisme-là, elle le connaissait.

— Il y en a qui font du zèle? susurra Raymonde en corrigeant une copie carbone au stylo. Il y en a qui se font remettre à leur place...

— Les deux initiales au bas de la page, à gauche, même si elles sont en minuscules, ce sont les tiennes, intervint Françoise. Quand tu tapes les initiales sur un document, c'est comme si tu le signais. C'est ta job de corriger les fautes.

Dans le brouhaha des filles qui recouvraient leur dactylo, se levaient, replaçaient leur chaise et quittaient le bureau pour la fin de semaine, Marie-Andrée, elle, ressortait sa papeterie et glissait deux carbones entre trois feuilles.

Lorsque les employées sortirent, un vent froid s'engouffra dans le bureau. Puis, la salle presque vide retomba dans le silence. La jeune dactylo réalisa tout à coup que Françoise ne se préparait pas à partir.

— Tu n'avais pas fini?

— Oui. Mais je ne suis pas si pressée; je vais t'attendre. Je vais m'avancer pour lundi, tiens, dit-elle en sortant un texte à transcrire pour ne pas exercer une pression supplémentaire sur son amie, qui en fut touchée.

— C'est pas nécessaire, protesta celle-ci pour la forme.

— Ah non? Et avec qui je vais aller prendre un café si tu restes là?

Elles se sourirent et se remirent à l'ouvrage sans tarder. Mais le cœur n'y était plus et Marie-Andrée faisait faute sur faute.

— Ah!... ragea-t-elle en arrachant les trois feuilles d'un geste si brusque qu'elles se déchirèrent.

C'est seulement en les jetant dans la corbeille qu'elle se rappela la consigne : tous les documents transmis par la secrétaire de direction, brouillons ou copies propres, devaient lui être remis parce qu'ils étaient possiblement confidentiels. Elle aurait donc à lui rapporter toutes les copies, preuves flagrantes de son incompétence. C'était trop. Elle perdit toute contenance. Françoise devina son désarroi et lui enleva doucement des mains les feuilles déchirées et, le plus simplement du monde, elle commença à taper.

— À deux, chuchota-t-elle, on arrivera bien à remettre à madame Lanctôt un texte à son goût.

Plus encore que la rebuffade imméritée de la secrétaire, cette solidarité bouleversa Marie-Andrée. Pas de reproche! Pas de conseil! Françoise lui offrait son aide tout en lui laissant la possibilité d'assumer son travail. Cette offre généreuse lui fit tant de bien qu'elle recommença le document avec confiance.

Plus tard, au restaurant, à la table du fond près de la fenêtre qui était petit à petit devenue leur quartier général, Marie-Andrée réalisa tout à coup que, dans son énervement, elle avait oublié de prévenir sa mère de son retard et s'empressa de lui téléphoner pour la rassurer.

— Mon souper est prêt, je t'attends! protesta sa mère, qui se sentait si seule ce soir-là, déprimée par la journée froide et grise.

— J'arrive bientôt mais ne m'attends pas; garde-moi mon assiette. Je la réchaufferai en arrivant.

Elle avait coupé court parce qu'elle ne tolérait plus les reproches de sa mère qu'au prix de grands efforts et, pire encore, parce que ses protestations auraient peut-être réussi à la faire changer d'idée. Sa priorité, c'était de se défouler; pour rien au monde elle n'aurait voulu traîner son sentiment d'échec toute la fin de semaine. Mais c'était difficile; cela se voyait à son front soucieux. Elle s'interrogeait sur le bien-fondé de son initiative; était-ce vraiment son travail, au fond, de corriger les erreurs? Pourtant elle aurait eu mauvaise conscience à taper des erreurs en toute connaissance de cause. Alors où était le juste milieu? Après un soupir, elle se détendit; oui, elle avait eu raison.

Mais voilà que sa camarade, d'habitude réservée, se défoulait à son tour, furieuse contre Ghyslaine Lanctôt d'avoir humilié son amie, furieuse contre celle-ci de s'être laissé humilier. Étonnée de son irritation inhabituelle, Marie-Andrée argua que ce devait être humiliant pour la secrétaire, aussi, de se faire reprendre devant tout le monde par une petite dactylo. Loin de l'approuver, Françoise n'en parut que plus irritée.

— C'est son problème à elle! Ton problème à toi, c'est de savoir ce que tu ressens!

Déjà tendue, Marie-Andrée reçut mal cette intervention. Mais de quoi parlait-elle? Françoise avait le masque fermé qu'elle affichait parfois; non, c'était plus que cela. C'était une colère rentrée, une irritation qui semblait difficile à contenir.

— Mais qu'est-ce que tu me reproches? De ne pas avoir fait une crise de nerfs? Pour moi, c'est un signe de maturité, imagine-toi donc!

— De maturité? fit Françoise, s'étouffant presque. C'est ta mère qui t'a dit ça?

Marie-Andrée savait que Françoise trouvait sa mère manipulatrice, mais, jusqu'à maintenant, elle s'était abstenue d'exprimer clairement son opinion. Du moins jusqu'à ce soir-là, à ce qu'il semblait. Marie-Andrée comprenait son point de vue et cela dissipa une certaine tension. «Ma mère n'a rien à voir là-dedans, mais si ça peut défouler Françoise, allons-y!»

— Qu'est-ce que tu lui trouves, à ma mère? dit-elle d'un ton las.

— Elle t'étouffe! Elle te manipule!

— Bien oui, bien oui, marmonna Marie-Andrée avec mauvaise foi. Toutes les mères sont affreuses : on sait ça!

— Tu le fais exprès ou quoi? s'énerva Françoise, qui se reprocha aussitôt son emportement et se radoucit.

— Bon, prenons un exemple, poursuivit-elle. Notre première visite à l'Expo.

— Quoi, notre première visite à l'Expo? Ça s'est bien passé, il me semble. Ma mère était curieuse de tout, voulait essayer des mets différents, visitait tout. J'étais très fière d'elle. Elle a de la classe, ma mère.

— Je ne nie pas ça, concéda Françoise. Je veux seulement te faire voir que tout s'est très bien passé... jusqu'au moment où *elle* en a eu assez!

Marie-Andrée ne vit là rien de répréhensible.

— Il faut comprendre son point de vue : elle est dans la cinquantaine, elle n'est pas une marcheuse, il était normal qu'elle se fatigue à un moment donné.

— Oui, je reconnais ça. C'était son point de vue à elle, celui d'une femme de cinquante ans. Mais ton point de vue à toi, ton point de vue de fille de dix-huit ans, c'était quoi?

Son amie plissa les yeux comme si elle ne comprenait pas la question.

— Mon point de vue à moi?

Sa surprise et son silence confirmèrent à Françoise qu'elle voyait juste. Elle avait toujours refusé d'aborder le sujet, estimant ne pas avoir le droit de s'immiscer dans la vie familiale de son amie. Mais elle mesurait, ce soir-là, à quel point celle-ci avait besoin de l'éclairage qu'elle lui apportait en ce moment même. Cela la renforça dans sa décision de vider enfin la question.

— Ta mère, c'est juste un exemple. Te rends-tu compte que le seul fait de te demander de préciser *ton point de vue* te rend perplexe? Toi qui es si rapide à percevoir celui des autres, tu restes bouche bée parce que je te demande le tien. T'en rends-tu compte?

— Mais qu'est-ce que tu veux savoir, au juste? s'énerva l'autre.

— Quand on était à l'Expo et que ta mère t'a dit qu'elle voulait rentrer, toi, Marie-Andrée, toi, qu'est-ce que tu ressentais?

Marie-Andrée secoua la tête, ne comprenant pas que Françoise pose la question, la réponse lui semblant d'une telle évidence.

— Je pensais que ma mère avait passé une très belle journée et que j'étais fière d'elle.

— Je ne t'ai pas demandé ce que tu pensais, mais ce que tu ressentais!

— Eh bien... que Diane aussi était contente de sa journée. Tu sais, ma sœur Diane n'était pas toujours facile, mais ce jour-là...

— Mais toi? s'emporta Françoise, toi? Toi! Qu'est-ce que tu ressentais à ce moment-là? Existes-tu, oui ou non?

Marie-Andrée eut un regard de tristesse et de déception.

— Mais on ne peut pas penser seulement à soi-même dans la vie. Ma mère et ma sœur...

— Ta mère est assez grande pour savoir ce qu'elle pense et ce qu'elle ressent. Ta sœur aussi. Ghyslaine Lanctôt aussi. Mêle-toi de tes affaires et occupe-toi donc de ce que tu ressens, toi!

Françoise s'en voulut : elle était allée trop loin. Elle sut brusquement que leur amitié se jouait là, maintenant, à cet instant précis, et que son amie le comprenait aussi.

Ce que l'une et l'autre diraient marquerait un tournant dans leur relation, ou alors y mettrait un terme.

Devant elle, Marie-Andrée, abasourdie par l'apostrophe, essayait en vain de saisir ce que l'autre semblait désespérément vouloir lui faire comprendre. Ses yeux transmirent son désarroi et Françoise regretta sincèrement de s'être emportée, cherchant maintenant comment faire cesser au plus vite cette conversation qui ne menait à rien, sinon à un malheureux quiproquo qui risquait de rompre leur amitié.

— Je disais ça seulement pour te rendre service... T'es une fille formidable! Des fois, je pense que t'es la seule qui le sait pas. T'as le cœur tellement grand que... que ce doit être tentant pour les autres de se réfugier dedans puis... d'en abuser.

D'en abuser? Marie-Andrée tombait des nues. Elle, une victime? Profondément humiliée par une telle insinuation, elle voulait nier cette possibilité même si, pour cela, il lui fallait pour la première fois mettre en doute le jugement de Françoise, qu'elle avait pourtant en très haute estime. Elle se souvint de la mise en garde de sa mère : «Des fois je pense que cette fille-là a une mauvaise influence sur toi.» Elle ne savait plus que penser. Qui croire? Laquelle des deux influences était nocive? Devant elle, son amie semblait regretter amèrement ses paroles franches mais si maladroites.

— Les gens n'agissent pas nécessairement par méchanceté, ajouta Françoise précautionneusement. Mais tu te donnes tellement peu de place que ça doit être tentant pour eux d'occuper tout cet espace-là.

Voilà, elle l'avait dit. Elle se tut, l'âme chagrine. Elle avait compromis leur amitié à laquelle elle tenait tant, pour rendre service à Marie-Andrée, pour lui redonner, à ses propres yeux, sa valeur pleine et entière. Il y eut un long silence, puis Marie-Andrée dit, d'une voix conciliatrice :

— Toi aussi, tu as un grand cœur... Tout à l'heure, au bureau, tu n'étais pas obligée de rester...

— Oui et non, répondit Françoise. Je voulais prendre un café avec toi. J'avais pas le goût de rentrer à la maison tout de suite.

— Pourquoi?

— Oh... mon père est grognon ces temps-ci..., expliqua-t-elle évasivement.

Puis elle changea de sujet de conversation.

— On va toujours au cinéma demain soir?

— Bien sûr!

Quand Marie-Andrée rentra à la maison, elle constata que sa mère n'avait pas dressé son couvert comme elle le faisait pour Luc en pareilles circonstances. Cette petite mesquinerie témoignait de sa contrariété : sa fille avait osé jaser avec une amie plutôt que de rentrer immédiatement souper avec elle. Marie-Andrée se contenta de raconter l'anecdote de l'anglicisme.

— J'avais besoin d'en parler tellement j'étais à l'envers, ajouta-t-elle en une excuse inconsciente.

— En parler avec moi, ça aurait pas été assez?

Le poids de la semaine tomba lourdement sur les épaules de Marie-Andrée. «Avoir su, j'aurais soupé au restaurant avec Françoise!» Elle maîtrisa son irritation et essaya de répondre à sa mère calmement.

— Tu ne connais pas madame Lanctôt.

— Mais je ne suis pas née de la dernière pluie, ma fille. T'es pas la seule à qui une affaire de même est arrivée.

— T'as vécu ça, toi? fit Marie-Andrée, incrédule.

Elle imaginait mal sa mère subir un affront pareil sans protester vertement.

— J'ai travaillé un peu dans une manufacture avant de me marier, expliqua Éva, et j'ai vécu quelque chose qui ressemblait à ça, moi aussi.

— Ah oui? Qu'est-ce que t'as fait? questionna sa fille avec curiosité.

— Rien! Qu'est-ce que tu voulais que je fasse? Quand on est valet, on est pas roi.

— Tu n'as rien fait?

— Comme toi, ma fille. Toi aussi, tu savais que c'était la seule chose à faire.

— Mais moi, maman, je me suis trouvée lâche. J'ai pas d'affaire à payer pour les erreurs des autres.

— C'est le plus intelligent des deux qui cède.

Cette phrase, elle l'avait souvent entendue et y avait cru. Ce soir-là, pourtant, elle la formula autrement dans sa tête : «C'est le plus lâche des deux qui cède.» Du temps de sa mère, oui, peut-être que celle-ci avait eu raison de se taire. Mais ce n'était pas l'attitude à adopter maintenant. Elle avait été lâche et elle s'en voulait. Parce qu'elle avait corrigé une erreur flagrante, on l'avait réprimandée et humiliée. Un cuisant sentiment d'échec coula en elle. Où était donc l'enthousiasme fou qu'elle avait ressenti au cours des nombreuses journées passées sur le site d'Expo 67, l'été dernier? Dans le quotidien, Marie-Andrée Duranceau n'était qu'une petite dactylo sans aucun pouvoir, même pas celui de se faire respecter. Même quand elle avait raison!

Aussi, quand Luc au déjeuner, le lendemain, annonça la nouvelle de sa propre promotion, sa jumelle se sentit encore plus dévalorisée. Par contre, en envisageant la situation du point de vue de son frère, elle se réjouit sincèrement pour lui. Moins de deux ans après son entrée à la banque, il avait été promu une deuxième fois, devenant aide-comptable.

— Fini le *clearing*!

Dernier arrivé à la banque, Luc avait été chargé de la compensation journalière et il devait, cela faisant partie de ses responsabilités, aller porter lui-même tous les chèques reçus dans la journée qui étaient tirés d'un compte des deux autres institutions bancaires de Valbois : l'autre banque et la caisse populaire. Il devait aussi aller poster, à l'intention du siège social, tous les autres chèques, c'est-à-dire ceux qui étaient issus de toutes les autres institutions bancaires du Canada. Cinq jours par semaine, été comme hiver, beau temps, mauvais temps, il avait fait le commissionnaire, ce qu'il détestait.

— Tu vas faire quoi, comme aide-comptable? lui demanda sa sœur.

— M'occuper des placements et du personnel.

Le siège social l'envoyait toutefois dans une autre succursale, ce qui lui permettrait d'acquérir encore plus d'expérience. L'année suivante, il pourrait devenir comptable à la place du comptable actuel, lequel serait muté à son tour. Et ensuite, Luc deviendrait sans doute directeur, avec des mutations à tous les quatre ou cinq ans de manière à éviter la tentation d'accorder des passe-droits à des clients. Sa mère exprima le souhait que son fils revienne un jour à Valbois comme directeur, mais il mit fin à ses illusions. Il ne trouvait pas la rémunération suffisamment intéressante pour envisager une carrière dans ce domaine.

À court terme, quand il commencerait son nouveau travail, deux semaines plus tard, il voyagerait en autobus jusqu'à Montréal, puis prendrait le métro et finalement un autobus de la ville. Il n'avait pas les moyens de s'acheter une auto et il comptait déménager à Montréal. Sa mère en eut un coup au cœur. Elle évoqua la nouvelle autoroute des Cantons de l'Est qui facilitait le trajet, mais il lui opposa les dépenses quotidiennes des péages et les heures perdues en déplacements. Il était confiant de se trouver facilement un logement : on était à la fin mars et les appartements se vidaient pour le 1er mai. Elle lui proposa alors d'aller vivre avec Diane, même en sachant que sa fille avait déjà deux colocataires. Il écarta vivement cette possibilité. Elle soupira et n'insista pas.

— Mais moi, j'en suis où? se plaignit Marie-Andrée le lundi, en revenant à pied de son travail avec Françoise, comme elle le faisait souvent. Encore dactylo, juste une dactylo, avec un salaire de dactylo. Je veux gagner ma vie et c'est pas avec un petit salaire comme ça que je vais y arriver. Pour moi, il n'est pas question de dépendre financièrement d'un homme. Je vois trop ce que ça fait à ma mère, et même à Louise, parfois.

— Se marier et élever des enfants, nuança Françoise, ce n'est pas nécessairement dépendre d'un homme, si celui-ci nous aime et qu'on l'aime. Moi, je ne veux plus travailler quand j'aurai des enfants.

— L'amour, le mariage, ce n'est pas une assurance non plus. Un mari, ça peut tomber malade, perdre son emploi, je ne sais pas, moi, mourir!

— Dis donc, t'es encourageante aujourd'hui!

— Je suis découragée. Pire, je suis jalouse de Luc. On a fait des études semblables, on a commencé à travailler en même temps. Mais il ne plafonne pas, lui : il avance. Quand je pense qu'il va déménager à Montréal…

Toute à ses récriminations, elle ne vit pas le nuage dans les yeux de son interlocutrice.

— Il va déménager? demanda celle-ci de la voix la plus neutre qu'elle put émettre.

— Il va se trouver un appartement, précisa Marie-Andrée, trop absorbée dans ses réflexions pour déceler le trouble dans la voix de son amie. Je l'envie. Pour ça aussi.

Françoise n'écoutait plus. Comme elle regrettait de ne pas avoir essayé davantage d'attirer l'attention de Luc, qui la fascinait encore, à son corps défendant parce qu'il ne semblait aucunement remarquer sa présence. Ayant appris, par Marie-Andrée, qu'il sortait souvent, qu'il faisait l'amour aussi (en s'assurant que sa partenaire prenait la pilule), elle avait tenté de se persuader qu'elle n'était probablement pas le genre de fille qu'il recherchait. Malgré tout, elle persistait à ressentir de l'attirance pour lui. Elle s'obstinait à croire que son attitude de don Juan n'était qu'une façade; qu'il était différent du jeune homme qui courtisait plusieurs filles et ne s'attachait à aucune.

Du regret, elle passa aux reproches. Pourquoi n'avait-elle pas parlé de son attirance à Marie-Andrée? Quelle meilleure alliée aurait-elle pu trouver? Mais elle s'était obstinée à faire confiance au destin, c'est-à-dire à croire que, si Luc lui était destiné, la vie se chargerait de provoquer des occasions. Maintenant, il quittait la ville, s'en allait vivre ailleurs, en appartement. Elle songea aussitôt à la grande liberté sexuelle dont il jouirait, lui qui ne se privait déjà pas beaucoup, même s'il vivait encore chez ses parents.

— Qu'est-ce que t'en penses? entendit-elle Marie-Andrée lui demander.

Françoise cligna des yeux, embarrassée.

— M'écoutais-tu? fit l'autre.

N'ayant pas entendu les dernières phrases et voulant cacher ses regrets au sujet de Luc, elle improvisa sans conviction.

— Je me demandais… ce que ça faisait d'avoir son propre appartement.

Marie-Andrée ne releva pas la remarque, préoccupée par son emploi.

— C'est ça que tu veux faire, toi, rester commis-dactylo? demanda-t-elle.

— C'est sûr que d'être commis-dactylo pendant dix ou vingt ans chez Field & Sons, c'est pas stimulant, admit Françoise. À part le poste de secrétaire du directeur du personnel ou du président, ou encore de comptable, il n'y a aucune possibilité d'avancement. Au fond, avec notre formation en dactylo, en sténo et en comptabilité, on devrait sans doute pouvoir faire mieux.

Elles s'amusèrent alors à énumérer les endroits où ils pouvait y avoir des postes de dactylo ou de secrétaire, à Valbois. Tout y passa : les deux banques, la caisse populaire, le bureau de poste, la commission scolaire, la municipalité, les deux autres entreprises manufacturières. Rien n'était disponible ou, du moins, elles n'avaient entendu parler d'aucun poste vacant. Elles eurent l'idée de consulter le journal et, s'arrêtant au restaurant, passèrent au crible toutes les offres d'emploi. Mais elles ne trouvèrent rien. La conclusion s'imposa d'elle-même : elles devraient chercher plus loin.

— Les salaires doivent être bien meilleurs dans une grande ville, dit tout à coup Marie-Andrée.

— Et on a de l'expérience maintenant.

Le rêve les entraîna dans tous les possibles.

— Oui mais, fit Françoise, revenant sur terre, si on cherche plus loin, vers Sherbrooke ou Montréal, il va nous falloir une auto.

Les dépenses que cela entraînerait les firent déchanter.

— À moins de vivre là-bas! s'écria Marie-Andrée.

Les deux filles découvrirent brusquement qu'il ne tenait qu'à elles de vivre ailleurs, hors du cocon familial, et de commencer enfin leurs vies d'adultes.

— Un appartement..., rêva Marie-Andrée, accrochée à cette idée comme à la lumière au fond d'un tunnel. Ma chambre, mes affaires, ma décoration. La paix!

— Une autre ville, avec des cinémas, des restaurants, plein de monde à rencontrer! énuméra Françoise comme s'il s'agissait d'une liste de cadeaux de Noël.

Le projet prenait forme au fur et à mesure des interventions de l'une, des objections de l'autre, des idées lancées pêle-mêle dans la discussion. Françoise s'imaginait déjà à Montréal, osant même entrevoir la possibilité que Luc — pourquoi pas? — cohabite avec elles. Brusquement, ses regrets se changeaient en espoir. Quand les filles eurent fait dix fois le tour des avantages de travailler dans une autre ville, leur euphorie s'essouffla. Marie-Andrée déchantait au fur et à mesure qu'elle prévoyait les objections de sa mère, et surtout à la pensée de la solitude dans laquelle le départ de sa fille la plongerait. La culpabilité grugeait douloureusement son emballement.

— Hé! s'écria tout à coup Françoise. Avec un nouvel emploi et l'augmentation de salaire qui va aller avec... on pourrait peut-être aller en Europe plus vite!

Ce dernier argument eut raison de tout. Rassurée par le petit héritage que sa mère avait reçu, et comptant bien lui envoyer une partie de son nouveau salaire de toute façon, Françoise envisageait pour la première fois de partir. Les deux amies se promirent de n'accepter que les meilleurs emplois et le plus bel appartement.

Leur décision prise, elles consultèrent les journaux tous les jours. Par délicatesse pour leurs parents, elles préféraient ne pas scruter les annonces chez l'une ou chez l'autre, mais au restaurant. Au bout d'une semaine, elles trouvèrent des descriptions intéressantes, mais de postes vacants dans deux compagnies différentes. Cela ne convenait pas; elles vivraient cette grande aventure ensemble ou pas du tout!

Deux semaines plus tard, elles crurent avoir découvert ce qu'elles cherchaient. Deux postes étaient annoncés par la même compagnie, à Montréal, et ils correspondaient à leurs compétences : l'un pour une personne bilingue et l'autre pour quelqu'un ayant une excellente connaissance du français. Enthousiasmées, elles téléphonèrent et obtinrent leur première entrevue, qui fut fixée au vendredi.

Ce matin-là, Françoise, qui avait demandé l'auto à ses parents pour la journée pour pouvoir soi-disant aller magasiner après le travail, alla chercher sa camarade, comme elle le faisait parfois. D'un téléphone public, elles appelèrent au bureau et se déclarèrent malades, puis partirent pour Montréal. Marie-Andrée n'avait rien dit à sa mère, espérant être de retour à l'heure habituelle. «À quoi bon l'énerver avant le temps? Si mon projet ne marche pas, elle ne se sera pas fait de mauvais sang pour rien.» Mais elle était humiliée, à dix-neuf ans, de devoir ainsi jouer à cache-cache comme une enfant de dix ans pour éviter les esclandres.

— On ne pourra pas prétexter être toutes les deux malades chaque fois qu'on aura une entrevue, dit-elle, réalisant soudain que cela paraîtrait louche.

— On trouvera au fur et à mesure, répondit paisiblement Françoise.

Quand elles arrivèrent au pont Champlain, Marie-Andrée fut impressionnée par les nouvelles autoroutes sinueuses qui, telles de grandes queues de dinosaure, s'entrecroisaient au-dessus des rues et des quartiers périphériques. Elles traversèrent toute la ville avant d'arriver à destination, dans le nord-ouest de la métropole. Les bureaux de la compagnie, au cinquième étage, semblèrent étroits et désuets aux deux filles, habituées de travailler dans un lieu, somme toute, vaste et moderne. Autour d'elles, les employés s'exprimaient presque tous en anglais et Marie-Andrée, heurtée par l'omniprésence de cette langue, se sentit presque étrangère.

Les candidates remirent leur curriculum vitæ et s'assirent en attendant que la secrétaire de direction les conduise au bureau du directeur. Françoise passa la première. Dans le hall, des gens entraient et sortaient, des hommes, surtout. Marie-Andrée avait revêtu une jolie robe en tricot vert pomme dont la jupe, courte, était légèrement évasée, une ceinture souple, de même tissu, y ajoutant une note de simplicité. Ses jambes étaient belles, elle le savait, mais elle ne s'attendait pas à se les faire reluquer à ce point. De plus, si elle avait l'impression d'être quelconque, comparée aux autres dactylos de Field & Sons, ici elle paraissait élégante, presque trop d'ailleurs. Autour d'elle, seule se démarquait une rouquine à la tignasse flamboyante, qui lui jeta un coup d'œil curieux.

Son tour arriva. Le directeur feuilleta son curriculum vitæ devant elle et lui posa une question en anglais.

— Je ne suis pas bilingue, précisa-t-elle, un peu mal à l'aise. Je me présente pour le poste exigeant une bonne connaissance du français; ça, je l'ai.

— *Yes, yes, of course*, glissa-t-il avec un sourire qui la laissa interdite.

Était-ce bien du mépris qu'elle venait de lire dans ce sourire?

L'homme lui demanda, dans un mauvais français, de confirmer un détail ici ou là. Le téléphone sonnait sans arrêt et Marie-Andrée ne semblait nullement la priorité de la journée. «Tout ce trouble pour dix minutes!» ronchonna-t-elle, mécontente de s'être quasiment excusée de ne parler que le français.

Il y avait ensuite un test de dactylo à passer, mais elle se trouva complètement démunie et perdit encore plus d'assurance : le type de machine à écrire servant au test lui était inconnu. Sur les machines électriques chez Field & Sons, le chariot se promenait de gauche à droite ; sur celle-ci, une sphère de un à deux pouces de diamètre comprenait toutes les lettres, minuscules et majuscules, les accents, les symboles, etc., et elle se déplaçait en tournoyant et en imprimant les lettres de gauche à droite. Il n'y avait donc plus de retour brutal du chariot à la fin de chaque ligne. Devant l'ignorance de la nouvelle venue, la secrétaire, une francophone bilingue, lui expliqua le fonctionnement de cette machine à écrire récente et lui fit une démonstration qui l'impressionna. Finalement, Marie-Andrée accepta l'évidence : elle ne correspondait certainement pas au profil exigé.

Mais il lui restait à vérifier un texte annonçant en français les produits de la compagnie. Quand, une demi-heure plus tard, elle remit son document à la secrétaire de direction qui commençait à s'impatienter, celle-ci le parcourut rapidement des yeux, puis se tourna vers elle, perplexe.

— On n'avait pas demandé un autre texte, précisa la secrétaire, anglophone mais bilingue.

Étonnée, Marie-Andrée se crut obligée de se justifier.

— Il n'y avait pas seulement des fautes d'orthographe et de grammaire ; il y avait aussi des anglicismes et surtout des erreurs de syntaxe. C'est pour ça que je serais engagée, non ? demanda-t-elle, fière d'avoir repéré autant d'erreurs et croyant naïvement que le texte avait délibérément été mal rédigé pour vérifier ses compétences.

Extrêmement satisfaite de son travail, elle était maintenant certaine d'être engagée et se sentait même prête à négocier son salaire avec la secrétaire qui, même si elle avait essayé de le dissimuler, avait été impressionnée par sa correction. Celle-ci s'absenta quelques minutes, puis la conduisit sans plus de cérémonie au bureau du contrôleur des finances.

L'homme dans la cinquantaine, grand et sec, avec des lunettes de presbyte sur le bout du nez, lui expliqua rapidement et d'un ton sans appel que, avec une onzième année commerciale, elle ne pouvait prétendre à un salaire de rédacteur. L'offre qui lui était faite représentait certes une augmentation par rapport à son emploi actuel, mais en deçà de ses espérances. Avant d'avoir pu réaliser tout ce que cela impliquait, elle se retrouva engagée selon des conditions tout à fait standard et non discutables, et elle devait entrer en fonction dans une semaine.

Marie-Andrée sortit du bureau comme un automate, encore sous le choc. Elle avait donné sa parole, une parole d'adulte. C'était fait : elle était engagée. Elle déménageait à Montréal! Elle rayonnait; elle flottait littéralement. Les conditions n'étaient pas tout à fait ce à quoi elle s'attendait, mais rien n'était parfait. «Maman dit toujours qu'on ne peut pas tout avoir…», se rappela-t-elle. L'évocation de sa mère brouilla son enthousiasme, mais elle refusa de laisser quoi que ce soit gâcher sa journée.

Lorsque les deux amies sortirent, elles durent faire face aux problèmes de la circulation, intense en cette journée du vendredi. Ne connaissant pas le quartier, elles allaient au hasard, cherchant un restaurant. Quand elles en apercevaient un, il ne semblait jamais y avoir de stationnement à proximité et elles poursuivaient leur route. Elles dînèrent enfin vers deux heures. Marie-Andrée, fébrile, raconta et commenta son entrevue et Françoise, la sienne. On lui avait offert le poste de traductrice annoncé, mais, évidemment, le salaire n'était pas celui d'un traducteur, puisqu'elle n'avait pas de diplôme.

— Être bilingue et être traducteur, c'est deux choses! reconnut-elle. Mais bien sûr, puisqu'ils pouvaient obtenir le travail en ne payant que le salaire d'une secrétaire, ils auraient été fous de passer à côté d'une telle aubaine.

Elle ajouta peu de détails et Marie-Andrée ne s'en formalisa pas. Si la nervosité la rendait volubile, elle semblait avoir un effet anesthésiant chez sa camarade. Sur le chemin du retour, Marie-Andrée subit brusquement le contrecoup de la tension des derniers jours. Elle était fatiguée et avait peine à aligner deux idées de suite. Elle admira Françoise, toujours aussi calme et qui devait, en plus, se concentrer sur la route. Le moins qu'elle puisse faire pour elle était sans doute de ne pas la déranger avec son verbiage nerveux, même si cela la démangeait. Il fallut encore vingt kilomètres avant que Françoise ne formule un autre commentaire :

— Ça va être dur pour mon père que je parte. Ça risque de... le perturber encore plus. Il faut que je le prépare. Parles-en pas pour moi, O.K.?

— J'aurai bien d'autres chats à fouetter! Ce ne sera pas facile de mon bord non plus.

Tout allait tellement vite, trop vite : le nouvel emploi, l'appartement à trouver et à décorer, sa nouvelle vie à Montréal, leurs sorties, leurs premiers copains, etc.. Elle pensa aussi à Luc, à qui elle avait trouvé très difficile de cacher son projet; il l'aurait comprise pourtant. Depuis l'enfance, les jumeaux se devinaient d'un regard. Mais depuis l'adolescence, il était absorbé par son groupe d'amis et il n'avait pas semblé, ces derniers temps, percevoir la fébrilité de sa jumelle. Un peu déçue, elle avait cependant été soulagée, aussi, parce que si elle avait partagé son secret avec lui, sa mère en aurait pris ombrage.

— Fini les cachotteries! dit-elle spontanément en respirant à fond. Je vais enfin en parler au souper. Diane sera là aussi. Ça aidera peut-être maman à mieux prendre la nouvelle.

À quelques kilomètres de Valbois, la culpabilité l'envahit. Si elle avait ardemment souhaité un nouvel emploi, elle ne s'était aucunement attendue à ce qu'on lui en offre un dès sa première entrevue, et encore moins qu'on le lui confirme sur place. Comment aurait-elle pu prévoir un dénouement aussi rapide? Maintenant, elle allait devoir placer sa mère devant le fait accompli, pour qui, contrairement à elle, ce ne serait pas une surprise heureuse. Avec les départs simultanés des jumeaux, Éva Duranceau se retrouverait seule. Sa vie quotidienne de mère de famille allait se terminer brusquement, sans préavis pour se préparer le cœur. «Au moins, nous autres, les plus jeunes, on était là quand les autres sont partis.» L'ordre de naissance de la fratrie allait faire d'elle, malgré elle, le dernier enfant à quitter la maison familiale. Qu'elle le veuille ou non, qu'elle l'accepte ou non, c'était ainsi. «C'est comme la chambre, ironisa-t-elle, c'est pas la mienne, c'est celle des filles. Pour mon départ, c'est pareil; c'est pas *mon* départ en tant que tel qui va lui faire mal, c'est le fait que ce soit celui de *la plus jeune de ses enfants.*» Quand elle arriva en vue de la maison familiale, une appréhension douloureuse l'étreignit.

Dès qu'elle aperçut Luc, elle se convainquit qu'elle avait le droit, comme lui, de voler de ses propres ailes. L'impatience d'annoncer l'heureuse nouvelle reprit le dessus. Elle souhaita avoir le temps d'en parler d'abord avec Diane, mais elle n'en eut pas l'occasion parce que sa sœur n'arriva qu'à la dernière minute. Ils passèrent à table aussitôt et Marie-Andrée sortit la bouteille de vin qu'elle venait d'acheter à la Commission des liqueurs, où elle s'était impatientée de la longue file au comptoir, pourtant normale le vendredi, et de la lenteur du commis à aller chercher ce qu'elle avait demandé. Pour un peu, elle serait passée derrière le comptoir pour aller prendre elle-même le Mateus sur les tablettes inaccessibles au public.

Éva avait trouvé sa fille nerveuse ces derniers jours, aussi se méfia-t-elle instantanément à la vue de la bouteille. Marie-Andrée servit le vin et Luc fit quelques blagues. Plus ses trois enfants riaient, plus Éva Duranceau pressentait que quelque chose de grave se préparait.

— Envoye! Dis-le pourquoi tu as acheté du vin! dit-elle nerveusement, soupçonnant un chagrin à l'horizon. Je suppose que je serai la dernière à être au courant? ajouta-t-elle maladroitement pour maîtriser son appréhension.

La benjamine déposa la bouteille de vin sans regarder sa mère.

— Non, tu n'es pas la dernière à le savoir.

«Mais pas la première non plus, même si j'aurais aimé en parler avec toi avant ce soir», aurait-elle pu ajouter.

— À savoir quoi? demanda joyeusement Diane.

— Ouais! ma jumelle, s'exclama Luc avec une pointe de reproche. Tu nous fais des cachotteries. Dépêche-toi, sinon je vais avoir le temps de déménager avant de savoir ce qui nous vaut ce vin.

— Arrête donc de parler de ça, quémanda Éva qui se rebrancha sur la peine de ce départ prochain.

Elle avait tant de difficulté à l'accepter, ce départ, fallait-il qu'on le lui rappelle sans cesse? Après le départ du plus jeune de ses deux fils, elles ne seraient plus que deux femmes à la maison. Depuis l'annonce de Luc, Éva s'interrogeait sur l'importance d'une présence masculine. L'absence de son mari lui pesait encore plus. «Mais quand il est là, devait-elle admettre avec regret, il est si contrariant.» En vérité, la présence de son mari Raymond colorait très différemment les journées de la maisonnée, au point qu'elle se demandait comment ils s'habitueraient l'un à l'autre, au quotidien, quand viendrait le temps de la retraite.

Marie-Andrée avait versé du vin dans des coupes de verre épais et bon marché, que la famille avait peu souvent l'occasion d'utiliser dans l'année. Elle rêva de belles coupes, fines et légères, qui auraient mis en valeur la couleur rosée du Mateus qu'elle s'amusait distraitement à faire miroiter sous la lumière du plafonnier. Son nouvel emploi la grisait autant que le vin qu'elle allait prendre. En pensant à son autonomie financière, elle se sentait euphorique.

— Est-ce qu'on va finir par savoir ce que tu nous caches? s'impatienta sa mère, ne pouvant plus supporter l'attente d'une nouvelle qu'elle craignait de plus en plus sombre.

Sa fille respira profondément, décidée à ne laisser personne lui gâcher sa bonne nouvelle. Elle savoura lentement une gorgée de *son* vin, le vin de son nouvel emploi à Montréal. Puis elle déclina le tout presque d'une traite : l'annonce dans le journal, l'entrevue et le travail offert, précisant qu'elle ferait de la dactylo et de la révision des documents rédigés en français parce que la compagnie souhaitait commercer avec la France.

— La France? fit Diane, enthousiasmée.

Éva cessa de respirer : la France! Sa fille, sa petite dernière partait, l'abandonnait pour aller au bout du monde. Une peine immense l'étreignit.

— Ils vont pas t'envoyer en France, toujours? bafouilla-t-elle, les larmes aux yeux.

— J'espère que t'as dit oui! s'exclama Diane.

— Pas trop vite! les interrompit l'intéressée en riant. La France, c'est pas à la porte! Montréal, c'est déjà assez loin!

Elle se mordit les lèvres, mais il était trop tard. Le mot «Montréal» avait été lâché et il fit plus d'effet à lui seul que plusieurs phrases sur la France.

— Montréal? s'exclama Luc, incrédule.

— Montréal? protesta la mère, bouleversée. (Elle avait à peine eu le temps de se réjouir du fait que sa fille ne s'exilerait pas en France, et voilà que celle-ci lui annonçait son départ pour Montréal, ce qui, pour Éva, revenait quasiment au même.) T'es bien trop jeune pour partir à Montréal toute seule!

— Elle a le même âge que Luc! rectifia Diane.

Marie-Andrée se détourna pour ne pas voir le désarroi dans les yeux de sa mère : elle en aurait perdu tous ses moyens. Toutefois, elle en tint compte dans ses explications. Sans la regarder, et en omettant sciemment de mentionner Françoise, elle précisa qu'elle n'avait soufflé mot à personne pour ne pas causer d'émoi inutile si elle n'avait pas obtenu le poste.

— Ça veut dire que ta décision est prise? s'exclama sa mère, réalisant qu'elle était placée devant le fait accompli. Nous, on apprend les nouvelles quand tout a été décidé. Après tout, on est juste ta famille!

N'importe quoi pour assourdir sa peine! Elle se sentait plus que jamais abandonnée. Son mari au loin, sa fille aînée mariée, son fils aîné à Montréal depuis quelques années et qui ne venait à Valbois qu'environ une fois par saison, et Diane, à peine aux deux ou trois mois. Dans quelques semaines, ce serait au tour de son plus jeune fils de déménager; à quelle fréquence reviendrait-il la voir? Quatre fois par année, lui aussi? Et maintenant sa petite dernière la quittait? Non, ce n'était pas possible. «Pas les deux ensemble! supplia-t-elle intérieurement, pas les deux ensemble.» Leur départ créerait un trop grand vide pour elle. Profitant de son désarroi, le spectre de la solitude s'imposa concrètement dans la douleur de l'absence de ses enfants.

Luc vint au secours de sa jumelle.

— Moi non plus, j'en ai pas parlé tout de suite! rappela-t-il. Des affaires de job, on garde ça pour nous autres le temps de savoir ce qu'on va décider. C'est juste quand j'ai été sûr de mes affaires que j'en ai parlé, moi aussi.

— C'est pas pareil..., commença sa mère en s'essuyant les yeux avec son tablier.

— Comment ça, pas pareil? fit Diane d'un ton sec.

— ... tu continues à travailler pour la même banque..., bafouilla-t-elle, consciente de la pauvreté de son argument. Tu changes de ville, mais c'est ta banque quand même.

L'assurance nouvelle de la benjamine s'effritait à chaque phrase de la mère. Elle aurait tant souhaité qu'elle se réjouisse de son emploi, qui constituait une promotion par rapport à celui qu'elle avait depuis deux ans. Diane, quant à elle, était furieuse. «Sa peine est plus importante que le nouvel emploi de sa fille. Sa peine prend toute la place. D'une manière ou d'une autre, elle a encore trouvé le moyen de tout ramener à elle.»

— C'est un soir de fête pour moi..., glissa Marie-Andrée avec une tristesse mal contenue.

— Mais c'est les autres qui en paient le prix! s'écria Éva d'une voix douloureuse.

Les deux autres, tendus et furieux de l'être, se servirent pour tenter d'échapper à l'atmosphère qui s'alourdissait. Ils essayèrent d'orienter autrement la conversation, sincèrement contents pour leur sœur, mais la résistance maternelle brimait leur enthousiasme pour cet événement heureux. Au bout de deux ou trois phrases maladroites, la conversation revint à Marie-Andrée et celle-ci, voulant se faire rassurante, mentionna qu'elles seraient deux à partir, oubliant la discrétion qu'elle avait promise à ce sujet.

— Ah! s'exclama sa mère en se redressant, le mouchoir à la main, il me semblait bien, aussi, qu'elle devait être en dessous de ça, celle-là!

— *Celle-là*, comme tu dis, la corrigea Luc avec impatience, elle s'appelle Françoise. Et je pense pas qu'un boss de Montréal a offert une job à ma sœur à cause d'une Françoise qu'il ne connaît même pas.

— Mais elle est là quand même, insista Éva avec mauvaise foi en prenant brusquement la saucière et en se servant avec des gestes nerveux.

— Heureusement! Si elle n'allait pas à Montréal, elle aussi, je ne m'embarquerais pas dans une affaire de même!

— Maman, intervint Diane avec agacement, il y a cinq minutes tu disais que Marie-Andrée était trop jeune pour s'installer toute seule en appartement à Montréal. Donc, c'est tant mieux si Françoise y va aussi! Avoue-le donc!

Cette intervention spontanée se voulait rassurante, mais ne réussit qu'à déplacer la question sur un autre terrain.

— Toute seule ou deux filles du même âge, c'est pareil. Pas plus de jugeote l'une que l'autre. Montréal, à ton âge? T'imagines-tu que je vais laisser faire ça?

Elle déposa la saucière si brusquement que le liquide gicla. Marie-Andrée allongea le bras pour éponger les éclaboussures sur la nappe.

— Laisse faire! cria sa mère. T'as fait assez de dégâts comme ça aujourd'hui!

Marie-Andrée comprenait que son départ signifiait la solitude pour sa mère, mais cela l'autorisait-elle à gâcher la joie de sa fille, si fière de son nouvel emploi? Comment pouvait-elle refuser de partager ce qui arrivait d'heureux à sa fille? L'amour d'une mère n'était-il naturel que si ses enfants restaient près d'elle et se conformaient

167

à sa façon de voir les choses? Elle refusa d'y penser plus longtemps parce que son enthousiasme se désagrégeait au fur et à mesure de ses réflexions. Elle envia Françoise d'avoir des parents plus compréhensifs que les siens.

— C'est une promotion, maman. Tu étais fière de Luc, il n'y a pas si longtemps. Tu pourrais être fière de moi, aujourd'hui.

Devant son silence culpabilisant, Diane ne put s'empêcher de faire de l'ironie :

— C'est *pas pareil*, comme d'habitude?

— Mes enfants sont tous égaux pour moi, vous le savez.

— Dans ce cas-là, dis-le donc que t'es fière d'elle! insista Diane comme si cette victoire pour sa sœur en serait une pour elle aussi.

— C'est sûr, balbutia la mère après un silence qui parut long. C'est sûr, voyons donc. C'est seulement que...

Sa contrariété s'effaça dans ses yeux maintenant remplis de larmes. Diane leva les yeux au plafond, furieuse de la voir utiliser d'autres armes pour faire valoir son point de vue. «C'est déloyal!» jugea-t-elle, révoltée.

— ... on se verra plus, dit la mère d'une voix larmoyante.

Marie-Andrée accueillit cette phrase comme un aveu d'amour; elle avait cru que cela ne viendrait jamais. Au contraire, sa sœur ne l'interpréta que comme une manipulation de plus. Pour faire diversion, elle décida de parler d'elle à son tour.

— Maman, je voulais t'annoncer quelque chose, moi aussi.

Elle avait adopté un ton si solennel qu'elle eut l'impression de se trahir et afficha un air penaud comme lorsqu'elle était enfant et se faisait prendre en faute. L'intuition maternelle décela dans son attitude un autre sujet d'inquiétude.

— Qu'est-ce que tu me caches, toi aussi? Il y a encore autre chose? Autre chose que tout le monde sait, sauf moi?

Diane se redressa, résolue, laissant transparaître une joie qu'elle avait hâte d'exprimer.

— Oui, il y a autre chose, maman. Mais c'est une bonne nouvelle.

— Ah oui? Une bonne nouvelle pour qui? Pour moi ou pour vous autres? Une bonne nouvelle que tout le monde sait, sauf moi, c'est ça? répéta-t-elle. Ton père le sait, je suppose?

Sa fille fut prise de court.

— Ben, je devais t'annoncer ma nouvelle la semaine passée. Ça fait que... bien... je lui avais écrit une semaine avant... (Son ton redevint agressif.) J'avais fait ça pour que vous l'appreniez tous les deux en même temps.

— Mais t'es pas venue, la semaine passée! geignit Éva qui se sentit rejetée une fois de plus par sa fille dont la froideur à son égard lui faisait remettre en question son rôle de mère.

Sa fille courba légèrement les épaules sous un poids invisible.

— Ma Volks était au garage, maman. Des problèmes d'auto, ça arrive. On prévoit pas toujours ça.

— Cette idée, aussi, de s'acheter une vieille auto. T'es maîtresse d'école...

— Enseignante, corrigea-t-elle.

— C'est la même chose. C'est une profession honorable et qui te fait bien vivre. Tu peux certainement te payer quelque chose de mieux que cette auto-là.

— Mais ça m'intéresse pas, moi, les autos. En autant que ça roule.

— Justement! Elle ne roulait pas, elle était au garage!

Les jumeaux se regardèrent, découragés de la tournure ridicule que prenait la discussion.

Éva Duranceau cligna des yeux, revenue malgré elle à la blessure à laquelle elle avait tenté d'échapper en glissant dans une digression. Maintenant, la douleur s'imposait, encore plus vive : elle avait été exclue, encore une fois, de ce que vivaient ses enfants. Elle n'était jamais leur confidente et encore moins leur conseillère, et ce, malgré son expérience de la vie. «À quoi je sers, moi? Je sers à rien ni à personne.» Une révolte sourde, enfouie profondément, explosa brusquement à la surface.

— Ben si c'est de même, gardez-les donc, vos cachotteries! J'en ai assez entendu à soir!

Elle se leva si brusquement que sa chaise se renversa, puis elle quitta rageusement la salle à manger et claqua la porte de sa chambre derrière elle. Respirer. Respirer librement. Pleurer librement. Son cœur lui faisait tellement mal. Sa petite dernière lui manquait déjà. Affaissée dans le fauteuil d'osier qui craqua et sembla gémir à sa place, la femme n'osait se laisser aller à sa peine. Sa peine de voir partir sa fille, mais aussi son regret de ne pouvoir partager sa fierté concernant sa promotion. Elle était incapable de s'en réjouir, et encore moins de le lui manifester, mais elle s'en voulait de gâcher ce moment important pour sa benjamine. «C'est pas correct de ma part.» Il lui fallait ravaler sa peine. «On braillera une autre fois. J'aurai tout mon temps pour ça, toute seule ici-dedans!» Essuyant ses joues, elle se força à retourner auprès de ses enfants parce qu'elle savait que Marie-Andrée souffrait de son éclat. «Une mère, ça doit être capable de s'oublier pour ses enfants!» se dit-elle pour se donner le courage de retourner dans la salle à manger et de féliciter sa fille.

À table, l'ambiance n'était plus à la joie. Au fond, Diane avait été décontenancée par l'annonce du départ de sa sœur pour Montréal, un départ aussi imprévu que celui de Luc. «J'y peux rien!» dut-elle cependant reconnaître. Au bout d'un long silence, elle déposa sa coupe lentement.

— Vous m'aidez pas, les jumeaux. Partir les deux ensemble...

— Ça arrive de même, protesta Marie-Andrée, énervée.

— On l'a pas fait exprès! ajouta leur frère. Mais c'est comme ça, tant pis. Maman dit toujours qu'on ne contrôle pas tout dans la vie! Ben là, c'est comme ça.

Diane respira, puis lança sa nouvelle d'un jet :

— Ça va être dur pour maman, trois départs d'un coup...

— Trois? s'exclama son frère. Comment ça, trois?

Marie-Andrée poussa un cri de joie.

— T'es acceptée pour l'Afrique?

— Comment ça, l'Afrique?

Leur mère se tenait sous la porte d'arche, livide. Ses lèvres tremblaient et des larmes perlaient à ses paupières. Elle pressait ses deux mains jointes sur sa poitrine comme pour empêcher son cœur de souffrir. «Pas les trois au même moment, mon Dieu, pas les trois!» Elle observa ses enfants avec la perspicacité aiguë de la douleur et leur silence lui confirma ce troisième départ, pour le bout du monde, elle qui avait tant rêvé de voir tous ses enfants établis dans les villes environnantes. Les larmes se mirent à couler abondamment; elle n'était plus qu'une femme anéantie et abandonnée.

Marie-Andrée, dépassée par les événements et vulnérable, en eut pitié. Sa joie et celle de sa sœur, et même la fierté de son frère quant à sa mutation se dissolvèrent dans une culpabilité désarmante. Il n'y avait plus que le déchirement de leur mère, bientôt séparée de ses trois derniers enfants. Sa liberté instinctive luttait férocement pour la ramener à ses besoins personnels. Tant d'émotions contradictoires se bousculaient en elle qu'elle ne parvint à retrouver un peu de sérénité que lorsqu'elle fixa sa pensée sur chacun de ses frères et sœurs. «Ils ont tous eu le droit de partir; pourquoi pas moi?»

Cette fin de semaine-là, il ne fut plus question que du départ de Diane pour l'Afrique, qui suscitait l'enthousiasme chez les jeunes et des larmes silencieuses chez leur mère. Éva ne savait plus quel chagrin pleurer. Une mère sans enfant était-elle encore une mère? Saurait-elle être autre chose? Mais quoi?

Dans tout ce bouleversement, le nouvel emploi de Marie-Andrée devenait secondaire. «Comme tout ce qui m'est arrivé dans la vie, conclut-elle avec chagrin. Comme moi. Les affaires des autres sont toujours plus importantes que les miennes.» Dans le cas présent, cela avait au moins l'avantage de reporter l'odieux d'un départ difficile pour leur mère sur quelqu'un d'autre et elle en fut soulagée. Toutefois, quand Louise et sa famille vinrent dîner le dimanche, la sœur aînée trouva le moyen de prendre sa cadette à part pour lui dire :

— Essaye donc de rester encore quelques mois, le temps que maman s'habitue à tous les changements. C'est dur pour elle.

La benjamine en fut humiliée, se sentant rabaissée. Pourquoi devrait-elle se sacrifier? Pourquoi pas son jumeau? Pourquoi pas sa sœur?

— Attendre? répondit-elle lentement en essayant de maîtriser la colère mêlée de peine qui l'envahissait. J'ai la chance d'améliorer mon sort et tu me dis : «Attends quelques mois, le temps que maman arrête de pleurer»? Penses-tu que Luc peut dire à sa banque «Attendez quelques mois, le temps que ma mère arrête de pleurer»?

— T'es donc bien bête! s'exclama sa sœur. Lui, c'est un homme, mais travailler, pour une femme, il n'y a pas que ça dans la vie.

Marie-Andrée fut accablée par ce dénigrement subtil. Parce qu'il était si courant qu'elle perde sa chambre au profit de la moindre visite, avait-elle maintenant aussi perdu, aux yeux de sa sœur aînée, le droit de choisir un travail plus intéressant, une vie à elle en dehors de la famille? «Pourquoi? Parce que je suis la plus jeune? Mais il y a *un* plus jeune aussi : oublie-t-elle que Luc est mon jumeau? Mais lui, c'est un gars! Il peut faire ce qu'il veut!»

— Puis toi, demanda-t-elle sur un ton rageur, quand t'as voulu te marier, as-tu attendu *pour ne pas faire de peine à maman?*

— Voyons donc, c'était pas pareil! protesta Louise.

— *Pas pareil?* éclata sa cadette. C'est ça! Avec vous autres, les plus vieux, c'est toujours la même excuse : c'est pas pareil! Mais *c'est* pareil, figure-toi donc!

— Jamais de la vie, répliqua sa sœur, offusquée. Se marier et avoir des enfants, c'est autrement plus important que… que de changer de job! Surtout pour une fille!

— Il faut que je gagne ma vie! répliqua à son tour la plus jeune avec colère.

L'aînée se rengorgea.

— Moi, c'est pas mon problème : c'est Yvon qui voit à ça. Tu verras quand tu seras mariée.

Marie-Andrée ne put s'empêcher de sourire de dérision. Sa colère s'effritait parce que l'arrogance de sa sœur aînée lui rappelait un souvenir à son sujet. La benjamine avait une dizaine d'années et elle était allée acheter un bout de tissu pour sa mère. La vendeuse, qui connaissait toute la famille, lui avait soudain demandé joyeusement, tout en calculant le prix de l'achat avec son gros crayon rectangulaire sur le sac en papier glacé beige :

— Et alors, comment va madame Mercier?

La fillette l'avait regardée avec étonnement; pourquoi lui demandait-elle des nouvelles de la mère de son nouveau beau-frère Yvon?

— Je ne sais pas..., avait-elle balbutié. Je ne la vois jamais.

L'opulente marchande au teint rosé s'était esclaffée d'un rire si sonore que les autres clientes avaient levé la tête et cessé de palper les rouleaux de tissu, intriguées par cette hilarité soudaine. Madame Bolduc, qui riait toujours, avait clamé de sa voix forte :

— Que c'est *cute* : elle ne sait même pas que je parle de sa grande sœur !

L'enfant en avait reçu un coup en plein cœur. On lui parlait de sa sœur, de sa propre sœur, et elle ne s'en était même pas rendu compte. Sa sœur n'était plus Louise Duranceau mais *madame Yvon Mercier* ! Marie-Andrée avait payé nerveusement, puis s'était s'enfuie, bouleversée. «Quelqu'un pourrait chercher ma sœur dans dix ans, dans vingt ans, s'informer auprès de plein de monde qui la connaîtrait et peut-être que... qu'on ne la trouverait jamais parce qu'elle n'aurait même plus son nom?»

Bouleversée, elle l'était restée pendant des jours. Les noms des gens entendus tant de fois n'avaient plus la même résonance. Depuis ce jour, quand elle entendait nommer des femmes avec le prénom des maris, elle se sentait écorchée. Dans son cerveau d'enfant, elle avait essayé de comprendre pourquoi l'une des deux personnes d'un couple renonçait à son identité. «Se marier, ça veut dire devenir la possession de quelqu'un d'autre? Mais les hommes, eux, est-ce qu'ils appartiennent à leurs femmes?» Une image insolite avait traversé l'esprit de la fillette : celle d'une brebis se faisant marquer au fer rouge aux initiales de son propriétaire. «C'est ça qui arrive quand une fille se marie? Elle porte le nom de... de son propriétaire?»

La semaine suivante, quand elle avait revu sa sœur Louise, la fillette l'avait regardée autrement, comme si le fait d'avoir consenti si facilement à cette négation d'elle-même l'avait diminuée à ses yeux. D'autant plus que Louise semblait très fière d'être devenue *madame Yvon Mercier*. «Moi, je m'appelle Marie-Andrée Duranceau. Je suis née avec ce nom-là et je mourrai avec! se promit l'enfant. Et si un homme n'est pas capable de prendre ça... tant pis pour lui!»

Mais ce n'était pas si simple. Qu'en était-il de cette autre femme qui s'était toujours présentée comme étant *madame Raymond Duranceau*? Mais qui était donc madame Raymond Duranceau, au fond? À la suite de cette question sans réponse, Marie-Andrée était partie, plus ou moins consciemment, à la recherche de l'autre identité de sa mère, peut-être la plus authentique. Qui était donc Éva Métivier? Et qui était Louise Duranceau devenue *madame Yvon Mercier*?

Ce souvenir détruisait aujourd'hui, aux yeux de la jeune fille de dix-neuf ans, la vaine arrogance de son aînée. Sa colère se mua plutôt en une sorte de compassion. «Quand une personne n'a même plus son identité, il lui reste quoi?» Elle dévisagea sa sœur et Louise baissa les yeux, gênée devant son regard.

Toute à ses pensées, et ne portant pas très attention à la conversation générale, Marie-Andrée finit plus ou moins par promettre à sa mère de revenir les fins de semaine, réalisant trop tard qu'elle limitait déjà une liberté qu'elle n'avait pas encore eu le temps de goûter. Depuis qu'elle se voyait en appartement, elle avait osé rêvé qu'elle vivrait ses fins de semaine à sa guise pour la première fois en dix-neuf ans. Mais voilà qu'elle venait lâchement d'abandonner ses attentes légitimes. Une fois de plus. «Je me sens réquisitionnée. Réquisitionnée pour être avec elle? Ou pour l'aider à recevoir la visite? De la visite qui n'est même pas pour moi, qui ne se préoccupe même pas de moi et qui envahit mon territoire.»

— Ouais, au début peut-être, marmonna la mère d'une voix pathétique en réponse à la promesse de sa fille. Mais après…

Éva ne s'illusionnait pas. Maintenant qu'ils avaient quitté la maison, les trois aînés se considéraient comme de la visite quand ils y revenaient, et elle ne savait presque plus rien d'eux, à l'exception de Louise, bien sûr, qui vivait plus près et dont la vie d'épouse et de mère ressemblait davantage à la sienne. Mais les deux autres, qui étaient-ils devenus? Elle ne le savait plus trop.

Marie-Andrée se sentit atteinte au plus profond de sa franchise. Sa promesse n'avait pas été reçue et considérée à sa pleine valeur, ni comme venant de sa fille qui tenait toujours parole, mais plutôt en fonction des déceptions antérieures de sa mère avec ses autres enfants. «Comme si on était tous des numéros identiques dans une boîte!» Elle était profondément blessée, piégée avec une promesse qui lui avait coûté et qui, en plus, était méprisée. «Elle n'est jamais contente! Quand est-ce que je vais arrêter de vouloir la contenter?»

Contrariée, presque agressive, Marie-Andrée eut un sursaut de colère quand elle vit les femmes commencer tout naturellement à desservir et à s'occuper de la vaisselle, et les hommes se diriger allègrement vers le salon, le ventre plein, comme si cela allait de soi. Impulsivement, elle mit à exécution une idée qui l'avait effleurée à quelques reprises.

— Maman a préparé tout le repas et nous, on a mis la table et fait le service. Pourquoi ce seraient pas les hommes qui feraient la vaisselle après le dîner? Diane et moi, on ne sera plus à la maison pour longtemps. Autant vous habituer tout de suite, non?

— Voyons donc, dit la mère, on est capables de faire ça nous-mêmes.

— Il n'y a pas de doute là-dessus. Ça fait cinquante ans que tu le fais, et Diane et moi, une vingtaine. Maman a bien mérité qu'on la décharge de ça, hein, les gars?

Une dispute d'enfants éclata au salon et Louise s'y précipita.

— Maman, va donc voir ce qui se passe avec Louise, suggéra Marie-Andrée en la poussant délicatement vers le salon.

— Puis vous autres? protesta Marcel, qui effectuait une de ses rares visites à Valbois.

— Nous? On va ranger la vaisselle dans les armoires. Laver et essuyer, c'est une chose. Mais ranger la vaisselle aux bons endroits, ça, vous ne connaissez pas ça certain. Puis, rapides comme vous allez l'être, les gars, on sera pas trop de trois pour tout placer au fur et à mesure.

Ils protestèrent, mais Diane, contente de ne plus être le sujet de conversation, ne voulut rien entendre et aida Marie-Andrée à les retenir à la cuisine dans une légère bousculade. Mi-figue, mi-raisin, avec un vague sentiment d'humiliation, les hommes cédèrent, mais tournèrent l'affaire en ridicule pour se donner une contenance. Marcel et Yvon enfilèrent les tabliers les plus féminins qu'ils purent trouver, qu'ils nouèrent sur leur buste au lieu d'à la taille, espérant provoquer des réactions. Peine perdue, les filles faisant mine de ne rien voir. De plus, quand Éva, mal à l'aise d'être inactive au salon, revint à la cuisine, elle protesta vivement en les apercevant.

— Avez-vous fini de nous ridiculiser? s'exclama-t-elle pendant que les larmes lui montaient encore aux yeux après toutes les émotions de la fin de semaine.

Les fils et le gendre n'obtinrent donc pas l'effet escompté et durent faire amende honorable auprès de la maîtresse de maison. Ils finirent par se concentrer sur le lavage et l'essuyage de la vaisselle. Les trois hommes en arrivèrent à la même conclusion que les femmes : la vaisselle était une tâche fastidieuse, mais qui se terminait plus rapidement à plusieurs, et ils revinrent au salon, victorieux.

Les trois belles-sœurs avaient travaillé aussi longtemps que les hommes pour ranger au fur et à mesure la nourriture et la vaisselle propre; de plus, elles finirent aussi le travail escamoté, c'est-à-dire qu'elles suspendirent les linges à vaisselle, rincèrent le torchon, nettoyèrent l'évier, rangèrent le savon... et les tabliers. Et leur travail passa inaperçu.

Le lundi matin, Luc partit tôt pour Montréal, en autobus. Marie-Andrée, dès son arrivée au bureau, donna sa démission à madame Laforest en ne mentionnant que son propre départ, par discrétion. Elle sortit du bureau radieuse et eut toute la peine du monde à ne pas faire un clin d'œil à sa complice et un pied de nez à Raymonde Sinclair.

À la pause, les deux amies allèrent marcher dehors pour parler plus à leur aise et profiter de la chaleur printanière enfin arrivée. Françoise avait les yeux si cernés et la mine si défaite que sa camarade, presque inquiète, lui lança à la blague :

— Avez-vous fêté ta nouvelle job tant que ça en fin de semaine?

Son rire s'éteignit devant la détresse et la fragilité que Françoise affichaient si douloureusement et qui contrastaient avec sa sérénité habituelle. Celle-ci respira encore profondément puis détourna son regard au loin. Lentement, avec effort, elle avoua que son père avait mal réagi à l'annonce de son départ imminent. Pour lui, une fille quittait la maison familiale pour se marier et non pour changer d'emploi. Elle avait argumenté calmement mais fermement. Maintenant elle se le reprochait, mais il était trop tard. Elle baissa le ton encore davantage et murmura si faiblement que Marie-Andrée dut se pencher un peu pour entendre :

— Mon père a fait une grosse indigestion vendredi soir. On était certaines que... qu'il ne passerait pas au travers.

Elle s'arrêta, épuisée, les épaules courbées sous la fatigue de la fin de semaine. De jour comme de nuit, elle avait relayé sa mère pour surveiller son père, rongée par la peine et la culpabilité d'avoir presque eu sa mort sur la conscience. Il n'était plus question de départ pour elle.

Marie-Andrée, abasourdie et peinée, finit par avoir assez de présence d'esprit pour offrir son aide, se doutant bien, cependant, qu'elle était inutile. Mais elle refusait d'accepter que la décision de Françoise soit définitive. Leur projet ne pouvait pas se réaliser sans elle. Mais comment argumenter sans devenir odieuse?

— Mais toi, vas-y! insista Françoise. Ne change pas tes plans.

— On a dit qu'on partirait ensemble, répondit Marie-Andrée. Toute seule, ça ne me tente pas.

Françoise suggéra alors la solution qu'elle avait trouvé la veille. C'était sa manière de ne pas l'abandonner et de limiter les dégâts, en quelque sorte. Cela la consolerait aussi un peu de renoncer à leur beau projet. Elle apprécia la délicatesse de son amie à qui elle avait si vertement reproché de se laisser manipuler par sa mère et qui, pourtant, s'était libérée et quittait Valbois, contrairement à elle. Pour maintenir sa décision, elle se raccrocha à une sorte de fatalité : «Ce doit être parce que la vie me réserve mieux ici... ou quelqu'un d'autre...»

— Vas-y, insista-t-elle encore, sinon je m'en voudrais trop.

La pause était terminée. Elles rentrèrent et se concentrèrent sur la transcription de leurs textes pour canaliser leurs pensées, sans toutefois arriver à être productives. Madame Vézina, qui venait d'apprendre la nouvelle de madame Laforest, fit venir Marie-Andrée à son bureau pour régler les modalités du départ.

Tout allait vite, tellement vite. Quand elle rentra à la maison, Marie-Andrée revint à la réalité. «Ouais, mais ce n'est pas encore gagné cette affaire-là!» réalisa-t-elle, fatiguée de sa journée stressante et décevante.

Le souper était différé à cause de l'arrivée tardive de son frère qui faisait l'aller-retour en autobus. Marie-Andrée prit les devants et alla elle-même le chercher au terminus de Valbois, se félicitant d'avoir maintenant son permis de conduire. Ne lui laissant pas le temps de commenter sa journée à Montréal, elle lui apprit sans détour, mais sans lui expliquer pourquoi, qu'elle partirait seule.

— Ouille ouille! ma vieille! T'es pas sortie du bois avec maman. Sa ti-fille toute seule à Montréal!

Sa sœur, plongeant dans le vif du sujet, amena la solution proposée par Françoise.

— Pas nécessairement. Il te faut un logement et moi aussi! Non?

Lui qui comptait profiter de sa liberté! Il était pris de court.

— Je ne veux pas te bousculer, insista-t-elle en mettant le moteur en marche, mais il faut que j'informe maman dès ce soir que Françoise ne viendra pas à Montréal avec moi sinon elle pensera que je lui ai menti. En fait, ajouta-t-elle avec un clin d'œil, t'as cinq minutes pour te décider.

— De toute façon, dit-il en soupirant, maman va y penser pour nous, à cet arrangement-là, inquiète-toi pas!

Ce fut le cas et les jumeaux lui laissèrent l'illusion qu'ils cédaient à ses arguments. La mère en profita — l'occasion était trop belle — pour dénigrer la copine de sa fille, qui l'abandonnait aussi facilement pour une simple question de salaire. Marie-Andrée se reprocha d'avoir inventé une raison aussi terre-à-terre pour expliquer son désistement autrement justifié.

— Puis moi, ajouta Éva en larmoyant, je me retrouve toute seule.

Sa fille résista à la culpabilité insidieuse qui réapparaissait et elle dut se répéter une fois de plus qu'à leur heure sa mère et son père avaient quitté le foyer parental, de même que tous ses frères et sœurs. «Qu'est-ce que j'ai tant à y voir une grande question existentielle? C'est un pas de plus dans la vie. Dans *ma* vie! Et personne ne pourra le faire à ma place.»

Tout à coup, ses liens familiaux lui parurent dépassés. Ils appartenaient à son enfance, à son adolescence. Plus que jamais, elle constatait que ce n'était pas au milieu de sa famille qu'elle déployait ses ailes, mais ailleurs. Qu'il s'agisse du travail ou de ses amitiés, qu'importe, le résultat était le même. C'était ailleurs qu'elle vivait spontanément, qu'elle était appréciée; ailleurs qu'elle se sentait libre d'être elle-même, d'exprimer vraiment ce qu'elle pensait et d'aborder les sujets qui lui plaisaient, contrairement à la maison où elle avait tant de fois entendu : «Je ne veux plus entendre parler de ces affaires-là dans ma maison.» Et la famille obtempérait. À force de se faire interdire des sujets de conversation, on se demandait parfois quoi se dire. Et on allait ailleurs.

Marie-Andrée ne voulut pas s'attarder sur cette prise de conscience. Elle se persuada que toutes les familles fonctionnaient ainsi et que c'était nécessaire pour sauvegarder l'harmonie.

Avant d'aller se coucher, plus tôt qu'à l'accoutumée à cause de son long trajet quotidien en autobus, Luc glissa ironiquement à l'oreille de sa sœur :

— Mais tu t'occupes des repas!

Marie-Andrée se vit quittant la maison de ses parents pour aller vivre chez son frère. «J'avais pas prévu ça de même.»

7

Marie-Andrée ouvrit la porte de l'appartement et, du haut de l'escalier extérieur arrondi, à la rampe en fer forgé, elle scruta les passants qui déambulaient dans la rue en cette belle soirée du mois d'août. Comme elle ne voyait pas la personne qu'elle attendait, elle calma son impatience en se raisonnant : cela lui donnait le temps de terminer le ménage. Elle resta néanmoins quelques instants immobile pour savourer la fraîcheur de cette belle soirée, puis les soucis domestiques la ramenèrent à la réalité. Refermant la porte extérieure, elle traversa l'étroit vestibule et laissa la seconde porte ouverte sur le corridor. Elle entra dans sa chambre, située entre celle de Luc qui donnait sur la rue et le salon, pour s'assurer que tout était prêt. «Ma chambre!» Cette fois, c'était vrai. C'était sa chambre et personne ne pouvait l'en déloger.

En guise de lit, elle avait simplement posé un matelas sur une structure de bois que Luc lui avait construite après s'en être fabriqué une; ce lit assez bas faisait face à la porte de la chambre. Un couvre-lit tout blanc éclairait la pièce sans fenêtre. De chaque côté de son lit, elle avait placé deux cubes de bois qu'elle venait de recouvrir du même tissu aux couleurs chaudes que sa lampe. Elle imagina la réaction de sa mère : «T'appelles ça une lampe?» Et sans doute la mettrait-elle en garde contre le feu, car c'était sa hantise depuis qu'un incendie avait détruit la maison des voisins quand elle n'était qu'une enfant de trois ans. Marie-Andrée sourit de compassion pour elle-même. Sa mère était à des kilomètres de là, et pourtant, elle semblait l'entendre critiquer. Elle s'irrita. Oui, elle appelait ça une lampe ; c'était une bouteille de Mateus vide dans laquelle Luc avait installé l'appareillage électrique nécessaire. Et elle avait recouvert le tout d'un abat-jour bon marché sur lequel elle avait cousu un tissu coloré qui réchauffait très joliment son couvre-lit blanc. Quand elle souhaitait un éclairage plus soutenu, elle allumait le lustre qui, à lui seul, donnait un chic certain à la chambre.

À gauche, sa garde-robe occupait la moitié de la largeur du mur et s'ouvrait par une porte étroite et haute ; l'autre moitié du mur mitoyen constituait la garde-robe de la chambre de son frère. Contre le mur de droite, elle avait placé la vieille commode qu'elle avait apportée de chez ses parents, au grand dam de sa mère qui avait honte de ce meuble vétuste, relégué au hangar depuis des décennies. Il y avait aussi un banc ouvragé qu'elle avait déniché dans un magasin de meubles usagés. Épinglés sur le mur attenant au corridor, deux posters illustraient des sentiers dans la forêt, l'un au printemps et l'autre en automne ; Marie-Andrée avait ainsi l'impression d'être dans la verdure, ce qui la changeait de l'asphalte de la ville et agrandissait sa chambre, d'autant plus que la porte donnait sur ce mur. À la tête du lit, sur le mur opposé, elle avait épinglé une affiche que sa mère avait détestée quand elle les avait aidés à déménager avec Yvon, Louise et Diane.

— Heureusement que c'est derrière toi quand tu dors, s'était-elle exclamée. Des plans pour faire des cauchemars !

Éva était déconcertée par ces affiches géantes et psychédéliques que les jeunes affectionnaient. «On dirait que plus c'est de mauvais goût, plus ils aiment ça.»

Sa fille, elle, s'enorgueillissait de sa chambre et de sa décoration. C'était peu, mais c'était chez elle, c'était *sa* chambre. «Ma chambre», se redit-elle en éprouvant un sentiment de sécurité et d'autonomie, presque de délectation, savourant déjà le plaisir d'y accueillir Françoise tout à l'heure.

Après son emménagement avec son jumeau, elle avait d'abord regretté de ne pas avoir choisi la pièce qui donnait sur la rue, plus éclairée; il y avait en effet une large fenêtre avec un encadrement en aluminium, qui jurait, en fait, avec la moulure large de bois verni foncé. Mais elle avait vite réalisé que cette pièce était bruyante, justement à cause de la rue, et elle s'était félicitée de ne pas l'avoir demandée. «Après tout, une chambre, c'est fait pour dormir. C'est plus important qu'elle soit tranquille qu'éclairée.» Sa mère avait fait un autre commentaire.

— La chambre près de la rue doit être froide sans bon sens l'hiver. Ton frère est moins frileux que toi, heureusement.

Marie-Andrée s'était abstenue de lui révéler l'autre raison qui lui faisait maintenant préférer la pièce du milieu : les entrées tardives de son frère ou les visiteuses qu'il recevait de temps en temps la dérangeaient moins. Elle ne désapprouvait pas vraiment la vie nocturne de son frère : il était libre de vivre comme il l'entendait. Et somme toute, elle ne connaissait pas grand-chose de sa vie, retournant à Valbois chaque fin de semaine. Mais, bien qu'ils soient jumeaux, Luc semblait nettement du genre nocturne et elle, diurne.

Malgré sa largeur de vue, la vie sexuelle de son frère la forçait à se questionner. «Peut-être que je suis vieux jeu. Avec la pilule, maintenant tout le monde fait l'amour. Pourquoi pas moi?» Il lui était arrivé de regretter le bel homme en gris, rencontré à la crêperie un an auparavant, et de se demander si sa vie aurait été différente si elle avait accepté ses avances, et comment. Après ces regrets, elle se moquait de ses fantasmes. Elle était trop innocente et lui, trop... expert, peut-être. Les regrets ne tenaient jamais longtemps, de toute façon.

Malgré les «bonnes résolutions» qu'elle prenait parfois, elle n'était jamais passée aux actes, sans réussir à établir ce qui la retenait. «Est-ce que j'ai peur de l'amour? Des gestes de l'amour? Est-ce que je cache ma peur derrière des principes en me disant que je ferai l'amour seulement quand j'aimerai vraiment?» Là aussi, elle riait d'elle-même; les caresses de l'homme en gris l'avaient suffisamment troublée, et très agréablement, pour qu'elle se fasse confiance. Bien sûr, elle savait quels étaient les gestes de l'amour, mais, ne les ayant jamais expérimentés, elle ne pouvait qu'extrapoler, dans toutes les fantaisies que lui inspirait son imagination — et Dieu sait si elle en avait! —, les sensations qu'ils provoqueraient jusque dans sa chair.

Marie-Andrée pensa à Diane et elle se demanda si elle avait déjà fait l'amour et, sinon, si ce serait avec un Noir, là-bas, en Afrique. Sa sœur avait laissé son appartement, en fait sa chambre puisqu'elle n'était que colocataire, et elle effectuait maintenant un stage de formation à Sherbrooke avec toute la cuvée des coopérants de l'année. Durant quelques semaines, ils s'initieraient aux programmes d'études en vigueur dans leurs futurs lieux d'enseignement. De penser à sa sœur ramena Marie-Andrée à la fête que les jumeaux avaient organisée pour elle à l'occasion de son départ imminent. Comme le party aurait lieu dans moins de vingt-quatre heures, ce court délai la rappela brutalement à la réalité. «Mais qu'est-ce qu'il fait? Il est en train de vider le Steinberg ou quoi?» se dit-elle avec une pointe d'impatience.

Elle emprunta le corridor dont les trois pièces s'ouvraient du même côté : les deux chambres et le salon. Celui-ci était séparé de la cuisine par un mur composé de quatre portes à carreaux alignées. Le corridor débouchait sur la salle de bains, contiguë à la cuisine, et elle y entra. Comme convenu, Luc avait fait le ménage, mais l'essentiel seulement, et elle allait devoir terminer le travail. Comme d'habitude. Elle soupira. Jumeaux ou pas, ils n'avaient certainement pas la même notion de l'entretien d'un appartement.

Comme il l'avait fait chez sa mère, Luc s'était attendu, consciemment ou non, à ce que sa sœur assume les responsabilités domestiques, à commencer par les repas, comme il le lui avait d'ailleurs dit. La question ne se posait pas le midi : ils dînaient près de leur lieu de travail respectif. Les fins de semaine, elle retournait souvent à Valbois et lui se débrouillait quand il restait à l'appartement.

Quand ils avaient emménagé, un peu plus de trois mois auparavant, Marie-Andrée avait spontanément assumé les repas du soir. Et avec quel plaisir avait-elle réalisé, presque surprise, qu'elle pouvait dorénavant cuisiner ses mets préférés! Elle avait acheté son premier livre de recettes, ne songeant pas un instant à le faire payer en partie par son colocataire, qui en bénéficiait pourtant doublement : d'une part parce qu'il pouvait s'exempter de cuisiner et d'autre part parce que sa sœur lui servait d'excellents repas. Elle l'avait parcouru avec sérieux, y dénichant des recettes savoureuses. D'un plat à l'autre, elle s'était découverte bonne cuisinière et, de réussite en réussite, son estime d'elle-même dans ce domaine de jeune femme adulte s'était développée. Comme Luc renforçait ce sentiment nouveau en la félicitant et en la vantant auprès de ses parents, sa sœur n'en était que plus consentante à s'acquitter de cette tâche.

Quand elle s'était sentie suffisamment rassurée sur ses talents culinaires, elle avait invité ses parents à dîner. Mais sa mère avait refusé de conduire l'auto seule dans Montréal et les absences prolongées de son père avaient compliqué le choix d'une date. Finalement, cela s'était avéré possible le mois précédent, en juillet. Quelle joie s'était-elle faite de recevoir enfin ses parents chez elle et de leur servir un repas préparé par elle ! Elle était fière de se sentir adéquate dans son rôle de cuisinière, de plus en plus à l'aise avec cette facette d'elle-même qu'elle découvrait depuis qu'elle vivait en appartement. Comme sa mère le lui avait montré, elle avait essayé de voir à tout, de penser à tout, se sentant responsable de tout. La confirmation de ses talents d'hôtesse allait toutefois devoir attendre, parce que la canicule avait découragé ses parents qui avaient préféré remettre leur visite à plus tard, quelque part en automne.

Dans le quotidien, en dépit des félicitations dont son frère l'enveloppait, Marie-Andrée avait fini par réaliser que, tout compte fait, elle assumait la majorité des tâches domestiques, à commencer par les repas, de l'approvisionnement à la préparation et jusqu'à la vaisselle. Elle avait fini par regimber devant cet état de fait et avait alors exigé une répartition des tâches plus équitable : il y avait aussi la lessive à faire à la laverie automatique du quartier et le ménage hebdomadaire de l'appartement. Après que son frère lui eut gaspillé quelques vêtements blancs en les lavant avec des vêtements de couleur, et en avait fait rétrécir d'autres par un séchage à température trop élevée, elle s'était chargée de la lessive aussi. Puis elle s'était ravisée et ne s'occupait plus, maintenant, que de la sienne. Elle devait toutefois lutter contre un sentiment de culpabilité, se trouvant mesquine de n'emporter que sa lessive et éprouvant une compassion sincère pour les filles qui auraient à dormir dans les draps si peu souvent lavés du lit de son frère.

Pour ce qui était du ménage, la salle de bains était souvent le lieu de litiges parce que les normes de propreté des deux colocataires différaient nettement. Pour Marie-Andrée, ce lieu commun, entièrement consacré à l'hygiène, exigeait une propreté rigoureuse, contrairement au corridor qui ne nécessitait qu'un simple balayage. Finalement, Luc ne consentait à astiquer davantage, ce qui était encore bien insuffisant, que parce qu'il ignorait comment repasser et que sa sœur n'avait que ce point de négociation. Elle avait d'ailleurs réalisé récemment qu'en fin de compte elle repassait les vêtements de son frère en échange de rien, puisqu'il faisait tout juste sa part.

Un problème avait surgi à l'achat des meubles, les goûts de son frère étant plus dispendieux que les siens. Même s'ils avaient divisé les dépenses en deux parts égales, celle de Marie-Andrée était supérieure à ce qu'elle aurait souhaité consacrer à de tels achats. Quand Luc avait voulu un téléviseur et un tourne-disque, sa sœur avait protesté. Elle n'avait pas voulu s'endetter en partant, surtout pour des objets de luxe.

— Papa achetait ce qu'il voulait et il empruntait de Household Finance. Tu te rappelles comment maman chicanait contre ça?

— Elle avait raison, avait convenu Luc. Papa s'est toujours débrouillé pour gagner de l'argent, mais le gérer, par exemple, ça, je pense qu'il ne l'a jamais appris. Mais nous autres, c'est pas pareil. Je peux emprunter de ma banque; les banques ne prêtent pas à des taux qui n'ont pas d'allure.

— C'est des dettes quand même.

Luc avait admis que sa sœur avait peut-être raison, même pour une somme qui lui apparaissait minime. Comme il ne voulait pas se priver de ces appareils pour autant, il s'acheta un tourne-disque, qu'il installa dans sa chambre, et un téléviseur qu'il consentit à placer au salon. Marie-Andrée apprécia de pouvoir en profiter sans avoir à le payer, mais quand ils se trouvaient tous les deux devant l'appareil, elle estimait ne pas avoir le droit de choisir le poste puisque la télévision ne lui appartenait pas. Heureusement qu'il n'y avait que deux chaînes en français : Radio-Canada et Télé-Métropole. Il y avait aussi le poste de Sherbrooke, mais l'image était si enneigée qu'ils y avaient renoncé.

Malgré leurs divergences de vues, les jumeaux n'avaient pas tant de points de friction parce qu'ils se voyaient peu. Marie-Andrée cuisinait, évidemment, mais elle préférait que Luc soit au moins là pour souper avec elle, quitte à le voir partir sitôt son dessert avalé, en lui laissant la vaisselle. Et cela ne gâchait pas son plaisir d'aller au cinéma avec son jumeau au moins une fois par semaine et, parfois, d'aller souper au restaurant avec lui avant la projection. Tous deux appréciaient beaucoup ces sorties, de même que leurs longues conversations ou leurs fous rires après le cinéma, qui enrichissaient leur complicité particulière de jumeaux.

La sonnerie de la porte retentit au moment où Marie-Andrée s'assoyait, toutes les tâches enfin terminées.

— Ça y est! s'écria Françoise dès que la porte lui fut ouverte.

Elle brandit fièrement sa confirmation d'admission officielle à des cours du soir en traduction, à l'Université de Montréal. Elle venait de concrétiser sa décision du printemps : obtenir un diplôme en traduction pour augmenter ses chances de trouver un emploi mieux rémunéré.

Les filles étaient affamées; l'une était partie de Valbois immédiatement après son travail pour aller s'inscrire à l'université et l'autre astiquait et rangeait depuis des heures. Comme Luc n'était toujours pas revenu avec l'épicerie, elles commandèrent des mets chinois pour trois personnes, qui furent livrés au moment où il revenait. Manifestement content de revoir Françoise, il entreprit aussitôt une conversation pétillante avec elle, et sa jumelle en fut quitte pour ranger seule toute les victuailles pour le party du lendemain soir. «Où on va mettre tout ça?» se demanda-t-elle en ouvrant le vieux frigo. Son frère avait mis un disque et l'invitée servait les mets chinois quand elle les rejoignit. Déjà le cœur à la fête du lendemain, ils s'amusèrent à imaginer la soirée, les incidents possibles, la tête de Diane, etc.

Françoise attendait beaucoup de ce party. Quand elle se coucha, elle s'interrogea longuement sur ses sentiments vis-à-vis de Luc. Elle venait de passer quelques heures avec lui et il ne faisait aucun doute qu'il était très content de sa présence. Mais il serait accompagné d'une copine au party. Avait-il su qu'elle y serait aussi? Cela avait-il la moindre importance pour lui? Aussi perplexe qu'à son arrivée, elle se tourna et se retourna sur le sofa du salon, inconfortable mais au moins situé dans une pièce plus fraîche que la chambre sans fenêtre. Humiliée d'avoir rêvé de lui pendant deux ans, mais, en même temps, ignorante des comportements des hommes, elle ne savait pas si elle avait été trop réservée, trop patiente ou bêtement naïve. Fermement résolue à clarifier la situation, quitte à cesser de poursuivre une chimère romantique, elle finit par s'endormir.

Marie-Andrée allait s'endormir, elle aussi, quand un éclair zébra son esprit : «On a oublié de planifier les tâches de demain.»

— Mais qu'est-ce que tu fabriques? s'écria-t-elle, énervée, en regardant son frère juché en haut de l'escabeau le lendemain après-midi.

Il descendit en souriant d'un air mystérieux et tourna le commutateur. L'éclairage stroboscopique changea brusquement toute l'ambiance de la pièce. Elle ouvrit de grands yeux étonnés et sa copine s'amusa de l'effet de lumière saccadée qui les faisait tour à tour apparaître et disparaître, créant un éclairage euphorisant. Luc était satisfait : il impressionnait Françoise.

— Qu'est-ce que vous dites de ça, les filles? On va lui en mettre plein la vue, à Diane! s'exclama-t-il fièrement.

— Ah ça, pour le voir, elle va le voir! ronchonna sa sœur, stressée de recevoir dans quelques heures, pour la première fois.

Soucieuse, elle tourna le commutateur, coupant l'effet psychédélique.

— Bon, est-ce qu'on a tout? s'inquiéta-t-elle en scrutant la pièce d'un regard circulaire. Luc? T'es où? Il faut vérifier s'il ne manque rien.

— Justement! lui lança-t-il avant de sortir. Je vais chercher la bière et le pot. Bye!

Il la laissait au milieu du désordre, déjà fatiguée de tous les préparatifs qu'elle avait assumés. Pour enlever l'escabeau de son champ de vision, elle le sortit rageusement de la cuisine, emprunta la courte passerelle qui menait au hangar et l'y déposa avec colère. Les sandwiches terminés, les deux filles refirent le compte des invités. Outre eux trois, il y aurait Diane, ses colocataires et quelques copains, quelques amis de Luc et leurs copines, et le frère de Françoise et sa femme. Marie-Andrée recompta encore les verres, rassembla les piles d'assiettes de carton, les ustensiles, les serviettes de table, etc.

Françoise servit une boisson glacée bien méritée en cette journée chaude de la fin d'août, puis, sans s'arrêter vraiment, elle alla s'assurer que le tourne-disque fonctionnait bien sur la tablette installée à la dernière minute.

— Comme ça, avait dit Luc, on fera pas sauter l'aiguille en dansant.

Curieuse, Françoise passa en revue la pile de trente-trois tours ; Charlebois, Santana, Vigneault, Simon and Garfunkel, Renée Claude, etc. Les disques étaient rangés pêle-mêle et il y en avait tant qu'elle renonça à les regarder tous. Il semblait y avoir des disques pour danser et d'autres, pour fumer.

— Dis donc, demanda-t-elle à Marie-Andrée, tu fumes, toi ?

— Non, répondit-elle avant d'ajouter, d'un ton indécis : pas encore...

«Dans le fond, ce serait le bon temps pour essayer, se disait-elle. Je serai en sécurité ici, avec des gens que je connais. Pourquoi pas ?»

Françoise alla prendre une douche et se faire belle pour Luc. «C'est ma dernière tentative !» se promit-elle en se maquillant avec soin. Marie-Andrée repassa son *jumpsuit* tout en s'interrogeant sur la question de la marihuana : «Je fume ou pas ?» Elle était ambivalente. «C'est sûr que ce serait un bon temps pour essayer ça... si l'occasion se présente !»

L'occasion s'appela Francis. C'était un nouveau copain de son frère qu'elle avait déjà vu une fois. Il l'avait fait rire d'emblée. Il était costaud comme un homme de chantier, blond naturel, et timide comme un adolescent. Ce mélange hétéroclite produisait un effet très séduisant, du moins à ses yeux. Au début de la soirée, elle refusa de fumer de la marihuana quand il lui en offrit, trop soucieuse pour penser à elle. Diane s'amusait-elle ? Les invités avaient-ils suffisamment de croustilles, de bière? La musique leur plaisait-elle?

Finalement elle réalisa que tout se déroulait fort bien, que Luc mettait beaucoup d'ambiance, et elle se rappela qu'ils recevaient tous les deux et non elle seule. Elle se détendit enfin, commença à penser à elle et alla s'asseoir près de Francis, qui comprit le message et lui alluma un joint. Ayant déjà fumé la cigarette, en quelques rares occasions, pour s'amuser et faire rire les autres, elle aspira imprudemment à fond. Le goût âcre lui irrita la gorge et elle grimaça.

— Vas-y doucement, suggéra Francis en prenant à son tour une bouffée de la même cigarette avant de la passer à quelqu'un d'autre, qui la refila aussi à une autre personne.

Graduellement, une agréable torpeur s'insinua en elle. C'était bon. Très bon. Une envie de danser fit vibrer son corps mais, en même temps, elle ne savait trop si elle voulait vraiment bouger. Son corps fondait comme dans une étrange substance. Ses sens lui apportaient des perceptions accentuées; les couleurs étaient plus vives, le sofa plus moelleux, les sons plus aigus. Elle riait. Tout lui paraissait drôle et sa retenue s'estompait comme brume au soleil. Petit à petit, ses inhibitions tombaient. Un rien l'amusait. Elle flottait dans une sorte de volupté.

Pendant ce temps, Françoise observait la copine de Luc, la trouvant insignifiante. Mais elle devait admettre qu'elle semblait plus délurée qu'elle. «S'il aime ce genre de fille-là!» pensa-t-elle avec un certain mépris. Mais elle se surprit à défaire le premier bouton de sa blouse, pourtant à l'encolure déjà largement arrondie. Sa gorge plus ouverte fit effet rapidement, mais sur l'ami d'une des colocataires de Diane, ce qui créa un froid avec sa copine déjà encline à la jalousie.

Devant ce résultat imprévu, Françoise s'esquiva, prétextant aller se chercher une bière, et referma le haut de sa blouse. Luc, qui s'était tourné vers elle pour l'inviter à danser, la vit partir dans la lumière stroboscopique hachurée et interpréta son geste comme une autre fuite discrète. Déçu de cette attitude qui contrastait avec les rapprochements qu'il avait nettement perçus la veille, il se sentit encore rejeté. «Trop effarouchée pour moi!» se dit-il avec regret. Il se retourna vers sa copine et se colla à elle dans un *plain* langoureux, en se laissant envelopper par la musique sensuelle. Françoise, qui revenait au salon, accepta sa défaite, qu'elle jugea définitive.

Francis avait enlacé Marie-Andrée et ils dansaient, eux aussi. Le jeune homme alluma un autre joint et le posa entre les lèvres de sa partenaire en les effleurant de ses doigts, et il la caressa de nouveau en reprenant le joint. Puis sa main s'attarda sur le cou et les cheveux de Marie-Andrée qui goûta pleinement cette caresse, de plus en plus envoûtée par la musique sensuelle. À son tour, elle caressa la nuque forte de Francis et ses doigts lui transmirent des sensations si agréables et si intenses qu'elle désira brusquement le mâle qui collait son corps contre le sien.

Ils s'isolèrent dans sa chambre et il déboutonna lentement le *jumpsuit*, glissant ses mains sous le vêtement encombrant. Elle aima ses caresses d'homme, délibérément souhaitées et accueillies. Gourmande, elle glissa ses mains sous la chemise de son partenaire, s'abandonnant, caressant instinctivement, langoureusement, vaguement rassurée par la présence des autres, dans le salon. À travers la brume de la marihuana et les sensations fortes que lui procuraient les mains de Francis sur sa peau nue, il lui sembla confusément qu'il découvrait ce plaisir en même temps qu'elle. Cette pensée incongrue la fit rire : c'était elle, l'innocente! Elle rit d'elle, de sa naïveté et s'abandonna encore davantage contre la tiédeur du torse maintenant nu du jeune homme, le désir lui entrouvrant déjà les cuisses.

Luc entra brusquement, furieux. Il engueula Francis avec tant de verdeur qu'il réussit presque à couvrir la musique qui hurlait dans la pièce d'à côté. Sa sœur eut l'impression fugitive qu'il était jaloux. «Il se prend pour qui, lui? Il n'est que mon frère!» Son cerveau brumeux n'alla pas plus loin même si son corps protestait d'avoir été abandonné par les bras enveloppants de Francis. Les deux garçons sortirent et Luc claqua la porte. Marie-Andrée s'étira voluptueusement, encore sous le charme des caresses, puis elle se couvrit machinalement d'un bout de son couvre-lit et s'endormit profondément malgré le chahut dans la pièce voisine.

Quand elle s'éveilla, c'était l'aube et l'appartement était silencieux. La porte de l'autre chambre était ouverte et elle y jeta un coup d'œil. Diane y dormait; elle en déduisit que Luc était sans doute parti avec sa copine. L'appartement était sens dessus dessous et sentait la cigarette, la marihuana, la sueur, la bière et les restes de nourriture qui traînaient sur la table. Elle plissa le nez de dégoût.

Au fur et à mesure que ses souvenirs remontaient à la surface, elle réalisa qu'elle ne s'était plus occupée de ses invités à partir du moment où elle avait fumé. Françoise l'avait-elle vue s'esquiver avec Francis? «Aie! Aie! Aie! J'espère qu'elle ne m'a pas trouvée trop... trop...» Elle se rendit alors compte qu'elle était partie, contrairement à ses projets de la veille. Quand? Avec quelqu'un? «Ça ne me regarde pas.» Avec les souvenirs vinrent aussi les sensations des caresses de la veille et elle s'en délecta dans le silence de l'appartement encore endormi, refusant de se culpabiliser. «Me culpabiliser par rapport à qui et à quoi?» Elle avait accepté et fait les gestes qu'elle avait bien voulu accepter et faire. Elle soupira aussi de regret en retournant se coucher, prenant soin, cette fois, d'enlever son *jumpsuit*! Quand elle se releva quelques heures plus tard, affamée, elle déjeuna sur un bout du sofa, le seul endroit libre. Puis elle entreprit le ménage en pestant contre Luc, encore absent, et irritée du long sommeil de Diane qui la forçait à être attentive à ne pas faire de bruit en nettoyant. Mais elle s'en voulut aussitôt d'être si peu compréhensive. Sa sœur serait le point de mire, ce soir, à la soirée que leur mère donnait en son honneur et elle commencerait le lendemain un long périple d'un mois : d'abord Paris, ensuite la capitale de la Haute-Volta, puis une autre ville qu'elle rejoindrait en train et où elle enseignerait deux semaines dans une sorte de stage d'acclimatation, si elle avait bien compris. Puis, après être repassée par la capitale, elle s'envolerait vers Abidjan, la capitale de la Côte d'Ivoire; quelques jours plus tard, elle prendrait un autre avion pour la ville de Man pour, enfin, se rendre jusqu'à son lieu d'assignation en taxi-brousse avec quelques autres Québécois, affectés au même lieu qu'elle. Un mois environ entre Dorval et Danané! Marie-Andrée soupira. Diane avait raison de dormir le plus longtemps possible ce matin.

La nuit précédente, Diane s'était promis de mettre sa sœur en garde contre les effets évidents que la marihuana avait sur elle. Mais ce midi-là, quand elle s'éveilla enfin, la tête lourde et l'estomac barbouillé, elle ne voulut plus qu'oublier sa cadette insolemment en forme, contrairement à elle qui avait été malade durant la nuit.

— Ça va? lui demanda Marie-Andrée.

— Oui, oui…, grommela-t-elle en se faisant couler un bain.

L'odeur du café fit le reste. Elle avala une rôtie, émergea et fit des plans avec les jumeaux, Luc étant enfin réapparu. Ils se rendirent ensemble chez leurs parents dans la Volks que les jumeaux lui avaient rachetée, Marie-Andrée ayant trouvé qu'un tel achat valait le coup de contracter un petit emprunt.

— Ne me l'abîmez pas trop, ronchonna l'aînée pour la forme.

— Pourquoi? protesta Luc qui pavoisait au volant. Tu voudrais nous la racheter dans deux ans?

Diane haussa les épaules. «Dans deux ans, bien des choses pourraient avoir changé.» Elle préféra s'asseoir derrière et ferma les yeux, se laissant bercer par l'auto, mais surtout par le souvenir de Gilbert, un enseignant de Chicoutimi qui partait lui aussi avec SUCO, le Service universitaire canadien d'outre-mer, et qu'elle venait de rencontrer à Sherbrooke. Il était trapu et dynamique comme dix. Ils avaient beaucoup ri ensemble et ils avaient été très contents d'apprendre qu'ils travailleraient tous les deux en Côte-d'Ivoire, même s'ils avaient été affectés dans deux petites localités différentes. Pour elle, cela se révélait même un atout, d'une certaine manière. Très attirée par lui, elle souhaitait une distance entre eux, ne se faisant pas confiance pour bien gérer cette relation. D'un côté, elle voulait la vivre intensément mais craignait d'étouffer Gilbert. D'un autre côté, elle rêvait d'être aimée passion-nément mais refusait d'être prisonnière de l'amour. De plus, elle exigeait un amour intense et partagé, mais elle voulait du temps pour voyager, pour expérimenter. Devant tant d'ambivalences et de paradoxes, elle avait besoin de temps pour mieux définir ce qu'elle attendait de la vie et des autres, d'un autre en fait, et surtout ce qu'elle était prête à offrir en échange.

À Valbois, les filles aidèrent leur mère à préparer le lunch de la soirée. Luc, désœuvré, rejoignit son père qui astiquait son auto pour aller dignement reconduire sa fille à Dorval le lendemain. Dans la conversation à bâtons rompus entre les deux hommes, à un moment donné, le fils reprit le père.

— Pas un *windshire*, papa, un pare-brise.

Raymond Duranceau en resta interloqué, vexé que son jeune fils qui venait à peine de s'acheter sa première auto, une voiture presque prête pour la ferraille selon lui, ose le rabrouer sur la terminologie automobile.

— Ah... papa, se reprit nerveusement son fils. C'est juste que maintenant on ne dit plus : un *windshire*, un *tire*, un *flat*, mais un pare-brise, un pneu, une crevaison...

Raymond Duranceau crut que son plus jeune fils le narguait délibérément.

— Puis un *char*, ciboire, c'est plus un *char*?

Luc recula, rejeté une fois de plus. Son père ne prenait jamais rien de ce qui venait de lui. Pourtant il ne faisait que lui dire que, de plus en plus, les gens utilisaient les termes français, même si cela avait fait rire les premières fois, surtout quand il s'agissait d'un domaine aussi associé à la virilité que les autos et les garages. Il renonça à vouloir communiquer avec lui, prit la Volks et alla prendre une bière avec d'anciens copains qu'il n'avait pas vus depuis longtemps.

Son père feignit d'être indifférent à son départ et continua de laver son auto, frottant vigoureusement pour faire passer sa colère, mais les idées se bousculaient en lui. «Il va quand même pas venir me dire comment on parle, ciboire!» Devant le changement des termes techniques qui s'ajoutait à tous les autres, il éprouvait une sorte d'impuissance rageuse. «C'est bien simple, tout change depuis que Duplessis est mort. On reconnaît plus rien.» Effectivement, il ne s'était pas reconnu dans le gouvernement de Jean Lesage qui avait bouleversé la province avec toutes ses réformes. Il lui en voulait encore, même s'il n'était plus au pouvoir, d'avoir apporté, sinon cautionné, tant de changements, et trop vite selon lui, depuis le début des années soixante. Tant de changements, en fait, que cette décennie avait été surnommée celle de la révolution tranquille. «Révolution tranquille? Qu'est-ce qu'il leur faut, ciboire! Y a plus rien de pareil! Tout change tellement vite qu'on ne reconnaît plus rien. C'est même rendu qu'ils sortent les sœurs puis les frères des écoles!»

Le retrait systématique des religieux et des religieuses du monde de l'enseignement ne le préoccupait pas vraiment; c'était plutôt l'ordre des choses, trop différent de celui qu'il avait connu, qui le faisait se sentir loin, le faisait se sentir vieux, déphasé, pour tout dire. «Ils appellent ça comment, déjà, les nouvelles écoles? Des… cégeps? C'est quoi exactement?» Tous ses enfants ayant terminé leurs études, il n'avait pas eu l'occasion de se familiariser avec ces nouvelles institutions d'enseignement, et encore moins de comprendre la raison de tous les bouleversements survenus dans l'éducation.

Par ailleurs, il savait pertinemment que là-bas, sur les chantiers de la Manic, les ingénieurs, en majorité des Canadiens français, utilisaient dorénavant des termes techniques en français; il avait lui-même souligné ce fait à quelques reprises, chez lui, avec fierté. Pourquoi alors reprocher à Luc de se réjouir à son tour de la francisation au quotidien? «Ça donne pas aux jeunes le droit de reprendre leurs parents!» Il se sentait si désemparé devant ce fils avec qui il n'arrivait jamais à créer de connivence. «Les changements, quand ça commence, on sait plus où ça va s'arrêter. C'est comme la gang de *bums* qui a fait sauter des bombes! Chez nous, dans notre pays! Bon, c'est vrai que les Anglais ont les meilleures places. Pas tous, mais presque. Mais des bombes, ciboire, on rit pas avec ça!»

Il frotta, lava, frotta. «C'est comme l'autre parti, là, avec le gars de l'électricité, Lévesque. Il me fait moins peur que l'autre, du RIN, mais il a l'air de savoir autant ce qu'il veut, celui-là. En tout cas, nos barrages, c'est à nous autres astheure. C'est toujours ça de pris.» Sa dernière phrase contredisait ses pensées de l'instant d'auparavant, laissant sous-entendre qu'il reconnaissait l'existence d'inégalités sociales flagrantes. Mais que pouvait-il y faire? Quand il voyait son gendre s'enflammer pour la politique, cela le faisait sourire. Mais quand il l'entendait se préoccuper du pays dans lequel vivraient ses trois enfants, il trouvait que c'était son rôle de père de penser à l'avenir du pays pour eux. «Il est instruit, lui, il doit savoir ce qu'il dit. Mais il est jeune, il a encore bien des choses à apprendre.» Il frotta le pare-brise et s'arrêta, songeur. «Comment ça se fait que je le trouve bizarre, ce mot-là, "pare-brise"? On est-tu rendus qu'on méprise notre propre langue, ciboire?»

Dans la fraîcheur de cette belle soirée de la fin d'août, Diane fuit quelques minutes la parenté et s'assit sur les marches de la galerie, regardant les arbres entourant la maison. Durant les deux prochaines années, elle ne verrait ni bouleau, ni sapin, ni érable, ni chêne, et encore moins la neige sur leurs branches, l'hiver; elle ne sentirait pas les flocons légers tomber sur ses cils et le bout de son nez. Ses yeux contempleraient plutôt un paysage de brousse africaine. «La Côte-d'Ivoire, ce doit être bien différent du Québec!» Elle était impatiente de connaître sa nouvelle vie, là-bas, ce qu'elle y vivrait, ce qu'elle y trouverait, comment elle pourrait aider les gens…

Ce choix de s'orienter vers la coopération avait surgi de plusieurs motivations. Aider le tiers-monde constituait la raison majeure, officielle et profonde, celle qui justifiait un séjour de deux ans sur un autre continent. Elle souhaitait également se prouver à elle-même que sa vie pouvait servir une cause humanitaire. Ici, au Québec, aucun enfant n'était illettré par manque d'enseignants, mais là-bas, apprendre à lire et à écrire à un enfant, n'était-ce pas lui ouvrir les portes de la pensée, le faire accéder à son autonomie? Enseigner pour enseigner, s'était-elle demandé, est-ce que ce ne serait pas plus méritoire d'exercer sa profession là-bas, malgré les conditions de vie plus difficiles? Ce dernier aspect ne déplaisait pas à la fougueuse Diane : se mesurer aux difficultés, vaincre la peur de l'inconnu, expérimenter l'exotisme. Que de défis!

Et puis, il y avait une autre raison qu'elle ne s'avouait que confusément encore : elle voulait partir pour s'éloigner, partir pour respirer un autre air que celui d'ici. Et ce *ici* devenait de plus en plus précis : il s'agissait de fuir l'emprise familiale, le modèle de femme que sa mère voulait lui imposer, cet amour maternel, sincère sans doute, mais qui se manifestait surtout par des reproches et qui entraînait une incompréhension mutuelle. À vingt-deux ans, elle était fatiguée de se battre pour exister à sa manière et elle était persuadée qu'elle trouverait un terrain plus propice à sa croissance ailleurs, loin du regard de ceux et celles qui ne pensaient pas comme elle et qui cherchaient, directement ou subtilement, à lui imposer leur vision de la vie.

Par la porte-moustiquaire, Éva Duranceau la regardait. Malgré leurs dissensions, c'était sa fille et elle évoqua mille dangers, réels et imaginaires, qui nourrissaient son angoisse. Diane leur avait offert un globe terrestre pour qu'ils puissent visualiser où elle vivrait. Mais la vue de ces océans et de ces continents avait décuplé les distances dans l'esprit d'Éva. Plus encore, l'audition de noms de lieux totalement étrangers pour elle; Ouagadougou, Bobo-Dioulasso, Abidjan, l'avaient plongée dans une impuissance craintive. Elle s'était rattrapée par le lieu de résidence : Danané; ce mot-là, au moins, elle réussissait à s'en souvenir. Et elle avait consulté dix fois, ces dernières heures, le trajet détaillé de sa fille, voulant se rassurer par les numéros de téléphone qui le jalonnaient. Mais comment ne pas s'inquiéter pour sa fille devant un tel périple au bout du monde? «C'est naturel pour une mère de s'inquiéter pour ses enfants. Seigneur! si les mères le font pas, qui va le faire, je vous le demande!» Son mari vint la rejoindre et tenta de dédramatiser ce départ.

— Elle sait ce qu'elle fait. Et puis, travailler ailleurs, c'est bon pour les jeunes.

Il était fier de sa fille et se reconnaissait davantage en elle que dans ses fils. Elle partageait son besoin de bouger, de nourrir son regard de nouveauté et d'immensité, de relever des défis même si cela signifiait fuir les réalités quotidiennes. Raymond Duranceau acceptait la responsabilité de faire vivre sa famille, mais il ne voulait pas être accaparé par elle à tout instant. Comme lui aux chantiers, Diane, en Côte-d'Ivoire, serait logée et nourrie, n'ayant à se soucier que de son travail. Éva regarda son mari avec amertume.

— Pour les vieux aussi, ça a l'air que c'est bon de travailler ailleurs.

La remarque le toucha durement. Ce qu'il approuvait chez sa fille, l'instant auparavant, n'était-ce pas, effectivement, du ressort des jeunes? Il était jeune quand il était allé à son premier chantier une trentaine d'années auparavant. Mais maintenant... Il ne répondit rien, troublé.

— Puis moi, la dinde, poursuivit Éva avec rancœur, je reste toute seule à me ronger les sangs pour tout le monde!

Son mari réalisa brusquement qu'elle vivait seule depuis plusieurs mois déjà et qu'elle souffrait probablement de ses longues absences périodiques. Il ressentit une sorte de pitié pour elle, qui le déculpabilisa un peu, sans pour autant trouver de mots pour la réconforter.

Le lendemain, en route pour Dorval, Luc étant au volant, Marie-Andrée se laissa couler dans ses souvenirs du party du vendredi. Tout compte fait, elle ne regrettait pas l'intrusion inopinée de son frère dans sa chambre. «Ça ne vaut pas la peine de se jeter dans les bras du premier venu, et sous l'effet de la drogue en plus! Je veux aimer le gars et me souvenir de tout, le lendemain.» Elle voulait graver dans sa mémoire toutes les sensations, tous les mots, tous les plaisirs de sa première nuit avec un homme qu'elle aimerait d'amour et non seulement de corps. «Depuis le temps que je patiente, je veux que ce soit à mon goût, une affaire de cœur, pas juste de sexe.» Mais une autre partie d'elle rêvassait aux caresses de Francis et les regrettait. Elle commençait à comprendre son frère d'avoir une vie sexuelle active.

— Tu devrais te trouver un *chum*, lui dit-il à brûle-pourpoint.

— Ah oui? répliqua-t-elle, piquée. Alors il fallait nous laisser tranquilles, Francis et moi!

Il se rembrunit.

— T'es pas une fille de même, finit-il par lui dire.

— Décide-toi! Tu me reproches presque de ne pas faire l'amour, mais quand l'occasion se présente, tu dis que je ne suis pas une fille de même. Avec vous autres, les gars, c'est toujours deux poids, deux mesures. C'est bon pour vous autres, mais nous, les filles, ou bien on est des *filles de même* ou bien on est niaiseuses.

Cette attitude de juger différemment les garçons et les filles la révoltait. «C'est de la mauvaise foi. Le fait qu'on soit tous des êtres humains est plus important, il me semble, que de savoir si on est une fille ou un gars. Et puis, des êtres humains, il me semble que ça veut la même chose : être heureux!»

L'arrivée à l'aéroport mit fin à leur bouderie. Marie-Andrée se sépara de sa sœur avec une certaine frustration. Cette sœur avec laquelle elle avait eu si peu d'affinités et de contacts pendant des années, qu'elle croyait avoir trouvée l'été précédent, voilà qu'elle partait déjà. «En fait, elle était déjà partie quand elle nous parlait de son projet, à Françoise et à moi, quand on était toutes les trois dans la crêperie, réalisa-t-elle. Déjà sa pensée était ailleurs. Comme papa...»

Le père, pourtant si habitué à partir en avion, était dépaysé d'assister au départ de quelqu'un d'autre. Pour une fois, il était de ce côté-ci de la piste, du côté de ceux qui restent et qui savent que la personne qui part est déjà dans son monde. À côté de lui, debout devant la grande vitrine de l'aéroport, Marie-Andrée regardait des avions avancer lentement sur la piste. Autour d'elle, sa famille s'agitait, croyant apercevoir Diane monter à bord de l'avion d'Air France. Sa mère pleurait, convaincue qu'elle allait perdre sa fille, qu'un accident surviendrait en vol, ou là-bas, ou qu'elle tomberait malade.

— Je la reverrai plus. Partir de même, si loin, si jeune... dans un pays plein de dangers!

— Mais non, maman, la consolait Louise en surveillant du coin de l'œil son fils Simon qui venait d'avoir quatre ans et qui s'aventurait partout, échappant souvent à ses deux sœurs, SUCO, c'est un organisme fiable. Ils sont bien encadrés, voyons.

— Encadrés? protesta Éva d'une voix brisée. Elle n'a jamais supporté ça, d'être encadrée. Elle m'en a assez fait endurer.

Éva revoyait les affrontements quotidiens que sa fille lui avait infligés. «Comme si c'était anormal qu'une mère montre comment faire à sa fille.» Dès que la petite avait su comment lacer ses chaussures, elle avait refusé toute forme d'aide. Et son entrée à l'école… Que de crises pour lui faire porter la petite tunique bleue et les blouses blanches. «Elle n'a jamais supporté que les autres lui disent quoi faire.»

Marie-Andrée observait sa mère, absorbée dans ses pensées, se doutant bien qu'elles concernaient sa sœur et qu'elles n'étaient pas forcément heureuses. «Peut-être que Diane est partie pour avoir la paix, au fond. Comme moi aussi, peut-être…» Elle lui souhaita de trouver ce qu'elle cherchait, bien qu'elle n'eût aucune idée de ce que c'était. «Et moi? Est-ce que je sais ce que je cherche?»

8

Marie-Andrée avait pris une décision et elle était fermement résolue à la mener à terme.

Un dimanche de septembre, contrairement à son habitude, elle accompagna sa mère à la messe et prit un exemplaire du feuillet paroissial. Et elle communia, comme sa mère. Ce n'était pas parce qu'elle ne pratiquait plus, selon le sens généralement accordé à ce terme, qu'elle se croyait éloignée et encore moins rejetée de Dieu pour autant. Aller communier représentait à ses yeux une façon de s'unir à Lui et à l'assemblée, aussi s'était-elle jointe aux fidèles. Sa mère avait été ambivalente : sa fille devait-elle être exclue ou, au contraire, être accueillie ? Elle avait écarté son questionnement par un raisonnement s'apparentant à un reproche : «Pour une fois qu'elle vient avec moi !»

Au dîner, la mère et la fille se trouvant exceptionnellement en tête-à-tête, Marie-Andrée parla de ses réflexions sur les changements à la messe, reconnaissant la bonne volonté de l'Église de vouloir s'adapter à une société qui changeait rapidement, au Québec comme à travers le monde. Ses remarques se voulaient conciliantes mais, au contraire, attisèrent le profond ressentiment de sa mère qui renchérit avec amertume :

— C'est comme pour la viande.

Le ton était si amer que sa fille en resta stupéfaite, les sourcils froncés.

— Bien oui, la viande le vendredi! poursuivit sa mère avec irritation. Avant, manger de la viande le vendredi, c'était péché! Puis un beau matin, tout était correct! Quand je pense que je m'en suis privée si longtemps. C'est juste un exemple mais...

Éva Métivier s'avouait une amertume longtemps réprimée. Toute sa vie, elle avait obéi. Et maintenant les règles du jeu changeaient, n'en finissaient plus de changer, et, du coup, les sacrifices d'une vie devenaient sans valeur.

— J'avais cru ça! J'ai obéi à ça sous peine de péché. Puis là... là...

Elle se méprisait d'avoir aveuglément obéi à des règles strictes dans de si nombreux domaines et de découvrir, à plus de la moitié de sa vie, qu'elle n'avait été qu'un pion docile. La certitude douloureuse d'avoir été flouée quelque part l'humiliait à ses propres yeux parce qu'elle s'était soumise avec tant de bonne foi qu'elle se trouvait aujourd'hui naïve. Sa désillusion était pathétique. Marie-Andrée eut de la peine pour elle et se promit de ne jamais laisser la vie lui imposer une telle désillusion, et pour ce faire, elle refuserait d'obéir aveuglément à qui que ce soit, à quoi que ce soit.

— T'as raison, maman, dit-elle en se redressant. Ce doit être bien frustrant de t'être privée si longtemps pour rien. Moi, je vais décider de ma conduite moi-même. Si je me trompe, tant pis; au moins, ce seront mes erreurs à moi.

La mère et la fille se regardèrent intensément. La première pouvait-elle blâmer la seconde de sa détermination farouche? Devant la fermeté de la décision de sa fille, Éva regretta de lui avoir avoué sa désillusion, se reprochant de ne pas lui donner le bon exemple.

— Faut pas faire la mauvaise tête non plus, dit-elle d'un ton radouci. L'Église a peut-être ses raisons.

— Mais c'est toi qui viens de t'en plaindre! coupa sa fille, décontenancée par tant de contradictions.

— Me plaindre? J'ai pas l'habitude de me plaindre! Marie-Andrée leva les yeux au ciel, stupéfaite devant une telle ineptie.

— Je trouve juste que…, poursuivit la mère, que des fois l'Église nous traite comme si on était des enfants; elle décide à notre place, pour toutes sortes d'affaires qui ne sont peut-être pas des affaires de religion.

Devant cette volte-face, au demeurant habituelle, sa fille renonça à essayer de la consoler ou de l'apaiser. «Ce serait peine perdue, encore une fois…» Cette brève confidence avait cependant été révélatrice pour Marie-Andrée, qui n'avait jamais perçu avec autant d'acuité la vulnérabilité de sa mère dans la souffrance du doute. Celle-ci avait-elle jamais connu des certitudes dans sa vie, des certitudes qui donnent tous les courages et, surtout, la sérénité du cœur et de l'âme devant des choix librement déterminés et assumés?

Ce midi-là, Éva fut émue par le regard compatissant que sa fille porta sur elle, comme une petite fille qui se sent enfin comprise. Combien de fois était-ce vraiment arrivé dans sa vie? Elles se regardèrent d'adulte à adulte et elles aimèrent ce qu'elles voyaient.

Marie-Andrée devina le moment bien choisi pour amener sa proposition. Dans la foulée des changements que la vie apportait à sa mère, elle mentionna que les départs successifs de ses enfants lui laissaient maintenant du temps comme elle n'en avait jamais eu auparavant. N'ayant pas encore entendu de protestations, elle poursuivit et, prenant le feuillet paroissial qu'elle avait eu le temps de consulter attentivement pendant la messe, elle énuméra les associations qui y annonçaient leurs activités, puis elle déploya tout son potentiel de conviction pour inciter sa mère à choisir l'une ou l'autre de ces associations. Elle avait prévu toutes les objections maternelles, qui ne manquèrent pas de surgir, et les réfuta l'une après l'autre. Oui, sa mère avait le temps. Oui, elle rencontrerait des femmes comme elle, intéressantes et avec de l'expérience. Oui il y en aurait de son âge; sans doute en connaissait-elle même plusieurs. Oui, elle serait utile aux autres. Oui, cela lui ferait du bien. Oui, sa famille comprendrait qu'elle veuille des activités pour elle-même et s'en réjouirait pour elle. Non, elle n'avait pas à rester disponible au cas où ses petits-enfants auraient besoin d'elle, etc.

Une fois ce long et délicat plaidoyer, irritant à quelques reprises, enfin terminé, Marie-Andrée proposa de faire quelques appels immédiatement, afin d'obtenir de l'information sur les diverses associations.

— On dérange pas le monde pour des affaires de même un dimanche après-midi, protesta sa mère.

Marie-Andrée soupira, découragée. «Elle ne veut rien savoir!»

— Je suis capable de téléphoner moi-même, déclara sa mère, à un moment qui a de l'allure.

Elles se toisèrent et la fille faillit éclater de rire devant la mine boudeuse de sa mère qui avait l'air d'une enfant obligée de faire un devoir scolaire. Marie-Andrée se leva et alla l'embrasser avant de desservir.

— Tu vas voir, ça fera pas mal…

Le samedi suivant, Éva annonça à sa fille, d'un ton presque triomphant, mi-vengeur, qu'elle ne serait pas là pour le souper ni de toute la soirée. L'une des associations féminines qu'elle lui avait mentionnées le dimanche précédent tenait justement son souper annuel de recrutement ce soir-là. Marie-Andrée réprima une déception légitime. «Elle aurait pu me prévenir : Françoise n'est pas libre aujourd'hui! C'était pas la peine de descendre de Montréal, franchement.» Bonne joueuse, elle ne releva pas la petite vengeance maternelle.

— Je compte sur toi pour me friser! ajouta Éva.

Marie-Andrée accepta volontiers. Sans se l'avouer, toutes deux aimaient ces moments d'intimité de femmes qu'elles partageaient depuis le départ de Diane, qui s'était auparavant acquittée de la tâche de coiffer leur mère. Marie-Andrée trouvait là l'occasion de s'occuper de sa mère sans que celle-ci puisse rechigner. Elle lui lava les cheveux en lui massant délicatement le cuir chevelu, en prenant soin de ne pas la blesser avec ses ongles, les épongea doucement, puis la frisa. Les cheveux de sa mère étaient si fins que les rouleaux ne tenaient pas toujours; aussi utilisa-t-elle des tiges roses pour les faire tenir bien en place, attentive à ne pas lui égratigner la tête, qu'elle savait très sensible.

Ainsi abandonnée aux mains de sa fille qui travaillait si délicatement, Éva Duranceau goûtait, sans le nommer, le plaisir de se faire dorloter. Elle se laissa aller à parler d'elle, de ses sœurs, et même de son enfance, et dans ses commentaires on devinait un indéfinissable regret. Comme cela lui arrivait souvent, Marie-Andrée se sentait confusément responsable de combler les manques affectifs de sa mère, mais sans trop savoir comment s'acquitter d'une tâche aussi démesurée. Dans l'immédiat, elle l'installa sous le casque volumineux du séchoir qu'elles s'étaient offertes toutes les deux au Noël précédent et, en attendant que les cheveux sèchent, en profita pour relire un Astérix oublié dans sa chambre. Elle coiffa ensuite sa mère avec attention en souhaitant que sa modeste contribution à son bien-être la rendrait, au moins pour quelques instants, heureuse. Mais le mot *heureuse* sema le doute en elle. Sa mère pourrait-elle un jour être heureuse? Il lui sembla, avec l'impétuosité de sa jeunesse, que cette dernière présentait si peu d'aptitudes au bonheur.

— Faudrait que tu t'habitues à aller chez la coiffeuse, suggéra-t-elle; tu n'aurais plus besoin de te priver d'être bien coiffée quand je n'y suis pas.

— C'est du luxe. Je peux pas dépenser l'argent de ton père pour des folies.

Éva se rendit à la soirée en regrettant son adhésion à l'association, décidée sur un coup de tête pour prouver à sa fille qu'elle pouvait se débrouiller sans elle. Elle avait aussi mauvaise conscience de ne pas l'avoir prévenue de son absence et de la laisser seule, elle qui était venue de Montréal pour elle. Marie-Andrée, effectivement déçue de poireauter seule à Valbois, se fricota un souper de restes qu'elle mangea devant le téléviseur. Mais rien ne l'intéressait et elle ferma le poste.

Désœuvrée, elle se promena à travers la maison vide. Une étrange impression s'imposa petit à petit : elle faisait ses adieux à la maison de son enfance. Les vieux murs qui la regardaient passer ne la connaissaient qu'en visite. Les chambres étaient vides, désormais, et la présence non heureuse de sa mère ne réussissait pas à leur donner vie. «Ma maison, c'est mon appartement à Montréal, comprit-elle, c'est là que je suis libre.» Tout lieu où elle se sentirait libre pourrait dorénavant être sa maison. Ce détachement du passé et l'adhésion à ce qu'elle devenait, à ce qu'elle était, se complétaient l'un l'autre. La nostalgie de l'enfance flottait en elle, tout comme l'ivresse de l'espace qu'elle avait commencé à se donner. Dans le silence de la maison familiale désertée, la solitude de sa mère s'imposa, mais, dorénavant, Marie-Andrée ne la vivrait plus en symbiose.

Au chantier, les premiers froids annoncèrent un hiver hâtif et Raymond Duranceau songea une fois de plus à l'inauguration ratée du barrage Manic-5 où il travaillait. Ce jour-là, le 26 septembre 1968, la fête avait été annulée à la suite d'un événement tragique : le décès subit du premier ministre Johnson qui était venu inaugurer le barrage. La mort de cet homme, presque sous ses yeux, à cinquante-trois ans, avait profondément ébranlé Raymond Duranceau, à peine plus âgé que lui. Sa réaction était-elle due à la prise de conscience brutale qu'une vie d'homme pouvait s'achever aussi abruptement ? Cela s'ajoutait-il au départ de sa fille pour l'Afrique ? Au déménagement des jumeaux pour Montréal ? À la solitude de sa femme ? Il n'avait pas approfondi la question davantage et avait évité soigneusement toute réflexion sur sa santé. Toutefois, au moindre malaise digestif ou à la moindre fatigue, il se surprenait maintenant à craindre un infarctus à son tour.

À la mi-octobre, à la fin de son engagement, il ne réserva qu'un aller simple et s'assura qu'il serait placé près d'un hublot dans l'avion qui le ramènerait à Dorval. Quelques jours plus tard, quand il monta à bord, il riva son regard sur l'extérieur pour s'imprégner de la vision de Manic-5 qui s'estomperait petit à petit sous ses yeux au fur et à mesure que l'avion prendrait de l'altitude. Mais il neigeait déjà et il ne vit rien, quittant un chantier pour la dernière fois de sa vie sans le voir. Doutant soudain de sa décision, il se convainquit qu'il le faisait surtout pour sa femme.

Éva en resta abasourdie.

— Pour de bon? Tu repartiras plus?

«Il ne repartira plus. Merci, mon Dieu!» Elle attendait ce moment depuis plus de trente ans! Elle réalisa tout à coup qu'il lui avait annoncé assez brutalement une nouvelle aussi importante. «Il a décidé : il m'en informe! C'est tout. Comme si je n'existais pas.» Cela lui rappela ses trois derniers enfants qui, chacun leur tour, lui avaient annoncé leur décision déjà prise. Sa joie spontanée du retour définitif de son mari se teinta de peine d'avoir été exclue de ses réflexions.

Au bout de la dizaine de jours de congé habituels, quand son mari ne repartit plus comme tant d'autres fois, un certain malaise les surprit l'un et l'autre. «On est rendus à la retraite. On est vieux.» Ils se sentirent bizarrement comme les deux inconnus qu'ils étaient quand ils s'étaient mariés, autrefois, ayant tout à apprendre de l'autre.

Parce que Raymond connaissait si peu les bruits nocturnes et presque anodins de Valbois, ils troublaient son sommeil. Il prit alors conscience du sommeil tout aussi troublé de sa femme, que d'autres raisons expliquaient : Éva avait chaud ou faisait de l'insomnie. Déconcerté par ces dérèglements, il n'osait pas souvent demander l'intimité sexuelle qui lui avait tant manqué, pourtant, quand il dormait seul, là-haut, à la Manic. «Elle a assez d'endurer ces problèmes-là, je vais pas lui en rajouter avec ça. «Ça». Même aujourd'hui, après trente ans de mariage, il n'avait pas encore trouvé de mots pour exprimer la réalité sexuelle de leur vie conjugale.

Le jour, des larmes brillaient si souvent aux yeux de sa femme qu'il en déduisit qu'il devait en être la cause, irrité et troublé de ne pas comprendre ce qu'il faisait de si répréhensible quand, en réalité, celle qu'il considérait comme sa femme ne se percevait plus que comme une mère spoliée de ses enfants. Elle larmoyait si Diane n'écrivait pas, et encore davantage quand elle recevait une lettre d'elle. Marie-Andrée lui manquait terriblement et, quand celle-ci venait les voir, Éva mesurait à quel point sa benjamine semblait s'éloigner d'elle à chaque rencontre. Quant à Louise, elle la voyait maintenant à travers ses trois petits-enfants et cela lui causait des émotions aussi soudaines qu'ambivalentes de joies et de craintes pour tous les dangers qui guettaient ses chers petits. Éva souffrait également de l'absence de ses fils, se sentant abandonnée par ces deux hommes-là aussi.

Un nouveau quotidien s'installa petit à petit. Raymond Duranceau, incapable d'arrêter complètement de travailler, accepta un poste de journalier à Valbois, dans une petite industrie locale, à mi-temps. Quand Marie-Andrée revenait à la maison familiale, maintenant, elle s'étonnait de toujours y retrouver son père. Elle ne l'avait connu qu'en visite dans sa propre maison; maintenant il était constamment présent et ses vêtements ou ses cigarettes semblaient toujours avoir traîné ici et là, au salon, à la cuisine, ou jusque dans la salle de bains. Sa présence changeait la dynamique de ses séjours dans la maison familiale.

Elle aimait écouter son père lui décrire la vie qu'il avait eue dans ce qu'elle appelait en riant «ses bastions mâles». Au fil de ses confidences, se sentant de plus en plus proche de lui, elle modifia la perception qu'elle avait de cet homme distant qu'elle n'avait connu que par intermittence. Parfois elle avait envie de lui parler d'elle, de ses rêves de fille, de l'homme qu'elle aimerait un jour, de sa vie quotidienne à Montréal, de son emploi, qui lui plaisait; elle aurait voulu préciser, aussi, que son employeur appréciait son travail, mais qu'elle ne s'intégrait pas vraiment parce qu'elle n'était pas bilingue et qu'elle avait de moins en moins envie de le devenir à côtoyer quotidiennement des anglophones unilingues. Mais elle n'osait interrompre les discours de son père, lui qui se racontait si peu souvent.

Même si leurs bavardages n'étaient pas fréquents, Éva prit ombrage de la connivence entre le père et la fille. Un certain samedi de novembre, elle lança à cette dernière :

— On sait bien, si c'est toi qui le demandes à ton père, il va dire oui. Il ne te refuse jamais rien. C'est pas comme à moi.

— Voyons donc, maman, répondit Marie-Andrée, surprise de ce supposé pouvoir qu'elle n'avait jamais perçu. Pourquoi il ne me refuserait rien, comme tu dis?

— Tu dois le savoir, vous passez tellement de temps ensemble.

Marie-Andrée regretta d'être là. Vivant en appartement depuis sept mois déjà, elle prenait du recul vis-à-vis de sa mère et, surtout, de ses attentes déraisonnables et de ses reproches injustifiés. Elle décelait plus clairement à quel point celle-ci n'était pas heureuse dans son couple et elle supposait que ses tracasseries habituelles découlaient de son insatisfaction quant à sa vie conjugale. Marie-Andrée découvrait que son père non plus ne semblait pas très heureux. Et elle regrettait, pour eux, qu'ils soient si mal assortis. Ce modèle de couple l'insécurisait par rapport à l'amour. «S'ils se sont mariés, ils devaient pourtant s'aimer, non? Est-ce que tous les couples finissent comme ça?»

Pourtant, quand son père était revenu définitivement à la maison, sa mère avait semblé très contente. Du moins pour un temps : cela avait au moins compensé le départ des trois plus jeunes. Mais l'insatisfaction avait rapidement repris le dessus. Et son père s'était enfermé dans le mutisme, fuyant dans son atelier au sous-sol, le soir et les fins de semaine. Marie-Andrée se demandait si tous les couples étaient ainsi voués à la solitude. Son frère Marcel ne parlait que de son travail et sa femme Pauline, à ce qu'elle avait commencé à deviner, oscillait entre l'envie de le harceler pour obtenir de l'attention et celle de se détacher de lui au profit de nombreuses activités mondaines.

Quant à Louise et Yvon, leur couple ne l'inspirait pas non plus. Louise était engloutie dans sa maternité, surtout depuis la naissance du petit Simon, et Yvon parlait davantage de ses élèves et de son fils, dont il voulait faire un sportif comme lui, que de ses deux filles. Marie-Andrée décodait davantage les non-dits qu'à quinze ans, et ses observations, enrichies de phrases entendues ici et là, lui permettaient de se faire une idée, sans doute assez conforme à la réalité, de la vie de couple de sa sœur aînée. Louise avait, semblait-il, traversé sa première grossesse avec aisance et l'avait même affichée avec ostentation; de même, Yvon s'était rengorgé comme un coq dans sa virilité confirmée. Mais l'accouchement avait été long et douloureux. Étaient-ce les douleurs de l'enfantement qui avaient rendu sa fille si précieuse aux yeux de Louise? Elle n'avait plus eu d'attentions que pour sa fille Nathalie, qui avait d'ailleurs été un poupon adorable et plein de vitalité, mais qui, selon les souvenirs de sa jeune tante, avait réclamé beaucoup d'attention.

Marie-Andrée savait maintenant que Louise était devenue plus une mère qu'une épouse et que le couple en avait souffert. Quand la deuxième enfant était née, peut-être par compensation parce que Louise le délaissait, Yvon s'était épris de la petite Johanne. De caractère patient et doux, elle ne demandait rien, manifestant par ailleurs une gratitude touchante pour toute marque de tendresse. À ce qu'il avait semblé à Marie-Andrée, le père et la fille s'étaient compris d'emblée, et Louise, ayant constaté qu'Yvon vivait plus spontanément sa paternité, n'en avait que plus entouré Nathalie, sentant celle-ci négligée par son père. Les relations au sein de cette famille avaient eu l'air de se rééquilibrer, chaque enfant ayant son parent et les deux membres du couple étant redevenus plus attentifs l'un à l'autre, jusqu'à la naissance de Simon.

En repensant à un certain dimanche de Pâques, Marie-Andrée se rappela que cet enfant-là ne semblait pas vraiment attendu; cependant, dès sa naissance il était devenu le petit roi. C'était le premier fils pour les parents, et le premier petit-fils pour les grands-parents. Nathalie et Johanne avaient été reléguées au second plan. La première n'en était devenue que plus exigeante et la seconde, que plus renfermée. À travers tout cela se devinait une dégradation de la vie de couple de Louise et d'Yvon. «Être en couple, se disait Marie-Andrée, ce doit être autre chose que ça, il me semble.» L'observation de ses nièces et de son neveu la ramenait à sa propre fratrie, aux relations des frères et des sœurs entre eux, tissées des caractères de chacun, de leur place dans la famille, de l'état d'esprit des parents au moment de chaque naissance, etc. Cela lui apparut si complexe, tout à coup. «Si j'ai des enfants, un jour, est-ce que je vais bien les élever? Est-ce qu'ils seront bien ensemble?»

Ce samedi de novembre, Éva, déçue que Luc ne soit pas venu lui aussi — encore une fois —, reprocha à sa fille de ne pas insister davantage pour que son frère vienne les visiter. Si ce dernier s'était efforcé, au printemps, de trouver des excuses pour justifier son absence, il ne s'en donnait plus la peine aujourd'hui, laissant sa jumelle essuyer les jérémiades maternelles qui, même si elles le concernaient, étaient déversées sur elle. Marie-Andrée, qui se réjouissait pourtant de rendre visite à ses parents, était placée devant le constat douloureux que sa présence ne semblait susciter que des doléances. «Autrement dit, je ne compte pas. Ce qu'elle voudrait, c'est que son fils soit ici; que moi je vienne, elle s'en fout.»

Quand elle vit la contrariété et la peine assombrir le visage de sa fille, Éva Duranceau regretta ses remarques et déplaça ses récriminations sur un autre terrain; elle se plaignit de l'absence de Diane, dont elle venait de recevoir une lettre trop courte à son goût. Elle la fit lire à Marie-Andrée, puis mentionna que celle-ci pourrait adopter la même attitude envers elle en lui laissant lire les lettres que sa sœur lui adressait, mais sa fille lui opposa un refus net.

— Je n'ai pas demandé à lire les lettres que Diane t'envoie; c'est toi qui me les montres.

— Je vais finir par croire que ta sœur et toi avez des choses à me cacher...

Une bouffée de colère empourpra les joues de Marie-Andrée. «Comme si je passais mon temps à penser à elle, à chercher comment la contrarier. Elle se prend pour qui? Le centre de ma vie?»

— Il faut vraiment que tu saches tout? demanda-t-elle d'une voix qu'elle s'efforça de garder calme. Il faut vraiment que tu contrôles tout? Diane a sa vie, j'ai la mienne, t'as la tienne! Arrête donc de tout compliquer tout le temps!

— C'est ça! Vivez-les, vos vies! Moi, je sers à rien : je suis juste votre mère!

Marie-Andrée lui lança un tel regard de colère qu'Éva changea de ton et se plaignit qu'elle les abandonnait encore. C'était le reproche habituel chaque fois qu'elle passait une soirée avec Françoise, même s'il ne s'agissait que de quelques heures dans la fin de semaine. «Des fois, j'ai l'impression qu'elle vient seulement pour coucher, se disait sa mère, bien que sa plainte soit sans fondement. C'est pas possible que des enfants et une mère aient rien à se dire à ce point-là!» Mais son attitude inquisitrice avait provoqué le repli de sa fille qui décida de partir plus tôt et s'enferma dans la salle de bains pour se préparer et se maquiller.

Éva s'en voulut, craignant que si elle formulait trop de reproches, Marie-Andrée revienne moins souvent ou, comme ce soir, s'esquive plus rapidement. Elle se sentait brimée dans son droit d'exprimer des doléances, mais elle comprenait aussi qu'elle pouvait perdre ses visites qui, elle devait le reconnaître, étaient régulières, Marie-Andrée venant presque chaque semaine. Alors elle regretta ses reproches, se jugeant sévèrement une fois de plus. Elle avait le sentiment de ne pas être à la hauteur dans de nombreux domaines et de décevoir tout le monde, particulièrement son mari. Celui-ci était déçu de son peu d'enthousiasme pour des relations sexuelles régulières, mais elle se supportait difficilement elle-même avec ses bouffées de chaleur, son irritabilité, ses pertes d'énergie inquiétantes, etc. «À part ça, maugréa-t-elle, c'est lui qui m'a habituée à vivre quasiment comme une veuve les trois-quarts du temps.» Elle s'en voulait aussi de ses impatiences quotidiennes face à lui, mais elle ne parvenait pas à supporter sa tenue négligée. «On n'est pas au chantier ici!» rageait-elle.

Et, comme si ce n'était pas assez, s'ajoutait la vexation des critiques de son mari sur sa gestion de la maison. Habitué, aux chantiers, à manger à satiété sans jamais chiffrer son repas, il n'en revenait pas des factures d'épicerie. De plus, il ne voulait pas faire de sorties parce que, contrairement aux chantiers, il fallait payer le cinéma ou le restaurant. Il négligeait aussi l'entretien de l'auto, n'ayant pas eu à s'en soucier pendant tant d'années, et sa femme refusait désormais de s'en occuper, maintenant qu'il était là.

Sur le sujet de l'argent, cela menaçait de tourner à l'affrontement entre lui et sa femme. Elle se sentait épiée, surveillée jusque dans sa petite monnaie. Pourtant, elle administrait le budget familial de la même façon que depuis trente ans.

— Les dépenses d'épicerie sont bien plus grosses depuis deux mois! s'était-il écrié un jour en vérifiant la comptabilité de la maison.

Elle avait levé les bras au ciel, complètement découragée.

— T'es là, figure-toi donc!

— Puis, qu'est-ce que ça change?

— La différence, c'est ce que tu manges, Raymond Duranceau!

Que répondre à cela? «Ça coûte quand même pas si cher que ça, manger?» ronchonna-t-il en comparant encore et encore les chiffres alignés dans le petit cahier noir dans lequel sa femme notait les dépenses depuis des années. «Ouais, à la grosseur qu'elle a, je suppose que je dois manger plus qu'elle.» Il avait refermé le livret sans rien ajouter. Éva aurait voulu préciser un détail important : ce qui avait considérablement modifié le budget, c'était que ses revenus avaient dramatiquement chuté depuis qu'il ne travaillait qu'à mi-temps et à un taux horaire régulier. Cela représentait une différence encore bien plus grande qu'un couvert supplémentaire à table. Mais elle ne formula pas sa réflexion à haute voix. Son mari en aurait conclu qu'il ne travaillait pas suffisamment et qu'il était un mauvais pourvoyeur; c'était faux, et elle ne voulait pas qu'il se méprenne sur le sens de ses paroles. Alors elle se tut.

Raymond, de son côté, s'adaptait plutôt mal à ses heures de travail, habitué qu'il était à travailler dix heures par jour, six jours par semaine. Son emploi à mi-temps — et encore, un mi-temps en proportion du temps «d'en bas», c'est-à-dire seulement huit heures par jour et cinq jours semaine — lui laissait une immense plage de temps libre dont il ne savait que faire. Pourtant, se disait-il, l'hiver était si différent ici, si douillet, comparativement à celui au nord; comment pourrait-il songer sérieusement à retourner là-haut? Et il y avait le babillage de ses petits-enfants, la joie de voir grandir son petit-fils, les visites fréquentes de Louise, et assidues de Marie-Andrée, la conversation de son gendre et la présence de sa femme, son odeur, son corps dans le lit avec lui, nuit après nuit, malgré les inconvénients de la ménopause... Tout cela annihilait toute velléité de repartir. Dans ses moments d'inadaptation à sa nouvelle vie, il repassait en revue tous ces éléments positifs et cela apaisait, pour un temps, sa crainte sous-jacente : que son cœur ne s'arrête.

Éva, quant à elle, louvoyait péniblement entre son rôle de mère et celui de femme au foyer. Ses quelques mois de solitude, entre le départ des jumeaux et le retour de son mari, n'avaient pas été suffisants pour la ramener à elle-même. Avait-elle déjà vécu, d'ailleurs, cette rencontre déterminante avec ses propres besoins, ses désirs, ses forces et ses faiblesses? Ou, au contraire, n'était-elle que passée d'un rôle à un autre depuis son enfance?

Marie-Andrée soupçonnait que de grands boule-versements agitaient la vie de sa mère, mais elle n'avait pas suffisamment d'expérience de la vie pour les décoder ni en tenir compte vraiment. À vingt ans, elle manquait d'air chez ses parents; cela, elle le savait. Il lui appartenait donc de régler ce problème qui la laissait si souvent dé-sarmée et, à cause des émotions négatives qu'il entraînait, la coupait de ses ressources intérieures profondes.

Enfin prête, elle endossa le manteau d'hiver neuf qu'elle venait de s'acheter. Il était d'une longueur trois-quarts, en peau de mouton couleur crème, avec la fourrure tournée vers l'intérieur. Au cou et aux manches, la fourrure blanche à poils longs et frisés apportait de la fantaisie à l'ensemble. Ce manteau lui réchauffait le corps, mais il était au-dessus des genoux et sa minijupe lui laissait les jambes à découvert. Heureusement, les bottes hautes étaient à la mode et les siennes lui montaient presque aux genoux. Elle souhaita sobrement bonne soirée à ses parents en sortant.

Éva avait jugé prudent de s'abstenir de tout commentaire sur le manteau. «Une mode de ville. Si ça a de l'allure : une jupe tout écourtichée avec un manteau trois-quarts! Puis pas de chapeau avec des cheveux courts de même! Des plans pour attraper son coup de mort.» Elle alla au salon. Dans son monde d'homme, son mari écoutait le hockey du samedi soir. «Je suis encore toute seule!», pensa-t-elle, déprimée.

Refusant de se laisser atteindre par les remarques désobligeantes que sa mère formulait très certainement à l'instant même, Marie-Andrée, de sa main gantée, éparpilla la mince couche de neige folle qui cachait le pare-brise de la petite Volkswagen. Si les jumeaux passaient tous deux la fin de semaine à Montréal, ils se la partageaient. Le reste du temps, Luc l'utilisait la semaine pour aller travailler parce que son lieu de travail était plus loin que celui de sa sœur, et celle-ci la prenait les fins de semaine pour visiter ses parents. Pour chasser l'atmosphère d'oppression familiale qu'elle venait de quitter, elle ouvrit la radio. Claude Léveillée chantait *Frédéric*. Marie-Andrée trouva qu'une des phrases collait particulièrement bien à sa réalité, ce soir-là. *Je me fous du monde entier...* Elle soupira. Comme elle aimerait, effectivement, se foutre de ce que sa mère pensait ou voulait, ne plus avoir besoin d'être constamment vigilante pour parer ses attaques sur tout et sur rien. Peut-être qu'un jour, comme dans la chanson, elle regretterait ces années familiales, mais pas ce soir, certainement pas ce soir.

La chanson suivante, de Charlebois, s'accordait avec ses pensées. *Si j'avais les ailes d'un ange, je partirais pour... QUÉBEC!* Elle s'amusa de la coïncidence, bien que la ville nommée ne soit pas nécessairement celle qu'elle avait en tête. «Mais Québec ou Montréal, pourvu que ce soit ailleurs qu'à Valbois, pour moi c'est pareil.» Elle resta songeuse. «Oui c'est pareil, parce que j'ai bien peur de traîner mes problèmes avec moi : ils sont en moi!» Elle secoua la tête, fermement résolue à se libérer de toute atteinte à sa liberté.

Elle embraya, savourant les gestes devenus familiers d'une conduite manuelle. Au volant de cette auto, Marie-Andrée se sentait maîtresse de sa destinée. Cette griserie l'avait envahie dès qu'elle avait contresigné les documents d'achat et d'immatriculation. Avec ce véhicule, elle avait l'impression, mieux : la certitude qu'elle était devenue une adulte, qu'elle menait sa vie et, surtout, qu'elle était libre. Libre d'aller où elle voulait. Libre d'y aller seule ou non. Libre de choisir son chemin, ses chemins.

La fin de semaine suivante, comme convenu, Françoise vint passer deux jours à Montréal après s'être discrètement assurée que Luc n'y serait pas. Il n'avait plus guère d'importance pour elle, mais elle était soucieuse de préserver une indifférence chèrement acquise.

— Je t'envie d'avoir ton appartement, dit-elle à Marie-Andrée à un moment donné. C'est pas drôle tous les jours avec mon père.

— Ça va mieux, quand même?

— Son humeur est stable.

— Dans le mieux, au moins?

Elles repartirent dans d'interminables conversations, alternant de la confidence à l'hilarité, comme autrefois, quand elles travaillaient dans le même bureau et qu'elles avaient des fous rires à faire blêmir Raymonde Sinclair. Tout l'après-midi du samedi, elles fouinèrent dans les magasins de la rue Saint-Hubert, flânant dans une alternance de silences et de propos anodins, dans le seul plaisir d'être ensemble, sans masques. Du moins en était-il ainsi pour Marie-Andrée, qui avait cependant la sensation, presque physique, que son amie taisait quelque chose, qu'elle s'éloignait. N'osant la questionner, elle redoubla d'attention; se confiait-elle à demi-mot sans qu'elle s'en soit aperçue? Elle se reprochait ses intuitions non fondées quand Françoise s'arrêta devant une vitrine pour admirer une robe. C'était du moins ce que croyait Marie-Andrée, mais elle réalisa que Françoise regardait plutôt son propre reflet dans la vitrine. Marie-Andrée attendit alors une confidence qu'elle devinait imminente.

— Je vais partir tôt, demain après-midi, dit-elle.

Un silence s'installa. Françoise avait toujours besoin d'espace et de silence pour confier ce qui l'habitait.

— On va passer l'après-midi ensemble, révéla-t-elle enfin. Et peut-être souper ensemble, aussi.

On? Que signifiait ce on? Sa copine présuma qu'il devait s'agir d'un garçon et son intuition se confirma : Françoise était déjà ailleurs, dans une expérience nouvelle sur son chemin personnel. Comme Diane, là-bas, en Afrique. Marie-Andrée se sentit esseulée tout à coup. Une à une, sa sœur et maintenant sa meilleure amie s'engageaient dans des voies dans lesquelles elle ne pouvait les accompagner. Un sentiment de tristesse l'effleura douloureusement. «Maman doit ressentir ça aussi quand on vit plein de choses loin d'elle...»

Puis une autre sensation, étrange, diffuse, la tira vers un ailleurs, elle aussi. Cela se bousculait tellement qu'elle démêlait difficilement si ce combat, car c'en était un, se livrait dans sa tête ou dans son cœur. Elle cherchait fébrilement à dissoudre cette confusion quand, tout à coup, une lueur de conscience l'éclaira. Sa sœur et sa meilleure amie, en allant ailleurs dans leurs propres vies, lui montraient le chemin ; d'une certaine façon, elles la forçaient à chercher son *ailleurs* à elle. Elles lui signifiaient, sans le savoir, qu'elle avait, elle aussi, des voies personnelles à découvrir et qui n'attendaient peut-être que son bon vouloir pour s'ouvrir.

Françoise la scrutait, attendant une marque de connivence, un accueil. Marie-Andrée lui sourit et, les yeux pétillants de tous les possibles à venir, elle lui prit le bras en s'exclamant joyeusement :

— Il s'appelle comment ? Depuis quand tu le connais ? Où vous êtes-vous rencontrés ? Parle-moi de lui ! suppliat-elle, tout excitée de cette belle surprise de la vie. Tu me fais languir !

Elle la bombardait de questions. Les deux amies marchèrent ainsi, bercées par leurs pas accordés. Françoise raconta ce qu'elle appelait sa *petite histoire bien ordinaire*. La rencontre avec Jean-Yves à l'université, comme ça, par hasard, à la cafétéria. Il étudiait en médecine le jour et elle, en traduction le soir. Ils n'avaient trouvé que les dimanches après-midi pour se voir parce qu'ils n'habitaient pas la même ville et qu'ils étaient tous deux plongés dans leurs travaux universitaires. Françoise fut un peu plus embêtée de parler du jeune homme lui-même, qu'elle voyait depuis quelques semaines à peine, comme si, maintenant qu'elle se décidait à en parler à quelqu'un, elle ne savait plus discerner l'essentiel du superficiel. Dans son ambivalence, elle se rabattit sur des informations plus générales : ses qualités indéniables, sa bonne humeur, le sérieux avec lequel il se consacrait à ses études.

En s'écoutant, elle clarifiait son sentiment. Il avait eu le coup de foudre pour elle et c'était très agréable d'être l'objet d'une telle vénération. Oui, Jean-Yves semblait très attaché à elle et elle osa se laisser aller à ressentir un bien-être très enveloppant. Mais elle était déçue de ne pas ressentir les palpitations du grand amour dont elle avait tant rêvé, comme tant de jeunes filles. Cela, elle ne le confia pas; elle avoua, simplement et sincèrement, qu'elle apprenait à le connaître. Et elle reconnut en riant, d'un rire différent de celui que lui connaissait son amie, que d'être l'objet d'un amour qui semblait si fort ne la laissait pas insensible, loin de là.

— De toute façon, ajouta-t-elle, il vient juste de commencer ses études de médecine. C'est pas le temps d'être trop sérieux. Et Diane? s'informa-t-elle pour couper court à ses confidences.

— Je pense qu'elle a un ami, un enseignant québécois qui habite une autre ville, pas très loin de la sienne. Tu la connais, elle est discrète sur sa vie privée.

Parvenues à une petite épicerie asiatique, elles y achetèrent quelques aliments introuvables ailleurs. Depuis Expo 67, elles prenaient plaisir à cuisiner des mets exotiques, s'échangeant des recettes. Tout à coup, Françoise lança une perche :

— Diane est peut-être pas la seule à faire des cachotteries… Je me trompe ou tu as les yeux plus brillants que d'habitude?

Marie-Andrée sentit une douce chaleur l'envahir du seul fait de penser à l'homme qui habitait ses rêves depuis quelque temps. Mais elle préféra n'en rien dire et se rabattit sur la perspective d'une promotion à son travail. Engagée en raison de son excellente connaissance du français, elle devait, en principe, travailler au développement d'un nouveau marché commercial en France, en révisant des documents. Elle en rédigeait aussi, parfois. Mais ce projet piétinait. Le directeur semblait par ailleurs très satisfait de la minutie de son travail, même si elle se demandait comment il pouvait le vérifier puisqu'il s'exprimait si peu en français. Quoi qu'il en soit, à la suite d'une mutation interne, il se pouvait que le poste de liaison avec l'imprimeur, pour les documents en français, lui soit offert; comme elle n'était pas bilingue, elle ne pouvait évidemment pas assumer la supervision des textes anglais. Ce n'était pas une grande promotion, mais ce petit changement dans son emploi serait tout de même très valorisant pour elle qui venait à peine d'avoir vingt ans.

Françoise s'en réjouit avec elle, mais elle la connaissait trop pour être dupe pour autant.

— Et ça te rend les yeux aussi brillants de penser obtenir cette promotion? ajouta-t-elle avec un petit sourire moqueur.

Marie-Andrée fit la moue de se voir ainsi découverte.

— Oh oh! Tu ne trouves rien à répondre? C'est sérieux, ça.

Alors, à son tour Marie-Andrée parla d'un homme qui était venu au bureau à quelques occasions ces derniers temps, un sous-traitant qui dirigeait sa petite entreprise. Il semblait près de la trentaine, sérieux, et, elle se l'avouait, elle était très attirée par lui, presque malgré elle.

— Et puis? interrogea Françoise, curieuse.

— Et puis... Et puis rien. Il est venu quelques fois me porter ses textes parce que son produit serait exportable si ma compagnie ouvre un bureau en France. J'ai eu à les réviser, c'est tout.

— Et lui, il t'a remarquée?

Marie-Andrée perdit son assurance.

— Je ne sais pas, marmonna-t-elle, puis elle se reprit. En fait, je crois que oui. Mais oublie ça; il est marié, il a des enfants. Et ce n'est pas le genre à tromper sa femme.

— Tu ferais ça? s'étonna Françoise, presque déçue. Un homme marié?

— Non! protesta sincèrement Marie-Andrée. Je ne suis pas une briseuse de ménage. N'empêche que, s'il était libre...

Sa pensée vola enfin librement vers Mario Perron, vers cet homme qui l'envoûtait rien qu'à la regarder. Elle n'était pas si certaine de ses principes s'il lui proposait un jour une relation intime. Mais elle était troublée et contrariée par cette situation qu'elle n'avait pas souhaitée : s'intéresser à un homme marié! «J'ai vraiment pas de chance; pour une fois qu'un homme m'intéresse au point de... de vouloir connaître l'amour avec lui, il est marié!»

Le lendemain après-midi, quand Françoise partit rejoindre son amoureux, Marie-Andrée se reprocha son manque de détermination par rapport à son avenir. «Quand on ne sait pas ce qu'on veut, la vie ne peut pas nous le mettre sur notre chemin, peut-être... Mais je le sais, ce que je veux! Ou du moins, je sais quel genre de relation je voudrais; le problème est de trouver le gars qui va avec ça... En tout cas, je ne veux pas me tromper comme ma mère. Ni comme mon père, quant à ça. Non, je vais prendre le temps de le choisir. Ça prendra le temps que ça prendra.»

Mais ses bonnes résolutions se heurtèrent aussitôt à cet homme qui la troublait. C'était plus fort qu'elle; il revenait sans cesse dans son esprit. «Je me conduis comme une adolescente», se reprocha-t-elle sans trop savoir ce que cela signifiait parce qu'elle avait traversé cette étape de sa vie sans perturbations, contrairement à sa sœur Diane. «À vingt ans, je devrais être plus sérieuse que ça!» se redisait-elle. Mais elle ne se décidait pas à mettre un terme à des rêvasseries trop agréables pour être chassées si facilement, d'autant plus qu'elles ne se concrétiseraient jamais.

Le jeudi suivant, elle tapait un dernier document avant le dîner quand elle se sentit observée. Mario Perron, immobile près de la porte, la regardait en souriant.

— Je suis à Montréal pour la journée, lui dit-il simplement. On va manger ensemble?

Le cœur de la jeune fille battit à se rompre.

— Euh… oui… balbutia-t-elle.

Mais elle ne bougeait pas, comme pour ne pas rompre le charme de ce moment inespéré, se contentant de savourer la présence de l'homme, surprise elle-même de la chaleur qui l'envahissait rien qu'à le regarder. Il la regardait aussi, sans bouger lui non plus. Il dérivait vers cette fille qui le fascinait et qu'il avait en vain essayé de chasser de son esprit et de son corps. Il la désirait comme la femme dont il avait toujours rêvé. Il avait lutté contre cette obsession, dressant entre elle et lui tous les paravents qu'il avait pu trouver : sa femme, qu'il aimait sincèrement, ses enfants dont il était si fier. Même son travail avait été mis à contribution. Mais il n'y avait rien à faire : il était obsédé par Marie-Andrée Duranceau, par sa fraîcheur bien sûr, mais surtout par son regard qui semblait le deviner et l'accepter tout entier. «Celui qu'elle aime est chanceux», avait-il pensé spontanément en la voyant la première fois. Puis il s'était informé; elle ne semblait pas avoir d'ami de cœur. Alors le sien avait battu plus fort.

Ce jeudi-là, quand leurs regards se croisèrent, il se déconnecta de tout pour ne plus voir qu'elle et ne plus désirer qu'elle, désirer la tenir contre lui, lui faire l'amour, être accueilli par elle dans ses bras, dans son corps. Ils dînèrent au restaurant le plus près, au coin de la rue, pour s'asseoir ensemble le plus vite possible. Elle ne ressentait plus la faim; elle se rassasiait de lui, de sa voix grave et un peu chantante. Plus grand qu'elle, il se penchait légèrement vers elle pour éviter de parler fort. Elle en oubliait les sujets de conversation, tous plus banals les uns que les autres, pour se lover dans sa voix. Ils revinrent dans le vieil immeuble à bureaux sans que rien ait été dit quand, soudain, il la saisit et l'embrassa passionnément. Marie-

Andrée fondit dans cet étau de chair et lui rendit fougueusement son baiser. Ils entendirent une porte s'ouvrir à l'étage au-dessus et eurent du mal à se séparer tant ils étaient en dehors du temps.

Tout l'après-midi, elle eut de la difficulté à se concentrer, encore sous le choc du dîner avec *lui* et du baiser brûlant qu'il lui avait donné. Elle le désirait; elle ne pouvait plus le nier. Il la désirait aussi; elle ne pouvait le nier davantage. Ses pensées allaient en tous sens. Tout son être voulait faire l'amour avec lui. Le plus tôt possible. Aujourd'hui, peut-être? Luc travaillait à la banque les jeudis soir, l'appartement était donc libre. Puis la raison lui revenait : c'était un homme marié.

Ils eurent à travailler ensemble vers quatre heures. Une hâte fébrile les envahit. Marie-Andrée avait tant désiré faire l'amour, se promettant de s'y préparer avec soin le moment venu et voilà que, dans quelques heures, une, peut-être... Cette notion de la réalité en souleva une autre, plus prosaïque. «J'aurais dû mettre mes plus beaux sous-vêtements ce matin», se reprocha-t-elle, craignant de ne pas être assez attirante si... Elle revint difficilement à son travail et espéra de tout son cœur une intimité avec l'homme qui était assis devant elle, tout en la redoutant, par pudeur et principe entremêlés.

Mais la situation ne dépendait plus exclusivement d'elle. Ce midi-là, elle avait répondu spontanément au baiser passionné de Mario et il avait eu la réponse qu'il souhaitait : elle le désirait tout autant. Il n'avait pas l'intention de rentrer directement chez lui après le travail.

Leur désir balaya tout. Elle l'emmena chez elle dès la fermeture des bureaux. Cela s'était passé si rapidement qu'ils en étaient presque étonnés eux-mêmes. Quand ils se retrouvèrent nus sous les draps, la jeune fille s'abandonna simplement à lui. Il arrêta brusquement ses caresses, déconcerté :

— C'est la première fois? lui demanda-t-il.

— Oui, avoua-t-elle sans fausse pudeur.

Il caressa son visage.

— Pourquoi moi?

— Parce que c'est toi..., répondit-elle simplement. Et que je ne peux pas faire autrement.

Il la regarda intensément, puis s'abandonna à son tour.

— Moi non plus.

Ils se regardaient avec des yeux où tout l'amour du monde semblait concentré. Il était le premier homme à lui faire l'amour et il ne l'en aima que davantage, se donnant complètement à elle, avec toute la passion dont il était capable, découvrant une immense tendresse en lui. Il prit possession de son corps aussi simplement qu'il avait trouvé le chemin de son cœur. Elle qui n'avait pourtant jamais fait l'amour coula dans les gestes de la chair comme si c'étaient les gestes les plus simples du monde, des gestes qui la réchauffaient jusqu'au fond de son être. Elle aurait voulu que le temps s'arrête et que jamais elle ne quitte ces bras si enveloppants.

La jeune femme s'éveilla brusquement, se demandant si elle avait rêvé ses premières heures d'amour. Elle était maintenant seule dans le lit, mais l'odeur de l'homme, l'odeur de l'amour imprégnait ses draps. Elle se lova dans les couvertures avec volupté. Puis une angoisse la réveilla tout à fait. «Je ne prends pas la pilule!» Affolée, elle n'arrivait plus à se souvenir à quel moment de son cycle menstruel elle se trouvait. Était-ce un temps dangereux pour une grossesse? Elle alluma, chercha fébrilement le petit calendrier où elle notait son cycle, puis chercha avec énervement la date d'aujourd'hui. D'abord incrédule, elle fut ensuite soulagée de constater que, selon ses calculs, il n'y aurait pas de conséquence ; les jours d'ovulation étaient passés depuis suffisamment de temps. Elle rangea le calendrier et se recoucha, revenant peu à peu de sa peur. Mais elle fut longue à se rendormir. Comme elle était sotte d'avoir pris un tel risque ! Puis, elle essaya de se justifier : «Je ne pouvais quand même pas prendre la pilule sans avoir un ami !» Quoi qu'il en soit, il lui fallait maintenant prendre des contraceptifs et, pour cela, consulter un médecin. «Un médecin de Montréal, pas de Valbois. Et vite.» En attendant, elle achèterait des condoms pour ne pas prendre le moindre risque. Rassurée, elle se rendormit enfin, ne se souvenant que des heures enivrantes qu'elle avait vécues avec lui, l'homme qu'elle aimait déjà.

Le lendemain matin, quand elle descendit l'escalier de l'appartement, elle eut la sensation nouvelle et envoûtante de flotter, comme si ses pieds effleuraient à peine les marches. Elle se dit que l'effet étrange s'estomperait quand elle marcherait sur le trottoir, mais il n'en fut rien. Cette perception était si forte qu'elle ne put s'empêcher de s'arrêter et de regarder ses pieds. Presque surprise de constater qu'ils touchaient pourtant bel et bien le sol enneigé, elle éclata de rire et continua son trajet. La sensation s'atténua peu à peu. L'expression «être si heureux qu'on ne porte plus à terre» prenait tout son sens. «Oui, c'est comme ça que je me sens», se dit-elle avec un sourire de béatitude. Elle fit le court trajet en autobus comme un automate, sans remarquer que certaines personnes la dévisageaient tant elle était resplendissante.

Quand elle entra au bureau, elle se rappela que Lorraine Parker, la secrétaire qui partageait son espace de travail, s'était aperçue, la veille, de son trouble pour Mario Perron. Ils n'avaient pas quitté le bureau ensemble, par discrétion, mais au regard que Lorraine posa sur elle, Marie-Andrée comprit qu'elle se doutait qu'ils étaient devenus amants.

— T'as l'air de bonne humeur, commenta sa collègue.

— Le soleil est magnifique ce matin, répondit-elle sobrement en accrochant son manteau au vestiaire.

Elle alla se passer un coup de peigne, question d'échapper aux regards trop inquisiteurs. Ce qu'elle aperçut dans le miroir la saisit. Elle rayonnait! Ses yeux reflétaient une telle douceur, une telle joie; elle était persuadée, maintenant, que Lorraine avait tout deviné. Les blagues de Diane et de Françoise au sujet de ses yeux révélateurs la firent sourire. «Je ne vais quand même pas mettre des verres fumés pour cacher que... que...» Comme elle ne trouvait pas les mots pour définir ce qu'elle vivait, elle refusa de s'en soucier. Elle était heureuse et tant pis, ou tant mieux, si cela se voyait.

Lorraine fit quelques allusions dans la journée, puis cessa ses interrogations. Quoi que dise ou que taise Marie-Andrée Duranceau, elle avait deviné et elle l'envia; ce Perron n'était pas vraiment beau, mais il était très attirant et elle n'aurait certainement pas repoussé ses avances, elle non plus. Elle s'étonnait cependant que sa collègue les ait acceptées; elle la croyait plus prude. «Qu'est-ce qu'elle a de plus que moi?» se demanda-t-elle avec une pointe de jalousie en replaçant distraitement son abondante chevelure auburn savamment ondulée.

C'était vendredi et, contrairement à ses habitudes, Marie-Andrée décida de rester à Montréal au lieu d'aller à Valbois. Elle était trop fébrile pour supporter le moindre reproche de sa mère et ne se sentait pas prête à parler de son aventure à Françoise. Et puis, le doute s'insinuait en elle. Y aurait-il une autre fois? Mario Perron ne venait pas systématiquement au bureau toutes les semaines; quand le reverrait-elle?

La perspective d'une grossesse non désirée la ramena à des considérations concrètes. À la pharmacie qu'elle choisit, par pudeur en dehors de son quartier, elle chercha l'étalage des préservatifs. Ne les trouvant pas, elle dut, intimidée, s'adresser à la commis, ce qu'elle fit d'une voix mal assurée. Une fois devant l'étagère en question, elle saisit les premiers condoms qu'elle aperçut. Elle eut alors la douloureuse impression qu'elle tentait le sort, comme si le fait de se procurer ces articles non équivoques briserait le charme, et qu'elle ne reverrait plus son amant d'un soir.

Elle chassa ces idées sombres en s'achetant une blouse très seyante et un peu décolletée qui mettait son cou et sa gorge ferme en valeur. Puis elle arrêta dans un salon de coiffure, d'où elle ressortit avec une jolie coupe. Ensuite, se sentant belle et heureuse, elle prit le temps de siroter un café dans un restaurant, par ce samedi pluvieux de novembre qui lui sembla le plus beau de l'année, en regardant les couples défiler dans la rue et en se demandant comment cela s'était passé la première fois qu'ils avaient fait l'amour. Cette expérience humaine nouvelle lui ouvrait tout un champ de conscience sur elle et sur les autres ; elle devenait adulte, par rapport à une autre facette d'elle-même.

Dans les jours qui suivirent, elle ne cessa de penser à Mario Perron, qui l'obsédait. Elle remerciait la vie de lui avoir offert ce cadeau merveilleux. Que risquait-elle de vivre dans une telle relation ? Combien de temps durerait-elle ? «Je ne sais pas et je ne veux pas le savoir.» Ils ne s'étaient rien demandé, ils ne s'étaient rien promis. Elle choisit de considérer ce lien pour ce qu'il était : une aventure. Une aventure inattendue et merveilleuse, soit, mais une aventure. Elle avait été fidèle à elle-même : elle avait attendu un homme qu'elle aimait.

Pour l'instant, elle était encore sous le choc d'avoir fait l'amour pour la première fois. «C'est si bon. Est-ce

que c'est toujours bon comme ça? Pour tout le monde?»
Elle pensa aux filles, aux femmes qui, la première fois,
étaient brutalisées. Les gestes de l'amour lui parurent alors
odieux. Une telle intimité ne pouvait qu'être consentie, rien
d'autre. «Comment elles font, après, pour aimer ça?» Elle
se dit que de brutaliser une fille ou une femme à sa première expérience, c'était comme lui voler son droit d'aimer
faire l'amour. Pour longtemps ou peut-être pour la vie. Et
le plaisir de l'amour ne serait pas seulement refusé à la
femme, mais aussi à l'homme ou aux hommes qui feraient
ensuite partie de sa vie. «Quel gâchis!»

Elle remercia spontanément le ciel de lui avoir permis
une première expérience amoureuse qui l'avait autant
comblée. «Et maman? Est-ce qu'elle a déjà aimé ça? Au
moins une fois?» Le doute s'insinua en elle. «Des fois je
pense qu'elle n'a jamais connu ça, aimer faire l'amour.»
Cela lui parut effarant, et triste à pleurer. «Ça se peut
vraiment? Passer trente ans avec un homme et ne jamais
éprouver de plaisir à tant de caresses? Ouais, encore
faudrait-il que mon père lui en donne, des caresses. Il est
comment dans le lit, avec ma mère? Peut-être que ce n'est
pas pour rien qu'elle ne semble pas aimer ça.» Cette
réflexion la chagrina. «Comme c'est dommage, maman.
C'est tellement bon…»

Mais sa pensée ne pouvait s'éloigner longtemps de
son amant. Il représentait un tel cadeau dans sa vie, et qui
s'ajoutait à tout le reste : elle avait un emploi et elle était
jeune. «Et maintenant, je suis amoureuse, de cœur et de
corps.» Mais cet homme, tout amour et tendresse fût-il
pour elle, était marié et elle n'avait pas l'intention de briser
un ménage; de cela, elle était certaine.

Son dimanche s'étira à n'en plus finir même si Luc,
exceptionnellement libre, et elle allèrent au cinéma dans
l'après-midi et soupèrent ensuite au restaurant. Vingt fois

elle fut sur le point de tout raconter à son jumeau, ne serait-ce que pour parler de son amant, verbaliser les émotions et les pulsions qui l'habitaient. Mais elle ne s'y décidait pas, ambivalente, doutant d'elle, de Mario, puis, trois secondes plus tard, redevenant convaincue que son sentiment était trop profond et spontané pour être faux. Finalement, elle choisit de garder son secret et de voir venir les événements.

Marie-Andrée consulta un médecin et commença à prendre des contraceptifs. Après quelques nausées matinales, qu'elle cacha de son mieux à son frère, son corps s'habitua à ces substances étrangères. «L'important, c'est que je ne tombe pas enceinte.»

Les jours passaient. Elle aurait voulu partager sa joie avec tous ceux qu'elle aimait et même l'écrire à sa sœur Diane, mais hésitait à dévoiler son secret, préférant le garder encore un peu entre Mario et elle. Deux semaines s'écoulèrent sans que Mario revienne au bureau. La probabilité de le revoir, du moins comme amant, s'amenuisait de jour en jour. Elle en vint à se féliciter de ne pas avoir ébruité cette soirée d'amour qui ne se renouvellerait peut-être jamais. Cette éventualité la bouleversa. Ce n'était pas possible, elle refusait d'envisager une telle possibilité. Pour s'étourdir, elle s'activa le plus possible : cinéma, travaux ménagers, cuisine, fins de semaine à Valbois, magasinage. Tout pour repousser la probabilité de l'abandon. Son travail s'en ressentit. Elle fit des fautes de frappe dans un document important, puis oublia de réviser un texte traduit par Lorraine ; cette dernière était bilingue, mais son français écrit laissait beaucoup à désirer. Marie-Andrée dut s'acquitter de cette révision en catastrophe dans des conditions stressantes pénibles.

— Je leur ai dit que tu n'étais pas bien, ces temps-ci, lui dit Lorraine.

— Moi? s'exclama Marie-Andrée, stupéfaite.

— Oui, toi. Je sais pas ce qui se passe dans ta vie, ajouta l'autre d'un ton mielleux, mais t'es changée. On te reconnaît plus.

Marie-Andrée faillit tomber dans le piège de la confidence mais se retint juste à temps. En se souvenant des nausées que lui donnaient les pilules anticonceptionnelles qu'elle prenait depuis peu, elle confirma.

— Oui, t'as raison, je ne me sens pas vraiment bien, ces temps-ci.

Puis elle se concentra sur la révision du texte pour couper court à la conversation.

Le jeudi suivant, la mort dans l'âme parce que Mario ne s'était pas présenté au bureau cette semaine-là non plus, elle rentra chez elle d'un pas lourd en se raisonnant une fois de plus. C'était mieux ainsi : il était marié. N'en ayant nulle envie mais voulant oublier que c'était jeudi et cesser d'attendre, elle décida de souper tôt et d'aller au cinéma.

— Bonsoir…

Elle leva la tête et le vit qui sortait de son auto garée devant chez elle. La lumière du réverbère l'illuminait dans cette noirceur hâtive de décembre et une neige fine l'auréolait.

— Tu m'attendais? balbutia-t-elle.

Il rougit et elle fondit de tendresse. Ils montèrent à l'appartement d'un pas de plus en plus pressé. Sitôt la porte refermée, il l'enlaça avec fougue.

— Je ne peux pas me priver de toi, lui dit-il entre deux baisers. J'ai essayé, mais je ne peux pas. Et je ne le veux pas non plus.

— Moi non plus, murmura-t-elle dans un baiser passionné.

9

Marie-Andrée attendait les jeudis avec une impatience fébrile. Elle découvrait la passion amoureuse dans l'exubérance des corps qui se fondent l'un dans l'autre, dissous dans les moments brefs et éternels d'une jouissance; elle expérimentait avec émerveillement une facette majeure de la réalité humaine. Cette transcendance des corps, la jeune femme avait la certitude fugitive de l'inventer, comme si elle était unique. Elle se ria d'elle, de ses grands élans passionnels et mystiques à la fois.

— Pourquoi ris-tu? lui souffla Mario en l'accueillant contre lui après l'amour.

— Parce que je me crois la première femme à jouir. Et que je sais que tous les amoureux du monde se sont toujours crus uniques, eux aussi.

Elle riait, abandonnée contre lui, s'apaisant après la grande marée de l'orgasme. Il ne savait pas pourquoi elle avait semblé particulièrement comblée, cette fois, et cela le déconcerta. Il cessa de se questionner et revint à leurs deux corps, glissant à son tour dans un bien-être dont il aurait voulu ne plus jamais se passer. La jeune femme s'assoupit contre lui et il la sentit aussi entière dans sa détente que dans sa passion. Mais il ne trouva pas, ce soir-là, l'apaisement habituel qui suivait leurs ébats. Il avait honte de la confiance candide qu'elle lui vouait. «Je vais lui faire mal. Ça peut pas finir autrement.» Pour ne plus y penser, l'homme voulut s'apaiser à son tour, s'abandonner contre la femme pour oublier, mais il s'y refusa, craignant de s'y sentir trop bien. Sans bouger, il regarda l'heure au réveil posé sur le cube; une demi-heure encore à profiter de son corps, de sa présence, de son amour gratuit. Une petite demi-heure dans une semaine : c'était dérisoire. Pour nier la place qu'elle prenait en lui, il se réfugia dans sa crainte. «Elle ne m'a encore rien demandé, mais ça viendra.» Dans sa confusion, il ajouta : «Elle devrait me quitter; je ne peux rien lui offrir d'autre.»

Quand il se rhabilla, il lut la question dans les yeux de son amante aussi sûrement que si elle l'avait posée. Mais elle ne la formula pas et il n'alla pas au-devant de la réponse à esquiver. Avant de partir, il sortit une boîte minuscule de sa poche et la lui tendit en l'embrassant.

— Joyeux Noël...

Le cœur de Marie-Andrée se serra. Toutes les fêtes sans lui. Aurait-il pu en être autrement de toute façon? Elle baissa les yeux pour cacher la déception qui s'y glissait déjà et elle ouvrit le cadeau. Une petite chaîne en or qu'il lui passa au cou.

— Pour que tu ne m'oublies pas pendant les fêtes...

La phrase maladroite était de trop, semeuse de doute et de confusion.

— T'oublier?

Elle battit des cils pour refuser tout signe extérieur du chagrin qui s'immisçait dans ses résolutions raisonnables. «Il va passer les fêtes avec ses enfants, sa femme, sa famille. C'est normal. C'est comme ça qu'un homme qui aime ses enfants se comporte. C'est correct.» Elle réussit à déguiser sa peine en indifférence.

— Je t'ai rien acheté. J'ai pensé que c'était mieux comme ça pour toi.

Il fut soulagé que la conversation dévie.

— Oui. Tu me vois arriver chez moi avec un petit cœur avec ta photo dedans?

L'image lui parut si incongrue qu'un petit rire nerveux la secoua. Il enfila ses gants chauds et releva le col de son manteau d'hiver pour affronter le vent glacial. Une porte entrouverte, quelques mots glissés à l'oreille après un baiser furtif sur la bouche gourmande : «T'es dans mon cœur...», puis des pas qui faisaient craquer les marches gelées de l'escalier. Et une porte refermée à la hâte tant le vent était froid et humide. Marie-Andrée glissa lentement sa main gauche sur son cou et cela l'apaisa. Il était là, avec elle, sur sa peau. Elle porterait cette chaînette qui, enfin, témoignerait de son amour et de son amant à la face du monde, sans que qui que ce soit s'en doute et n'y trouve à redire. Ce bijou tout simple, à propos duquel personne ne poserait de question, elle le porterait comme un talisman d'amour, comme un fil invisible qui la rattacherait à lui, l'homme qui comblait son corps et ouvrait son cœur à l'univers tout entier.

La perspective de passer les deux congés des fêtes à Valbois sans le revoir lui serra le cœur à l'étouffer. Elle ne pouvait s'imaginer traverser ce long vide. Pour nourrir son cœur, elle téléphona à Louise et lui offrit de prendre soin des enfants pendant une journée entre Noël et le Jour de l'An pour qu'Yvon et elle puissent prendre un congé en amoureux. Ce projet lui fit du bien; avec les trois enfants elle saurait donner et recevoir une affection et des câlins qui lui manquaient déjà.

Noël fut joyeux et elle s'amusa, comme les autres, des patins qu'Yvon offrait à son fils, un bambin de quatre ans. Son beau-frère avait de la suite dans les idées; son fils serait un sportif! Elle cuisina aussi, et mangea un peu trop. Et elle laissa sa chambre une fois de plus..., ne se formalisant plus de cette injustice maternelle puisqu'elle se considérait maintenant, elle aussi, comme de la visite, même si Luc, lui, gardait toujours sa chambre en toutes circonstances. Tel qu'elle l'avait proposé, elle passa une journée avec ses deux nièces et son neveu. La jeune tante aimait que Nathalie ne s'en laisse pas imposer tout en souhaitant que la petite Johanne s'affirme davantage; quant à Simon, il était si adorable qu'elle aurait cajolé ce petit garçon de quatre ans toute la journée.

Au fur et à mesure que les heures passaient, Marie-Andrée découvrait petit à petit la réalité des enfants de la génération suivante. Leurs comportements étaient-ils des caprices? Ou, au contraire, sa sœur savait-elle, mieux que leur mère, donner de l'espace à chaque enfant? La tante était parfois déconcertée par l'agressivité de Nathalie et se rangeait davantage, maintenant, du côté de Johanne. Et quand elle délaissa Simon pour préparer le souper, elle eut droit à une scène parce qu'il perdait l'attention dont il avait bénéficié depuis le matin. Le mythe des enfants adorables et aimants subissait une confrontation inattendue. Cependant, quelques situations décevantes pouvaient-elles effacer d'autres instants de tendresse, de candeur et de rires désarmants? Tout compte fait, elle repartit avec une perception plus réaliste de ses neveu et nièces. Ils étaient des individus à part entière et différenciés, déjà aux prises avec leurs forces et leurs problèmes qui s'annonçaient. Que seraient leurs vies d'adultes? Sur quoi se buteraient-ils? Avec qui et comment trouveraient-ils le bonheur? Elle pensa aux enfants de Mario qu'elle ne connaîtrait jamais. Aux enfants qu'elle n'aurait jamais avec lui...

Françoise lui présenta son ami Jean-Yves venu passer quelques jours avec elle dans sa famille. La tenant en haute estime, Marie-Andrée avait pour elle espéré un garçon extraordinaire, du moins selon ses critères, sans pourtant avoir défini clairement ce que cela signifiait. Elle rit d'elle-même et de ses attentes par rapport au copain de son amie. «L'important, c'est qu'elle soit bien avec lui. Peut-être que Mario ne l'impressionnerait pas non plus!» admit-elle. L'évocation de son amant faillit gâcher sa soirée en réveillant le manque de sa présence. Et ce d'autant plus que cette soirée lui faisait réaliser, avec un goût déplaisant, qu'elle ne pourrait jamais présenter Mario à qui que ce soit. Elle refusa obstinément de s'attarder sur cette pente dangereuse. «Ça nous laisse nous aimer en paix, sans les commentaires de personne.»

De telles réflexions ne se rejetaient pas aisément. Un peu plus tard, revenue de cette soirée, elle tournait et se retournait dans son lit, en proie à l'insomnie. Elle s'interrogeait sur le *nous* venu spontanément à son esprit. Faire l'amour avec son amant, jouir de lui, parler et rire avec lui, cela faisait-il d'eux un *nous* comme Françoise et Jean-Yves en formait déjà un? Pour la seconde fois en quelques heures, elle refusa le constat qui s'imposait. Pour l'instant, cette aventure amoureuse la comblait et elle refusait d'entrevoir ce qu'il en adviendrait.

Avant de retourner à Montréal, elle revit Françoise en tête-à-tête.

— Puis, comment le trouves-tu? lui demanda cette dernière avec une impatience joyeuse.

Marie-Andrée ne se croyait pas autorisée à évaluer son amoureux. Elle émit quelques vagues commentaires et Françoise, déçue, n'insista pas. Pour sa part, elle ne se décidait toujours pas à lui parler de Mario. «Pourquoi est-ce que je lui cache quelque chose d'aussi important dans ma vie? s'interrogea-t-elle, étonnée de sa discrétion qui perdurait. Parce que je ne suis pas sûre de lui? De moi?» Il ne lui venait pas à l'idée que son amie la jugerait. «Elle comprendrait, j'en suis sûre. Je ne suis pas prête à en parler, c'est tout.»`

Dès le premier jeudi de janvier, Mario revint à l'appartement et elle se jeta dans ses bras.

Chaque fois qu'ils se retrouvaient, il la couvrait de baisers, la désirant et la prenant passionnément; elle ne se rassasiait pas de ses caresses. Les brèves heures dont ils disposaient, ils les passaient au lit à s'aimer et à parler. Elle savait depuis le début qu'il était marié depuis huit ans; un soir, il lui confia, au détour d'une phrase, qu'il s'était marié par la force des choses, sa copine étant devenue enceinte de lui. Marie-Andrée déchanta. L'entrave à son bonheur n'était pas une belle et grande histoire d'amour mais un fait divers banal : un mariage forcé comme il y en avait tant. La déception se lut si clairement sur son visage qu'il s'empressa de préciser :

— C'était pas vraiment un mariage obligé. En fait, trois semaines avant le mariage, elle a fait une fausse couche.

— Ce n'était peut-être pas une vraie grossesse? s'exclama-t-elle en s'asseyant dans le lit.

— Voyons donc, c'est moi qui l'ai amenée à l'hôpital, rétorqua-t-il avec un mouvement d'irritation.

Elle se recala dans les oreillers en faisant la moue.

— Tu n'avais plus besoin de l'épouser, alors, argua-t-elle, puisqu'elle n'était même plus enceinte!

Il la regarda, incrédule devant la sottise de sa réflexion, puis son visage se durcit, le montrant sous un jour nouveau à sa jeune maîtresse.

— Changer d'idée à trois semaines du mariage? s'exclama-t-il, abasourdi. De quoi j'aurais eu l'air? Dans ma famille, on n'est pas des hommes à reprendre notre parole!

«Et avec moi, tu fais quoi?» pensa-t-elle spontanément. Devant son air contrarié, elle regretta son exclamation spontanée, mais l'attitude de Mario dans ce mariage, inconséquent selon elle, glissa un froid entre eux.

Elle n'avait plus envie de savoir s'il était heureux ou pas avec une femme qu'il avait épousée pour ne pas avoir l'air de… elle ne savait pas très bien quoi, au juste. Elle soupira profondément, et Mario, en l'entendant, se referma encore davantage, persuadé qu'elle le blâmait, ce qui raviva une blessure vive. «Je me fais faire ça à la maison, j'en ai pas envie ici.» Il partit une demi-heure plus tôt, ce qui grugea beaucoup leurs deux ou trois petites heures hebdomadaires. Marie-Andrée se promit de ne plus lui reparler de sa femme, ni des raisons de son mariage, et encore moins de chercher à savoir s'il s'avérait heureux.

Mais l'incident l'obligeait à s'interroger sur elle-même. Mario et elle ne s'étaient rien promis et leur relation ne serait pas durable; cela, elle l'avait toujours su. La réalité de leur aventure, subtilement, s'imposait à sa conscience comme telle : il s'agissait d'une aventure, sans plus. Elle commençait à craindre de s'être leurrée et de se leurrer encore. Maintenant elle se l'avouait, au fond de son cœur, elle en espérait davantage. Ses pensées volaient sans cesse vers son amant, se nourrissant tantôt de souvenirs, tantôt de rêves, et son corps se languissait de lui. Certaines nuits, il lui manquait tellement qu'elle n'arrivait pas à trouver le sommeil et devait empoigner un oreiller et le serrer contre elle pour tenter de ressentir un peu la chaleur de cet homme contre son corps, maintenant éveillé à l'amour, et trop peu souvent rassasié.

Dans le quotidien, il lui était de plus en plus difficile de cacher sa liaison à son jumeau. Une telle passion l'habitait qu'elle devait veiller à chacune de ses paroles pour ne pas la révéler spontanément. La décision impulsive de garder pour elle ce pan de sa vie lui était venue dès le début et elle ne l'avait pas remise en question. Pourquoi? Elle n'en savait trop rien; peut-être pour protéger cet amour de la mesquinerie des autres… Peut-être surtout parce qu'elle admettait qu'il était fragile.

Indépendamment de ces raisons, elle étouffait tellement de ne pas confier le trop-plein de son cœur, qu'elle écrivit à Diane. Mais elle déchira la lettre devant sa difficulté à parler de Mario sans avouer qu'il était marié. La seconde version s'avéra tout aussi ardue ; plus elle essayait de rédiger cette lettre, plus elle se rendait compte du carcan de clandestinité qu'elle s'imposait. Elle se contenta finalement d'une lettre anodine et souhaita à sa sœur une belle année 1969, et l'Amour ! En février, elle reçut une longue lettre d'Afrique. L'épaisseur de l'enveloppe lui laissa espérer des confidences détaillées sur le copain de Diane, mais le propos était tout autre.

... et on est finalement arrivés au but de notre voyage du congé des fêtes : les falaises de Bandiagara, au Mali. Des falaises de roches formées de strates horizontales et inégales où, dans de petites cavernes horizontales, on enterre leurs morts. Et tu sais ce qu'il y a au pied des falaises ? Des villages où les gens vivent constamment «sous le regard de leurs aïeux»!

Nous imagines-tu, toutes les deux, vivre sous le regard constant de nos ancêtres en général et de notre mère en particulier ? Tu me diras que les morts ne nous regardent pas : ils sont morts! Mais quand même, ça m'a drôlement trotté dans la tête. Je suis au bout du monde et, des fois, je m'entends parler comme notre mère. Non, mais, ça se peut pas! Des fois, c'est comme si je l'entendais me critiquer jusqu'ici. Je me trouve tarte comme c'est pas possible.

Rassure-toi, ça m'arrive seulement quand je suis déprimée. Pas de radio, pas de télé, trop chaud pour lire, loin de tout le monde, avec toutes sortes de bibittes... Tu me connais : moi, il faut que ça bouge. Eh bien, crois-le ou non, je suis en train de devenir aussi lente que les gens d'ici. Je n'avais jamais autant réalisé à quel point le climat influence les comportements. Encore un an et demi de ce régime-là et, c'est le cas de le dire, tu ne me reconnaîtras plus. Et moi non plus!

L'évocation de la falaise faite cimetière était exotique, mais son effet sur Diane était une véritable révélation et bouleversait toutes les apparences. Marie-Andrée avait toujours perçu sa sœur comme opposée à sa mère, n'éprouvant aucune affection véritable envers elle. Ce qu'elle avait cru une incompatibilité de caractères se révélait aujourd'hui tout autre chose : Diane se sentait trop vulnérable face à sa mère et fuyait son emprise. Plus encore, elle souffrait de cette relation difficile; elle en avait souffert au point, peut-être, de fuir le plus tôt possible à Montréal et, l'an dernier, le plus loin possible, en Afrique.

Marie-Andrée ressentit brusquement la solitude de sa sœur et eut spontanément un grand élan d'affection envers elle. Solidaire de Diane comme jamais, elle se découvrait unie à elle par une souffrance qu'elle identifiait et acceptait aujourd'hui seulement : la difficulté d'aimer une mère qui, sans doute inconsciemment, obligeait ses filles à s'éloigner d'elle pour respirer. Diane, comme elle, avait été forcée de partir pour se trouver parce que leur mère n'acceptait pas qu'elles soient vivantes en dehors d'elle, ou autrement qu'elle — elle ne savait plus au juste.

Ses réflexions s'approfondirent davantage, lucides, sans complaisance. «Et moi, est-ce que je vis sous le regard de maman? Est-ce que je me conforme à ce qu'elle veut? Dans tout ce que je fais, c'est sa manière de vivre ou la mienne?» Sa pensée revint inexorablement à Mario et elle se rassura. «Là-dessus, je ne pense pas que ce soit la façon de vivre de maman. Et je suis certaine que je ne vis pas cette aventure avec lui seulement pour faire le contraire des principes de maman.» Cette seule idée la fit rire tant elle lui paraissait saugrenue. Mais son rire sonnait faux; faire le contraire, n'était-ce pas malgré tout agir par rapport aux critères de quelqu'un d'autre?

Dans un urgent besoin de se rassurer, elle répondit à Diane et se décida à parler de ce qui remplissait son cœur : elle avait rencontré un homme, il était charmant et elle vivait des moments de bonheur extraordinaires avec lui. Mais, pour l'instant, elle préférait garder cette relation secrète et elle lui demandait la discrétion à ce sujet.

Cependant, quelques mots dans une lettre ne suffisaient pas. Son secret l'étouffait. Profitant impulsivement de la fin de semaine pour revoir Françoise, elle qui taisait sa relation depuis plus de deux mois s'ouvrit totalement, ne pouvant plus s'arrêter d'en parler tant elle avait contenu ses confidences si longtemps et si difficilement. Quand la source fut tarie, Françoise, qui n'avait encore rien dit, serra ses mains dans les siennes.

— Tu mérites tellement qu'on t'aime, lui dit-elle affectueusement.

Elle n'ajouta rien, taisant les appréhensions qui l'habitaient depuis qu'elle avait deviné cette liaison avec un homme sans doute engagé ailleurs.

Le jeudi suivant, vers trois heures, Lorraine transmit à Marie-Andrée un texte qui devait être mis à jour avec un document plus récent, et remis au directeur dès neuf heures le lendemain matin.

— Il me l'a donné ce matin pour toi quand tu t'es absentée deux minutes, mais je l'ai oublié, s'excusa-t-elle.

Sa collègue la fusilla du regard, sachant que Mario serait chez elle vers cinq heures trente. Elle se mit immédiatement à l'ouvrage, mais elle était si impatiente qu'elle travaillait mal et devait lire le même paragraphe deux ou trois fois pour s'assurer qu'elle avait tout intégré, ce qui doublait son travail et la stressait encore davantage. L'autre l'observait, par-dessus son bureau, jeter un coup d'œil à sa montre régulièrement. Vers cinq heures, elle lui proposa de finir le travail.

— Si c'était une révision de texte, je ne serais pas assez bonne, c'est pas ma spécialité. Mais ça, il n'y a pas de problème ; j'ai seulement à confronter les deux documents.

— Tu ferais ça ?

— Après tout, c'est ma faute. C'est moi qui ai oublié de te remettre le texte.

— Je suis contente que tu ne sois pas pressée de partir, dit Marie-Andrée pour se déculpabiliser, tout en étant étonnée de cette gentillesse.

— Pas autant que toi, ça a l'air, répondit Lorraine en la narguant avec une lueur d'insolence.

Sa collègue se moquait bien de ce qu'elle pouvait penser. L'offre avait été faite et elle accepta, remercia et s'esquiva sans demander son reste.

Quand Lorraine eut terminé la tâche, elle remit le document au directeur, qui travaillait tard ce soir-là, avec un commentaire :

— J'ai donné les textes à Marie-Andrée ce matin, mais elle a oublié de s'en occuper. J'ai pensé que c'était peut-être urgent, alors je m'en suis chargée, en plus de mon travail.

Loin de tout cela, Marie-Andrée retrouvait son amant, gourmande et généreuse. Dans un élan de passion, elle lui mordilla le cou.

— Aïe ! Pas de marques ! s'écria-t-il avec un mouvement de recul.

Le reproche lui poignarda le cœur. *Pas de marques !* Pas de traces ! Comme si elle n'existait pas… Comme si leurs ébats n'existaient pas. Elle en fut si refroidie qu'il s'en aperçut. Il fit la moue.

— Tu le sais que je suis marié. Si tu veux qu'on continue à se revoir, fais pas exprès pour chercher le trouble.

Elle enfouit sa tête dans le cou de l'homme pour cacher les larmes qui perlaient à ses yeux. Il se rhabillait quand la porte d'entrée s'ouvrit inopinément. Marie-Andrée regarda rapidement du côté de la porte de sa chambre : elle était bien fermée. Ils entendirent Luc entrer, rejeter bruyamment ses bottes, puis entrer dans sa chambre, ouvrir et refermer un tiroir...

— Ne bouge pas, chuchota-t-elle. Il va peut-être repartir.

Au contraire, ils l'entendirent passer dans le couloir et aller à la salle de bains. Marie-Andrée jeta machinalement un coup d'œil sur la chaise au pied du lit, où Mario déposait toujours son manteau. Puis l'eau de la douche gicla. Alors elle pressa Mario de partir sans tarder, profitant de ce bref répit.

— Tu pourrais me présenter, marmonna-t-il.

Le reconduisant en silence, elle lui ouvrit la porte extérieure et l'embrassa furtivement en murmurant :

— Pas de traces...

Francis garait son auto au pied de l'escalier. Il leva les yeux pour voir si Luc descendait et, à sa grande surprise, vit plutôt un homme inconnu et Marie-Andrée, en robe de chambre à ce qu'il lui sembla, qui lui envoyait un baiser furtif des doigts. Il ne la vit pas, cependant, retourner à sa chambre et s'y enfermer, le cœur tout retourné de l'exclamation *Pas de marques!* et des réflexions douloureuses qu'elle suscitait chez la jeune femme blessée.

Mario ne donna pas de nouvelles le jeudi suivant et ne revint que l'autre semaine. Marie-Andrée l'aima passionnément pour taire l'angoisse qui lui étreignait le cœur et ils restèrent longtemps allongés en silence l'un contre l'autre.

Le lendemain soir, en route pour Valbois, Marie-Andrée, à la seule pensée d'être chez ses parents et de cacher, encore, tout ce qui l'habitait, eut la nausée. C'était sa vie personnelle et il lui appartenait d'en parler ou non, mais, pour elle, la question n'était pas là. Comment pouvait-elle se prétendre libre et authentique et, en même temps, consacrer tant d'énergie à s'empêcher de parler? Elle ne voulait qu'une seule chose, ce soir, être avec lui! Il lui manquait tellement qu'elle en aurait crié. L'amour et le manque à fleur de peau, à fleur de cœur, comment pourrait-elle passer deux jours chez des gens totalement étrangers à son amant, des gens à qui elle aurait tant souhaité le présenter? Oui, elle se l'avouait maintenant, elle aurait tellement voulu pouvoir confier à ses parents à quel point il lui donnait du bonheur, cet amant de leur fille qu'ils ne connaîtraient jamais.

Cette pensée raviva sa peine. Elle n'avait aucune photo de lui, personne ne le connaissait : ni Luc, qui pourtant cohabitait avec elle, ni ses parents, ni Diane, à qui elle n'en avait parlé qu'une fois dans sa dernière lettre, et encore, avec parcimonie. Seule Françoise avait réellement entendu parler de lui. Bien sûr, ses compagnes de travail savaient que cet homme existait sur la terre, mais elles ignoraient leur relation. Il lui vint tout à coup à l'esprit que les gens du bureau étaient peut-être au courant si Lorraine, qui avait certainement des soupçons, les avait partagés; cette possibilité lui fit mal.

Sa mauvaise conscience resurgit de plus belle. Cacher sa relation n'était pas exclusivement une question de pudeur. Elle se taisait aussi parce qu'il s'agissait d'une liaison avec un homme marié, ce qui était inconvenant à ses yeux et à ceux des autres, de tous les autres à qui elle l'avait cachée pour ne pas affronter les reproches et les blâmes. Dans l'obscurité de la Volks qui roulait en cette soirée d'hiver, elle l'admettait.

Marie-Andrée ne voulut plus que retourner chez elle, s'enfermer dans sa chambre, se lover dans les draps qui s'étaient imprégnés de l'odeur de leurs ébats de la veille, quitte à passer la fin de semaine à ne rien faire, emmurée dans sa solitude et son désarroi. Impulsivement, elle fit demi-tour au viaduc suivant, mais le chemin du retour ne lui apporta pas de repos. La route connue laissa son imagination vagabonder et lui ramena en mémoire un film qu'elle avait vu quelques années auparavant : *Docteur Jivago*. Comme elle l'avait aimé, ce film! Et comme elle avait compati aux malheurs du pauvre Yuri, déchiré entre deux amours : sa femme Tonya et sa maîtresse Lara. Marie-Andrée découvrait maintenant que la maîtresse esseulée, c'était elle. Malgré son air attachant et ses gentillesses, Yuri Jivago avait gâché la vie de trois personnes : celle de sa femme, de sa maîtresse et la sienne. Elle eut si mal qu'elle dut s'arrêter sur l'accotement pour reprendre ses esprits. «C'est ça que je suis! Celle qu'on cache!» *Pas de marques!* Mario faisait l'amour à sa femme avec les mêmes gestes intimes et Marie-Andrée pouvait voir, et devait tolérer, des traces de ces ébats, mais elle devait veiller à ne jamais en laisser. «J'ai la peste, peut-être?» Se sentant méprisée, son existence même niée, elle pleurait maintenant à chaudes larmes ce qu'elle avait réussi tant bien que mal à se cacher depuis le début de sa liaison : elle n'était pour lui qu'une aventure. Elle n'avait aucun droit dans ce trio. Elle n'avait pas de place dans ce trio.

Avec quelle naïveté elle avait cru qu'il pourrait constituer un morceau à part dans sa vie, un morceau de plus, mais il avait tout changé! Il était omniprésent dans ses pensées, le témoin des battements de son cœur, le compagnon de ses insomnies. Se l'arracher du cœur, ce serait arracher son propre cœur. Maintenant elle le savait. Maintenant elle mesurait la réalité de cet amour dans sa vie : un amour caché qu'elle ne pouvait partager avec ceux et celles qu'elle aimait. Encore une fois, elle se raccrocha au détail de ne pas avoir de photo de lui. «Je n'aurai rien de lui, comme s'il n'avait jamais existé dans ma vie.»

Elle rentra chez elle défaite, anéantie, s'enferma dans sa chambre sans enlever son manteau ni ses bottes, se jeta sur son lit en pleurant à chaudes larmes dans l'appartement désert. Pas de marques! Cet amour total qu'elle lui vouait, il n'en resterait donc rien? Son cerveau était comme vide, sans pensées, sans espoirs. La jeune femme voulait, devait savoir ce qu'il en adviendrait. De quoi? D'elle? Sa vie continuerait comme elle se déroulait maintenant depuis des mois. Mais combien de temps encore? Combien de nuits, de fins de semaine, de fêtes, de vacances même, accepterait-elle de vivre sans lui? Mais sans lui, était-ce vivre?

Vide. Son corps aussi était vide et le resterait. Elle ne porterait jamais d'enfants de lui. Elle n'afficherait jamais son amour à la face du monde. «Pauvre petit amour, se surprit-elle à penser, pauvre petit amour étouffé dans le secret, dans quelques heures volées ici et là.» Cet amour, elle le perçut tout à coup comme un petit être entre eux, ayant son existence propre, et elle le vit comprimé, refoulé et nié pour qu'il n'ose pas se montrer au grand jour. Le vilain! Qu'il serait vilain, cet amour, s'il montrait le bout de son nez ou, pire encore, s'il s'imposait effrontément à ses côtés, à table avec elle, chez ses parents, à son travail. Dans ses pensées affolées, des rumeurs sourdes jaillissaient de partout devant une telle inconvenance et son petit amour, si innocent, si confiant, baissait la tête sous le mépris et la réprobation. Marie-Andrée eut pitié de lui, tellement sans défense au milieu de tout cela. De quel droit lui infligeait-elle un tel sort? Allait-elle le laisser piétiner sans rien faire? Avait-elle du cœur, oui ou non? Recroquevillée sur elle-même, cachant son amour au creux de ses bras pour le protéger des autres, de la vie où il n'y avait pas de place pour lui, elle essaya de se consoler. «Personne ne te fera mal. Toi et moi ensemble, on va se protéger.»

Pour la première fois, elle cessait de s'en remettre à son amant pour le sort de cet amour entre eux. Il lui avait énoncé sa position : pas de marques. Mais elle, Marie-Andrée, elle ne pouvait nier son existence. Que deviendrait-il, ce pauvre amour? Elle n'en savait rien. Mais il existait et elle ne pouvait plus faire semblant de l'ignorer cent soixante-cinq heures par semaine sur cent soixante-huit! Elle finit par s'endormir avec son amour, sans percevoir que le chagrin les soudait ensemble.

Elle s'éveilla péniblement, ayant du mal à déterminer où elle se trouvait. Son corps était brûlant et elle réalisa, un instant incrédule, qu'elle portait encore son manteau d'hiver et ses bottes. Elle comprit finalement pourquoi elle s'était réveillée : son frère venait d'entrer et de mettre un disque. Quelqu'un était avec lui. «Comme d'habitude», soupira sa sœur en se déshabillant et en enfilant rapidement une longue chemise de nuit de flanelle en cette froide nuit d'hiver. Refusant de risquer de croiser qui que ce soit en allant à la salle de bains, elle se glissa sous ses draps, rabattant la couverture pour dormir. «Du cul! Pour lui, c'est juste du cul!» ironisa-t-elle, confondant Luc et Mario.

Le silence la réveilla quand le disque fut terminé. Maintenant elle entendait les craquements du lit de son frère et les soupirs habituels d'autant plus sans retenue que son frère croyait sa sœur à Valbois. Toute sa peine lui remonta au cœur et elle en voulut à son frère de sa liberté bruyante qu'il lui imposait sans le savoir.

Incapable de se rendormir ni de supporter plus longtemps d'entendre des ébats qui ravivaient son chagrin, elle eut l'idée d'aller regarder un film à la télé pour penser à autre chose. Mais elle n'avait le cœur à rien et s'emmitoufla dans le jeté qui traînait sur le sofa et se rendormit enfin. Son sommeil déjà plus d'une fois interrompu fut encore troublé. En passant dans la pénombre, deux personnes avaient heurté le sofa, réveillant la dormeuse enfouie sous le jeté. Le duo entra dans la cuisine en traversant son champ de vision embrumé de sommeil. La porte du frigo s'ouvrit et la faible lueur éclaira alors les deux corps nus. Les yeux de Marie-Andrée s'ouvrirent tout grands : c'étaient Luc et Francis.

10

La découverte des relations homosexuelles de son frère s'ajouta au désarroi de Marie-Andrée, la jetant, cette nuit-là, dans une détresse encore plus grande. Elle ne comprenait plus rien à la sexualité des hommes. Luc baisait avec des filles depuis des années et voilà qu'il faisait l'amour avec un homme. Pourtant il ne correspondait aucunement aux clichés relativement à ceux que l'on appelait avec mépris des *tapettes*; il était un homme et il en avait l'air. Rien dans ses gestes, dans le ton de sa voix, dans son style de vie ne pouvait laisser croire qu'il était homosexuel. «Et lui, qu'est-ce qu'il croit? Les filles qui ont passé dans son lit, cela rimait à quoi pour lui? Il prenait du plaisir à leur faire l'amour? Il les utilisait comme une façade? Il a changé de bord subitement?» Une brèche d'humour ironique s'ouvrit. «Maman dirait que c'est Francis qui l'a influencé... Comme si on n'était jamais capable de faire des choix soi-même. Mais pourquoi ne l'avait-il pas fait avant, ce fameux choix?»

Francis quitta discrètement les lieux. «Ils m'ont vue», pensa Marie-Andrée avant de sombrer dans un sommeil agité, épuisée par trop d'émotions douloureuses.

Le lendemain matin, elle attendit avant de se lever. Quelle attitude son frère et elle auraient-ils désormais l'un vis-à-vis l'autre? Pour étonnante et même troublante que puisse être la nouvelle orientation sexuelle de son frère, elle ne regardait cependant que lui. Ce qui concernait sa sœur, par contre, c'était une cohabitation harmonieuse. Feindraient-ils tous deux d'ignorer que l'autre savait? Elle patienta, mais il ne bougeait toujours pas de son lit; fatiguée d'attendre, chagrinée de ses propres amours décevantes, elle se résigna à se lever la première, incapable de rester couchée plus longtemps sur ce sofa inconfortable et encore moins y dormir, même si elle était épuisée.

Après avoir avalé un café qu'elle trouva insipide, elle choisit d'aller immédiatement faire sa lessive à l'une des laveries du quartier pour prendre l'air et quitta l'appartement avec soulagement. Cette évasion canalisa ses pensées sur des gestes concrets, la força à parler avec quelques habituées, bref, cela réussit à la distraire temporairement ou, du moins, à l'isoler dans une parenthèse durant quelque temps. À son retour, son frère parlait au téléphone avec sa mère. «Zut! J'ai oublié de la prévenir», réalisa-t-elle.

— Mais non, maman. Elle est restée ici, c'est tout… Pourquoi? Je n'en sais rien; ça, tu peux me croire! ajouta-t-il en lançant un regard irrité à sa sœur. Mais oui, elle va bien. Elle est allée faire des commissions ce matin. Moi? Oui, oui, je vais descendre un de ces jours… Tiens, la voilà justement qui arrive. Je te la passe. Bye.

Heureux de couper court aux reproches maternels, il lui passa rapidement le récepteur en l'embrassant furtivement sur la joue.

— Je l'ai calmée, murmura-t-il.

Ils se regardèrent et elle sut qu'il ne lui parlerait pas de la veille. La tension alourdit à nouveau ses épaules. Elle soupira et s'assit au fond d'un fauteuil.

— Maman? Ça va?… Oui, je sais, j'aurais dû te prévenir mais j'étais tellement fatiguée que je me suis endormie sur le sofa. Après?... Après il était trop tard pour t'appeler. J'allais quand même pas t'appeler à minuit!... T'aurais aimé mieux ça? Bon, d'accord, la prochaine fois... Mais non, je n'ai pas dit que je referai ça, j'ai juste dit *la prochaine fois*... au cas où...

Elle essayait de mettre fin à la conversation, mais sa mère répétait ses reproches, revenait sur ses inquiétudes, et sa fille, résignée, la laissait aller avec de grandes échappées dans ses pensées, bien loin de celles de son interlocutrice. Quand elle réussit enfin à raccrocher, Luc était déjà parti, lui laissant un mot sur la table. *Salut. Je rentrerai pas tard.* Il s'était sauvé. «Lui aussi.» Elle se sentit abandonnée. Sa mère l'avait harcelée de questions contrôlantes au lieu de lui manifester de la compréhension et de l'amour, n'ayant nullement décelé à quel point sa fille était accablée. «L'intuition d'une mère, se plaignit-elle douloureusement, mon œil!»

Dans l'appartement silencieux, sa peine amoureuse avait maintenant tout l'espace pour l'envahir à nouveau et la seule pensée de se priver de Mario lui devint intolérable. Marie-Andrée se rabattit plutôt sur l'événement de la nuit dernière pour occuper son cerveau à d'autres problèmes que le sien. Depuis quand Luc aimait-il les hommes? Lui mentait-il depuis le début de leur cohabitation? Dans sa confusion, elle adopta inconsciemment l'attitude maternelle et imagina le pire : il n'avait accepté de cohabiter avec elle que pour bénéficier d'une couverture, d'une façade. «Qui pourrait croire ça? railla-t-elle. Un frère et une sœur si charmants! Mais se servir de moi, c'est aussi malhonnête que de tromper quelqu'un. Et ces filles qui baisaient avec lui? Il les a trompées aussi?» Elle ne voulait plus penser à lui; sa tête allait éclater. Mais elle voulait encore moins penser à Mario : son cœur allait se briser en morceaux.

Elle décida de passer l'aspirateur pour s'étourdir dans le bruit, pour déloger la saleté de la maison à défaut de mettre de l'ordre dans ses relations avec les autres. Malgré le va-et-vient rageur de l'appareil sous les meubles, dans les coins et recoins, elle n'en déduisit pas moins que tous les hommes étaient pareils. «Ils se servent des femmes, même quand ils leur font l'amour!» Elle refusa les larmes et s'obstina à poursuivre son activité de nettoyage. «Non! C'est pire! Ils se servent de nous *surtout* en nous faisant l'amour!» La fête du mois d'août s'imposa à elle, et elle revit les caresses que Francis et elle s'étaient données si spontanément et qui, ce matin, lui apparaissaient si mensongères. «Les hommes se servent de nous en faisant semblant de nous aimer. Francis aussi m'a trompée en me faisant croire qu'il avait envie de coucher avec moi!» La colère de son frère lui revint en mémoire et distilla un sentiment d'humiliation désagréable. «Il était jaloux. Il voulait Francis pour lui tout seul... Je suis la dernière des imbéciles. Ils ont dû tellement rire de moi. Que je suis naïve!» Une peine de plus s'ajouta : son jumeau s'était sans doute moqué d'elle avec son copain.

La double vie de son frère l'atteignait plus durement à cause du lien privilégié qui les avait toujours unis. «On est jumeaux et il me cache des morceaux aussi importants de sa vie! Alors c'est quoi, être des jumeaux? Et des jumeaux qui habitent ensemble? Payer le loyer à deux?» Au moment où elle aurait tellement eu besoin de son réconfort, son frère créait au contraire un autre sujet de peine. Avec lucidité, cependant, elle se reprocha sa mauvaise foi : pouvait-il prévoir son retour inopportun de la veille?

Épuisée mentalement, elle se laissa tomber lourdement sur le sofa, laissant fonctionner l'appareil ménager. Elle se sentait trahie comme jumelle. Mais soudain une pensée s'imposa : et elle, ne l'avait-elle pas trahi aussi en lui cachant depuis des mois ce qu'elle vivait avec son amant? «Je ne suis pas mieux que lui.» Abrutie par le vrombissement de l'aspirateur, elle le ferma enfin et le silence, à lui seul, l'apaisa, la plongeant dans une sorte de torpeur. En une nuit, ses rêves romantiques d'amour et de fraternité avaient été transformés en chimères, en illusions. Dans son petit univers, ses certitudes s'écroulaient l'une après l'autre.

Elle dormit un peu. Prit un bain. Essaya de se maquiller. Se força à sortir. Alla souper dans un restaurant plus qu'ordinaire parce qu'elle avait négligé de changer son chèque de paie la veille. Ses déceptions se cristallisèrent autour de ce détail et lui donnèrent une ampleur démesurée. Pour un peu, elle aurait piqué une crise parce qu'elle devait toujours, comme tout le monde, prévoir avant la fin de semaine l'argent liquide dont elle aurait besoin. Puis elle s'en voulut de s'en garder si peu, sous prétexte de ne pas dépenser inutilement. Quoi que, dans l'état d'abattement où elle était, elle aurait dépensé tout ce qu'elle possédait pour ne plus penser ni ressentir quoi que ce soit. Le restaurant du quartier était bondé et, soulagée, elle crut que l'anonymat l'aiderait. Mais la solitude ne l'accabla que davantage. Son assiette à moitié pleine, elle s'enfuit de ces lieux, à la fois remplis et vides, et se coucha tôt, espérant qu'une longue nuit de sommeil réparerait tout et que, le lendemain, sa peine serait derrière elle, sa peine qu'elle refusait toujours d'exprimer, l'enfouissant depuis vingt-quatre heures au plus profond d'elle-même.

Luc rentra tôt, discrètement et seul. Il était inquiet pour sa sœur. Pourquoi était-elle revenue, vendredi soir? Que s'était-il passé pour qu'elle ne téléphone pas à leur mère pour l'avertir? De plus, il lui en voulait d'avoir découvert sa relation avec Francis. Néanmoins, il souhaitait s'assurer qu'elle allait bien, mais, devant sa chambre fermée, il se sentit rejeté.

Au milieu de la nuit, Marie-Andrée s'éveilla en sueur. Elle étouffait. Sa gorge, sa poitrine étaient écrasées sous un poids insupportable. «J'étouffe... j'étouffe...» Ses mains dénudèrent sa gorge, repoussèrent les couvertures, tentant de la libérer de ce poids invisible qui l'écrasait. «J'étouffe...» Était-elle éveillée? Rêvait-elle? Jamais elle n'avait éprouvé une telle frayeur de mourir étouffée. La douleur devint si intolérable qu'elle se mit à crier de panique. À peine assoupi, Luc l'entendit et se précipita à son chevet.

— Marie-Andrée, qu'est-ce qu'il y a? Qu'est-ce que t'as?

Elle s'agrippa à lui, la bouche ouverte, cherchant de l'oxygène.

— J'étouffe... j'étouffe...

— Marie-Andrée, m'entends-tu? hurla-t-il, paniquant à son tour.

Sa sœur sembla enfin percevoir sa présence et ses yeux perdirent un peu de leur effroi.

— Luc... t'es là...

Il s'allongea près d'elle, la protégeant maladroitement de ses bras, essayant de la calmer. Sa sœur s'apaisa peu à peu, rassurée par sa présence.

— J'étouffais... ça faisait tellement mal...

Il ramena les couvertures sur elle parce que maintenant elle grelottait. Elle se blottit contre lui, cherchant désespérément sa protection.

— Qu'est-ce qui te faisait si mal? lui demanda-t-il en essuyant son front en sueur avec le drap.

Le poids invisible lui descendit jusqu'au cœur. Sa peine la submergea et elle éclata en sanglots. Elle se noyait, roulée par les vagues, s'écrasant sur le rivage, encore et encore. Elle n'avait plus rien à quoi se raccrocher pour rester à flot, sauf son jumeau, là, contre elle. Il la serrait contre lui, essayant de la bercer. Il lui caressa le dos par-dessus l'édredon, comme pour l'envelopper de sa tendresse.

— Il t'a quittée, c'est ça? hasarda-t-il.

— Quittée? balbutia-t-elle à travers ses larmes. Qui?

— Ton amant... T'imagines-tu que j'ai rien vu tout ce temps-là?

— Tu le savais? fit-elle, stupéfaite. Tu le savais? répéta-t-elle, incrédule. Depuis quand?

— Depuis des mois. Depuis que tes yeux brillent comme des étoiles, depuis que tu as du feu dans les yeux, depuis que tu fais attention à ton maquillage, depuis que... tu évites de me regarder dans les yeux!

Il l'avait toujours su. S'était-il senti rejeté par elle, s'interrogea Marie-Andrée, comme elle s'était sentie rejetée par lui la nuit dernière? Puis elle se demanda pourquoi elle, sa jumelle, n'avait rien vu de sa liaison avec Francis. Son propre bonheur justifiait-il qu'elle n'ait rien perçu de ce que son jumeau vivait de son côté? Elle se chagrina de son égocentrisme et se le reprocha.

— Je ne savais pas, s'excusa-t-elle, pour toi et Francis.

Il eut un mouvement de recul.

— Ça fait pas longtemps, dit-il sèchement.

Ils ne savaient comment poursuivre une telle conversation, la plus délicate de leur vie de jeunes adultes. Elle mesurait à quel point ils étaient devenus des étrangers même s'ils partageaient le même appartement. Y avait-il encore une connivence possible entre eux?

— Tu l'aimes tant que ça? murmura-t-il.

Elle tourna sa tête contre la poitrine de son frère pour se soustraire à sa vue.

— Je ne sais plus, répondit-elle en s'obstinant à refouler ses larmes. C'est tout mêlé.

Assis tous deux contre les oreillers, ils se confièrent, retrouvant peu à peu leur complicité. Marie-Andrée parla enfin de Mario; elle se raconta librement et s'apaisa au fur et à mesure de ses confidences. Le fait de décrire la trajectoire de sa liaison lui démontra, plus clairement que n'importe quelle intervention extérieure, que ce n'était pas le genre d'amour dont elle avait rêvé. L'écoute silencieuse de son frère lui était plus bénéfique que tous les conseils, judicieux ou non, qu'il aurait pu lui prodiguer.

— Un homme marié, commenta-t-il finalement, c'est tellement pas ton genre.

Ambivalente, tiraillée entre le plaisir que lui procuraient les caresses de l'homme aimé et la mauvaise conscience qu'elle éprouvait de vivre cette passion avec un homme engagé avec une autre femme, elle ferma les yeux.

— Non, c'est pas mon genre. Je ne sais pas si ça peut être le genre de qui que ce soit, de toute façon. Il faudrait être vraiment masochiste pour choisir le rôle de maîtresse, ironisa-t-elle. Peut-être que… c'est juste… un mauvais tour de la vie…

— Les mauvais tours, murmura-t-il, c'est pas juste à toi que la vie en a joué. (Il se cacha la tête dans ses mains.) Je ne me comprends plus. Je ne me reconnais plus.

Maintenant qu'elle prêtait attention à lui, elle voyait bien qu'il souffrait, mais quelle était la solution à une telle souffrance? «Moi, je peux changer d'amant, mais Luc, il faudrait qu'il change quoi?» Cette réflexion la ramena à son interrogation des dernières heures.

— Les filles, c'était une façade?

Luc laissa retomber sa tête sur les oreillers et ferma les yeux. Sa sœur le regardait intensément, comme si elle le découvrait. Son assurance sexuelle, qu'elle lui avait tant de fois enviée, n'était-elle qu'un leurre? Et pour leurrer qui?

— Je ne sais pas. J'ai jamais pensé que j'étais... que j'étais pas... aux femmes.

Il s'arrêta, puis poursuivit rudement.

— Francis, l'autre soir, c'était la première fois.

L'espoir flotta dans l'esprit de sa sœur. Ce serait peut-être aussi la dernière fois... Prête à croire n'importe quoi, elle allongea le bras pour, à son tour, entourer d'un geste réconfortant celui qui souffrait. Mais il refusa le geste tendre parce qu'il se dégoûtait lui-même. Il se leva brusquement pour fuir dans sa chambre et réalisa du coup qu'il était nu. Accouru spontanément aux cris d'angoisse de sa sœur, il n'avait même pas pensé à se couvrir. Quand Marie-Andrée entendit son rire gêné, elle lui désigna son peignoir sur la chaise, en se mouchant.

— Prends le mien.

Il l'enfila précipitamment, malhabile. En se retournant vers sa sœur, il se vit dans le miroir, revêtu d'un peignoir fleuri rose et trop étroit pour lui. «C'est ça que je suis? Un corps d'homme avec des goûts de femme?» Marie-Andrée eut spontanément la même réflexion mais la garda pour elle.

— C'est ça que je suis devenu? cria-t-il avec détresse. Une tapette?

Il s'enfuit dans sa chambre et claqua la porte. Sa sœur l'entendit éclater en sanglots à son tour.

Marie-Andrée dut avoir recours à des compresses froides pour faire désenfler ses yeux bouffis et, le lundi matin, à un maquillage plus élaboré pour dissimuler les cernes révélateurs. Pour sa blessure au cœur, elle ne trouva rien de mieux que de s'engloutir dans le travail même si elle devait dépenser deux fois plus d'énergie pour se concentrer. Elle appréhendait déjà le jeudi et n'arrivait pas à être productive. Lorraine utilisa cette situation à son avantage et, mine de rien, elle révéla au directeur la liaison de Marie-Andrée Duranceau avec Mario Perron, le sous-traitant, tout en glissant qu'il était marié et père de quatre enfants.

Le jeudi matin, Marie-Andrée était si perturbée à la seule idée de croiser Mario au bureau qu'elle téléphona et se déclara malade. Toute la journée, l'ambivalence la tenailla, espérant et craignant tout à la fois qu'il vienne la rejoindre. Que devait-elle faire, maintenant? La journée lui parut interminable, et elle se questionna en pure perte. Le lendemain, elle voulut savoir si son amant était passé au bureau la veille, mais elle ne sut comment le demander sans éveiller les soupçons. Elle resta sur son interrogation et garda le peu d'énergie qui lui restait pour son travail et pour éviter les regards inquisiteurs de sa collègue.

Marie-Andrée décida de fuir à Valbois pour la fin de semaine; où aurait-elle pu aller, de toute façon? Comble de malchance, Françoise n'était pas là, partie avec Jean-Yves chez ses parents.

Était-ce un effet de son imagination ou plutôt de la lucidité, Marie-Andrée eut l'impression que sa mère avait deviné son aventure. En fait elle l'aurait juré tant elle décochait d'allusions aux femmes qui entraînent les maris dans des infidélités.

— Faire manquer un homme à sa promesse faite au pied de l'autel, c'est effrayant!

Louise, qui se faisait mesurer le bord d'une robe par sa mère, sursauta. Déjà irritée de ne pas avoir les moyens de s'en acheter une toute faite quand, de son côté, Yvon ne se privait de rien dès qu'il s'agissait d'un équipement sportif, elle n'était pas encline à excuser les hommes ce samedi-là.

— Bien voyons donc, maman. Qui l'a faite, la promesse de fidélité au pied de l'autel? C'est l'homme ou sa maîtresse?

— C'est l'homme, je le sais comme toi.

— Alors c'est lui qui manque à sa promesse, pas l'autre femme.

— Mais détourner un homme de son mariage, c'est grave.

— À t'entendre, répliqua Louise, les hommes sont des pauvres jouets innocents! N'importe quelle femme pourrait détourner n'importe quel homme de son mariage? Eh bien, c'est pas fait fort, ces petites bêtes-là!

Marie-Andrée éclata de rire malgré elle. Mais c'était un pauvre rire, dérisoire, qui s'appliquait autant à elle qu'à Mario. «Pas fort et tricheur, se dit-elle tristement, doublement tricheur.» Elle ouvrit les armoires et commença le dessert pour le dîner du dimanche. Entre les mesures de cannelle et de sucre, entre le tamisage de la farine et l'ajout des œufs, la réalité s'imposait petit à petit à son cerveau qui commençait à être capable d'accepter de la regarder en face.

Parmi toutes ses réflexions des derniers jours, l'une d'elle la réconfortait, puis lui apparut comme une chance inouïe : elle n'était pas enceinte. Parce que la pilule anti-conceptionnelle avait été inventée, elle avait pu aimer cet homme passionnément, sans le payer toute sa vie par une grossesse non souhaitable. Et aucun enfant ne porterait la responsabilité de leur amour. Combien de films n'avait-elle pas vus où des filles, dans des situations frôlant l'horreur, étaient rejetées à vie pour une nuit ou quelques mois d'amour, élevant seules des enfants innocents qui, à leur tour, étaient rejetés? À côté de ces vies gâchées, avait-elle le droit de tant se plaindre? Elle ne portait pas de traces dans son corps, elle gardait son emploi, son autonomie financière, sa famille, son amie Françoise... À part Françoise et Luc, personne ne saurait rien de son aventure, et même si quelqu'un l'apprenait un jour, quelle importance cela avait-il en 1969, quelle importance cela aurait-il dans les années quatre-vingt et même en l'an 2000?

Son pauvre amour qui n'avait pas d'avenir, parce qu'elle vivait à cette époque, n'aurait pas de conséquences désastreuses, contrairement à ce qui était arrivé tant de fois, à tant de femmes, pendant tant de siècles. Et il lui apparut qu'à son époque, justement, elle avait la responsabilité de reconnaître qu'il lui fallait prendre une décision.

Le jeudi suivant, la porte à peine ouverte à son amant, Marie-Andrée se dirigea résolument vers le salon au lieu de la chambre. Il la suivit et la vit se caler dans le fauteuil comme pour s'y cloîtrer.

— On joue à la chaise musicale? demanda-t-il d'un ton amusé en se penchant pour l'embrasser.

Se détournant de lui, elle frémit malgré elle sous le souffle chaud de l'homme, qui caressa sa nuque dans le même mouvement. Il se redressa, impuissant à capter un seul regard de Marie-Andrée depuis son entrée.

— Tu es menstruée? avança-t-il pour camoufler le soupçon qu'il avait eu en la voyant presque fuir devant lui.

Elle secoua la tête avec un regard nerveux. Il était encore temps de se taire, de maintenir le statu quo, c'est-à-dire les heures qu'elle avait cru des moments de bonheur et qui ne se révélaient que des heures de sexualité, plaisantes certes, mais qui n'étaient rien d'autre. Se décidant enfin à regarder Mario, elle sut qu'il avait compris. Son cœur se serra : il était déjà trop tard. Pour conserver son courage et nier sa peine, elle se détourna de nouveau et exprima calmement, presque froidement, qu'elle préférait une rupture puisque la situation était à son désavantage. Elle insista : quoi qu'il dise, elle ne reviendrait pas sur sa décision. Marie-Andrée n'en ajouta pas davantage; elle s'attendait à ce qu'il s'étonne et insiste pour poursuivre leur relation, qu'il s'excuse peut-être, qui sait? de lui avoir crié l'expression assassine : *pas de marques*. Elle comprenait son point de vue, mais cela ne changerait rien pour elle. Sa décision était prise. Mais il ne répondait rien. Le silence se prolongeait tant qu'elle tourna finalement les yeux vers lui.

— Je savais que ça viendrait un jour, lui dit-il avec un accent qu'elle crut triste.

Leurs regards se croisèrent, suspendus au temps qui allait bientôt les séparer. Mais ils n'y trouvèrent plus la flamme amoureuse. Ils étaient déjà des étrangers, chacun retranché dans son univers intérieur fait de rejet et de peine soigneusement camouflés.

— Je pensais qu'on aurait eu un peu plus de temps ensemble, dit-il en soupirant, puis il ajouta avec résignation : Ma femme commençait à trouver ça difficile.

Marie-Andrée eut un haut-le-cœur. Elle s'attendait à tout sauf à cette dérobade lâche. Elle se leva brusquement en le dévisageant d'un regard dur. Il comprit qu'il ne lui restait plus qu'à partir. Il n'insista pas; il avait trop mauvaise conscience pour cela. Le regard de la femme glissa sur l'homme qui s'éloignait d'elle et elle perçut, dans sa chair, le jeu des muscles de ce corps qu'elle avait caressé et accueilli dans ses bras. Son propre corps lui fit mal, tant il refusait ce sevrage. La porte claqua à peine, puis le son du pas familier s'estompa dans l'escalier. Ensuite ce fut le silence.

Une sorte de torpeur la figea hors du temps comme pour retarder le moment de la douleur. Une fatigue immense l'écrasa. Elle ne désira plus que prendre un bain, se laver de son désir de lui, de tout ce qui avait été son aventure. Mais une fois nue dans l'eau tiède, toute sa résistance s'effondra. Recroquevillée dans la baignoire, elle éclata en sanglots et pleura comme si toute l'eau des océans pouvait, ce soir-là, couler de ses yeux. Elle pleurait de chagrin, d'humiliation, de colère entremêlés, aggravés, si c'était encore possible, par la détresse de savoir qu'elle ne reviendrait pas sur sa décision. Tout son être pleurait, comme jamais elle n'aurait cru qu'elle, Marie-Andrée Duranceau, pourrait un jour pleurer pour un homme.

Dans les semaines qui suivirent, elle vécut comme une somnambule. Lorsqu'elle acheva de prendre les contraceptifs prescrits, elle ne fit pas renouveler l'ordonnance, question de couper le dernier pont qui la reliait à celui qui avait été son amant. Cette décision, pourtant réfléchie, lui fit mal par son caractère significatif.

De l'extérieur, tout semblait normal. Elle avait si bien appris depuis son enfance à jouer la forte, celle qui a du cran et du courage, celle sur qui l'on s'appuie, qu'extérieurement elle ne semblait pas porter de stigmates de sa rupture. Dans le quotidien, elle travaillait, inconsciente ou indifférente aux manœuvres de Lorraine; le soir elle allait au cinéma, ou regardait la télévision. Comme d'habitude. Mais un regard plus observateur, ou simplement compatissant, aurait facilement décelé des traces de la peine inconsolable : elle se déplaçait comme un automate, faisant les gestes appropriés, mais des gestes aussi vides de sens qu'une coquille creuse. C'était ce qu'elle ressentait : le vide. Le sentiment d'être dépossédée d'elle-même.

Françoise répondit à son appel de détresse. Elle la prit dans ses bras sans rien dire, impuissante devant la douleur inconsolable qu'elle avait sous les yeux. Elle fouilla dans toutes les ressources de son amitié pour essayer de trouver des mots qui aideraient Marie-Andrée, qui la réconforteraient. Mais elle ne trouvait rien.

— Je ne sais pas quoi te dire..., avoua-t-elle avec tristesse.

— Dis rien, répondit Marie-Andrée sans cesser de pleurer, reste là.

Françoise était si désemparée du chagrin de son amie qu'elle resta dormir à Montréal après son cours de traduction. Pendant les fêtes, quand Marie-Andrée lui avait confié son histoire d'amour avec un homme marié, elle avait eu peur pour elle. «Ça va mal finir. Ce n'est jamais la maîtresse qui gagne.» Puis elle avait révisé sa position en la voyant si épanouie et si confiante. Elle avait fini par croire qu'elle avait peut-être raison, après tout. Mais ce soir, ses craintes ne se révélaient que trop fondées. Dans un sens, elle était soulagée. «Plus vite ça finit, mieux c'est.» Elle n'osait imaginer Marie-Andrée vivant ainsi dans l'attente d'un homme marié durant des années.

Mais elle n'arrivait pas à comprendre que sa meilleure amie, pourtant saine d'esprit et autonome, puisse être à ce point anéantie par cette rupture avec un homme qui ne lui convenait en rien. «C'est ça le pire : c'est le dernier homme qui pouvait la rendre heureuse. Ça n'a pas de bon sens! Il est marié, il a quatre enfants et il est président de sa petite compagnie, ce qui l'oblige à travailler comme un fou. Il n'a à peu près rien à lui offrir : ni disponibilité de cœur, ni temps, ni énergie. Mais qu'est-ce qu'elle lui trouve? Il ne doit quand même pas être bon baiseur à ce point-là?»

Françoise se l'avouait, elle l'avait secrètement enviée. L'amour qu'elle connaissait avec Jean-Yves semblait bien pâle à côté de celui-là. Connaissant le caractère entier de

Marie-Andrée, elle imaginait aisément qu'elle était comblée sexuellement. Et cela la forçait à se questionner sur ses propres sentiments, parce que, si Jean-Yves avait été marié, jamais elle n'aurait consenti à devenir sa maîtresse. Elle l'aimait, croyait-elle sincèrement, mais, comme elle ne ressentait pas une pulsion sexuelle au point de tout compromettre pour lui, elle doutait de ses sentiments. «Est-ce que je l'aime vraiment? Est-ce que je suis normale?» Ce soir-là, elle était soulagée de ne pas être le genre de femme à se laisser engloutir par une passion amoureuse, même si, au fond d'elle-même, elle le regrettait un peu. Elle finit par suggérer à Marie-Andrée, pour lui faire accepter cette rupture, que Mario n'avait peut-être pas insisté parce qu'il avait sans doute mauvaise conscience de tromper sa femme et que, dans ce sens, c'était peut-être difficile pour lui aussi.

Marie-Andrée se calmait; elle en était maintenant aux larmes silencieuses.

— Je l'aime, Françoise! Je ne l'ai pas quitté parce que je ne l'aime plus, mais... pour moi. Parce que moi, je n'étais plus bien là-dedans.

— T'as eu raison, Marie-Andrée. Il fallait que tu te protèges.

Marie-Andrée renifla, se moucha.

— Je pense à lui tout le temps... C'est comme si j'avais un amour total pour lui, au fond de moi, si profondément ancré que je ne peux plus l'enlever.

— Mais tu l'aimes pour quoi? Pour quelles raisons? Il te voyait si peu souvent.

Françoise se reprochait de ne pas avoir été plus présente, plus attentive. Mais elle comprenait aussi que cela n'aurait rien changé à la situation.

Au déjeuner le lendemain matin, elle flaira un je-ne-sais-quoi qui modifiait l'atmosphère entre les jumeaux, mais comme ni l'un ni l'autre n'y fit allusion, elle ne posa pas de questions. Marie-Andrée aurait aimé se confier à elle au sujet de Luc aussi. Mais elle avait déjà tant de difficulté à assumer son chagrin amoureux qu'elle ne voulait pas y ajouter ce problème.

Quelque temps plus tard, Marie-Andrée, distraite, ne descendit pas à son arrêt d'autobus habituel, ce qui l'obligea à revenir sur ses pas. Elle marchait lentement, attentive à l'environnement inhabituel, contente de se raccrocher à quelque chose de différent, ne serait-ce que quelques minutes, pour penser à autre chose. Une petite affiche dans la vitrine d'un restaurant l'attira et elle dut presque coller son nez sur la vitrine pour la lire. *Carmen, cartomancienne.* Elle s'en amusa. «Carmen cartomancienne, ça rime!» Malgré l'incongruité de la situation, elle ne pouvait détacher son regard du numéro de téléphone. Était-ce dû à l'isolement dans lequel elle se trouvait? Au point où elle en était, qu'avait-elle à perdre? Quelques dollars?

Quand elle fut assise dans la petite salle d'attente, un étage plus haut, elle se trouva ridicule et décida de fuir, mais quand elle se leva et vit son reflet dans la porte vitrée, avec son chagrin au visage, elle se ravisa. «Si elle ne dit rien d'intéressant, je me serai payé une distraction. Si elle a des dons, ça pourra peut-être m'aider à voir clair.» Elle pensa à Françoise et regretta qu'elles ne soient pas ensemble. «On se serait bien amusées, ici, toutes les deux.» Puis elle imagina sa mère ici, avec elle. «Non, ça n'aurait pas été drôle du tout.»

La cartomancienne la regardait, debout dans l'embrasure de la porte. Marie-Andrée s'était vaguement attendue à une sorte de bohémienne avec des anneaux démesurés aux oreilles, des colliers et des bracelets clinquants, une blouse affriolante et une jupe longue. La femme, d'une quarantaine d'années, avait les cheveux bruns, courts, à la garçonne. Elle portait un jean, et une blouse ample qui semblait venir d'une autre époque ou d'un autre pays. Cela formait un tout à la fois incongru et parfaitement bien agencé, seyant, même.

— Qu'est-ce qui te tracasse à ce point-là? lui demanda simplement la femme.

Marie-Andrée en fut irritée. N'était-ce pas à *Carmen la cartomancienne* de trouver la raison de sa visite? Celle-ci sourit et l'invita à passer dans l'autre pièce, puis s'assit en face d'elle et se pencha vers la boule de cristal qui trônait au milieu d'une petite nappe blanche recouvrant un guéridon.

— Je pourrais te donner des informations sur ton avenir, lui dit-elle d'un ton calme, mais ce n'est pas ça qui t'intéresse aujourd'hui.

Un frisson parcourut Marie-Andrée, qui se concentra.

— Il y a des peines d'amour, dit l'autre d'une voix d'un ton plus bas. Mais des fois, ce serait plutôt un *souvenir* d'amour. Autrefois... dans une autre vie, tu as vécu un grand bonheur avec cet homme-là. C'est le bonheur d'autrefois que tu as retrouvé, dit-elle en faisant le geste de l'envelopper dans une bulle. C'était là! Entre vous deux. Tu l'as ressenti et lui aussi. Et c'était bon comme autrefois.

«Elle est folle ou quoi?» protesta intérieurement Marie-Andrée. L'autre la regarda avec un sourire de compassion et ajouta :

— Mais c'est du passé... Aujourd'hui, vous n'avez plus rien à faire ensemble : c'est pour ça que ça ne marche pas.

Marie-Andrée se sentit tout à coup épuisée. Comme si tout son corps lui demandait grâce. Refusant d'en entendre davantage, elle se leva péniblement, paya et sortit, brutalement éblouie par le soleil comme si elle avait été enfermée dans une caverne pendant des semaines. Après un moment de panique, elle reconnut la rue, s'orienta et se dirigea dans la bonne direction.

Le retour chez elle s'effectua dans une sorte de torpeur. Elle était indifférente à la circulation, son cerveau n'enregistrant rien, comme si elle n'avait même pas été là. Croyant marcher depuis dix secondes seulement, elle fut étonnée d'apercevoir déjà son logement. Sitôt rentrée, elle se coucha sans souper et dormit d'un sommeil de plomb.

Le lendemain matin, en ouvrant les yeux, elle promena un regard neuf sur sa chambre, comme le ferait une voyageuse qui, au retour d'un long périple, devait reconnaître un à un les objets familiers. Elle se leva lentement mais s'arrêta sur le seuil comme si elle avait oublié quelque chose. Pourtant elle portait bien sa robe de chambre, elle avait bien glissé ses deux pieds dans ses pantoufles. Se regardant dans le miroir, elle y distingua une silhouette droite, toute droite, comme quelqu'un qui s'est redressé après s'être délesté d'un grand poids. Ses yeux étaient calmes, sereins; fatigués et vidés, mais sereins.

Elle s'assit lentement sur la chaise près de la porte. «Oui, c'est comme ça que je me sentais avec Mario: bien... tellement bien. Je n'étais pas folle: c'est ça que je ressentais. Un grand amour! Et bon. Tellement bon...» Sa main gauche glissa dans ses cheveux et redescendit le long de sa gorge, jusqu'à son cœur comme pour le rassurer, le réconforter. «... mais un amour qui n'a rien à faire dans ma vie aujourd'hui.» Cela, elle le savait depuis des semaines. Ce matin, pour la première fois, cela lui sembla dans l'ordre des choses.

Pendant un long moment, le corps immobile, son cœur et ses pensées se synchronisèrent tout doucement.

Puis elle se leva lentement comme au sortir d'un rêve, d'un rêve troublant et difficile, mais qui n'était qu'un rêve. Et qui était terminé. «J'avais oublié à quel point c'est bon d'être bien, juste bien...»

11

«Si elle pense que je vais me laisser écœurer...» Elle toisa Lorraine Parker qui sortait du bureau du directeur et qui lui glissait un regard arrogant, comme elle se le permettait dix fois par jour, depuis qu'elle avait obtenu la promotion que Marie-Andrée convoitait depuis des mois. Une amertume sourde lui fit serrer les dents. «En récompense de ses vacheries!» ragea-t-elle.

Puis elle soupira, fatiguée. «Que cette promotion serait bien tombée!» Sortir du ghetto du secrétariat pour travailler de concert avec l'imprimeur de temps en temps, cela l'aurait changée de la routine. Cette fonction n'aurait pas englobé la gestion et la négociation des coûts d'impression; Marie-Andrée ne possédait pas cette expertise, mais elle aurait appris. Mais voilà, elle ne l'avait pas obtenue, cette promotion! Elle comprenait, trop tard, que sa collègue, si serviable ces dernières semaines, avait su manœuvrer habilement. Et ce qui la mettait hors d'elle, c'était que, comme Lorraine Parker avait une très mauvaise connaissance du français écrit, c'était elle, Marie-Andrée, qui, relevant désormais d'elle, allait devoir s'acquitter du travail obscur de révision de ses textes.

Elle rageait! Elle rageait d'autant plus qu'à la voir tourner autour de son ancien amant elle comprenait enfin que sa collègue avait mal pris qu'elle, jeune et naïve, ait pu devenir la maîtresse d'un homme qui la regardait à peine, elle, la rousse flamboyante. Même à cela, elle n'arrivait pas à croire qu'elle ait pu susciter une telle jalousie, que deux femmes pouvaient devenir ennemies à ce point à cause d'un homme. Et pourquoi était-elle la seule à payer cette jalousie, jusque dans sa vie professionnelle, quand le principal intéressé, lui, n'en était devenu que plus attirant pour sa rivale? Elle tombait des nues. Là aussi. «Que je suis naïve!» se blâmait-elle, en englobant, dans son amertume, à la fois Luc, Mario, Francis et Lorraine.

Encore des reproches. Il y avait cependant un grand avantage à s'adresser tant de reproches : cela diminuait d'autant la responsabilité des autres et les torts qu'ils lui avaient faits, ce qui, en bout de ligne, atténuait la souffrance causée par ces gens. Ce raisonnement tordu, et tout à fait inconscient, lui donnait l'illusion de rendre sa colère plus supportable, et, conséquemment, sa rupture et la promotion perdue devenaient un peu moins difficiles à supporter. Mais «moins difficiles» ne signifiait aucunement «faciles».

— Tiens, voici le texte à réviser. Il me le faut d'ici midi, ajouta Lorraine avec une arrogance victorieuse.

Marie-Andrée lui décocha un regard d'acier et revint à son travail, mais l'air de ce bureau lui devint tout à coup irrespirable. Non seulement y avait-elle connu Mario mais, en plus, elle continuait à l'y croiser, parfois, les jeudis. Le manque de leurs ébats passionnés se doublait de l'humiliation qu'il ait si facilement accepté leur rupture : aucun plaidoyer, aucun geste pour la retenir. Quelle fin pathétique, dérisoire! Avant, elle avait cru à une aventure; maintenant, à ses yeux, ce n'était plus qu'une mésaventure.

Toutes les humiliations subies dernièrement, et celle qu'elle subissait encore, risquaient de l'empoisonner. Il lui fallut agir pour s'en libérer. Par instinct de survie ou impulsivité, son besoin d'action se traduisit par une décision qui s'imposa brusquement à elle, sans retour en arrière possible. Quelques heures plus tard, chez elle, une deuxième décision découla tout naturellement de la première.

Le souper vite expédié, Marie-Andrée s'installa à la table de la cuisine avec feuilles et crayons et se lança dans des calculs complexes. Luc leva le nez de la télévision et lui demanda :

— Qu'est-ce que tu fais?

— Je compte!

— Tu comptes quoi?

— Je prépare mon voyage en Europe.

— Hein? s'exclama-t-il en rappliquant. Quand ça? Avec qui?

— Avec Françoise. Ça fait deux ans qu'on en parle, tu le sais.

— Elle ne sort pas avec un gars, Françoise? demanda-t-il d'un air faussement indifférent.

— Oui, mais ça ne veut pas dire qu'elle ne veut plus aller en Europe! protesta sa sœur.

— Peut-être. Mais c'est peut-être avec son *chum* qu'elle aurait envie d'y aller.

Marie-Andrée n'avait jamais envisagé cette éventualité et en resta bouche bée. Elle pensa à Mario et elle, du temps de leurs belles heures amoureuses.

— Ça se peut, admit-elle. Mais elle me l'aurait dit.

Elle se redressa sur sa chaise et s'étira rêveusement, toute à l'excitation du projet qui se réaliserait enfin. Partir. Tout laisser derrière soi. Oublier. Concrétiser enfin ce projet de voyage dont sa meilleure amie et elle parlaient depuis deux ans.

— De toute façon, je vais laisser mon emploi, donc c'est le temps d'en profiter. La conjoncture est parfaite, conclut-elle, enthousiaste.

— Laisser ton emploi? Rien que ça?

— Je laisse ma job. Je prends des vacances et au retour je chercherai du travail ailleurs.

Luc n'avait jamais pensé à aller en Europe auparavant, mais maintenant que sa sœur, qui gagnait moins que lui, s'apprêtait à s'y rendre avant lui, cela l'agaçait.

— Ouais, t'as l'air partie pour la gloire.

— Je gagne peut-être moins d'argent que toi, répliqua-t-elle, offusquée, mais ça ne veut pas dire que je n'en ai pas. Je te le répète : ça fait deux ans que j'en mets de côté pour l'Europe.

— On sait bien, tu sors jamais, lui dit-il d'un ton narquois pour se défouler.

— Ça m'empêche pas de vivre, rétorqua-t-elle.

Luc eut alors une idée inattendue : pourquoi ne pas aller en Europe avec sa sœur? N'avait-il pas besoin d'évasion, lui aussi? Mais il réalisa brusquement qu'il n'avait aucune épargne, lui qui, travaillant dans une banque, aurait pourtant dû être plus sensibilisé aux réalités financières. Il se trouva niais et en voulut à sa jumelle d'avoir épargné. Sa contrariété trouva l'exutoire idéal quand Marie-Andrée renchérit d'un ton taquin :

— En plus, comme je serai partie trois semaines sur quatre, je ne paierai pas de loyer ce mois-là; ça fera toujours ça de pris.

— Pas question! Que tu sois là ou pas, le loyer, faut le payer.

— Je ne serai même pas là. T'en mourras pas de payer le loyer tout seul, pour une fois. .

— Me niaises-tu?

— Pas du tout. Après tout, ironisa-t-elle, un homme gagne plus qu'une femme, tout le monde sait ça. C'est normal que ça nous serve un peu, de temps en temps.

Il la dévisagea d'un air ahuri.

— Réveille! Ta part de loyer, c'est toi que ça regarde.

Elle soutint son regard, étonnée.

— Puis tout le travail que je fais ici depuis un an, toute seule? L'épicerie, les repas, la vaisselle, ton repassage, ça compte pas, ça?

— Puis moi, je tiens les comptes; c'est de l'ouvrage aussi.

— Un gros ouvrage, franchement! Une heure par mois!

— J'ai aussi fait la base de ton lit.

— Une demi-journée de travail, il y a un an.

— J'ai aussi payé la télévision.

— Ça te fait plus d'ouvrage parce que je la regarde?

— Change pas le sujet, protesta son frère. J'ai rien à voir dans le fait que tu veuilles aller en Europe!

— T'auras le logement pour toi tout seul, c'est appréciable, non?

— Je l'ai toujours quand tu descends à Valbois.

— Tiens, c'est vrai, ça. Raison de plus, si tu as l'appartement plus souvent que moi, pour payer plus. Pour une fois.

La conversation s'envenima. Au début, Marie-Andrée avait proposé cet arrangement à la blague, mais les arguments de son frère la faisaient réfléchir. Et ce qu'elle découvrait lui déplaisait. Son frère lui semblait mesquin, mais elle, elle se trouvait idiote. Depuis un an, elle prenait soin de lui comme si elle était sa mère, se disant que préparer un repas ou laver la vaisselle ne la ferait pas mourir, qu'il remarquerait ces attentions et que cela resserrerait leurs liens. Après tout, n'étaient-ils pas jumeaux? Mais ce soir, elle le voyait comme un homme et se voyait, elle, comme une femme; elle ne voyait plus un frère et une sœur, mais deux êtres humains. Et force lui était de constater que l'un et l'autre ne donnaient pas de la même façon. De plus, conclut-elle avec chagrin, ils comptabilisaient différemment leurs contributions à leur vie commune. Et même, se demanda-t-elle, Luc avait-il jamais fait quelque chose pour elle ?

Luc retourna à sa télévision, mécontent de lui et jaloux de sa sœur pour la liberté que lui donnaient ses petites épargnes, accumulées semaine après semaine. Il se sentait floué quelque part. Et fondamentalement déçu de lui, de sa vie.

Dans la cuisine, le regard de Marie-Andrée effleura les armoires et les appareils ménagers, lui rappelant les repas qu'elle y préparait et servait. Elle huma l'odeur de la volaille qu'elle avait servie au souper, une odeur qui flottait encore subtilement dans l'air. Elle avait acheté le poulet au marché, l'avait cuisiné, servi, puis avait desservi la table et avait rangé les restes au frigo, et même prévu comment elle les apprêterait le lendemain. Oui, son frère avait payé la moitié du coût du repas, mais sa participation s'était arrêtée là. Comme pour le reste. Il payait le même montant qu'elle. Sans plus. Tout le travail, c'est elle qui l'assumait. Et cela allait de soi pour lui, mais aussi pour elle. C'était cela, surtout, qui lui faisait mal. Se méprisant elle-même, elle en voulut à sa mère de les avoir élevés ainsi tous les deux : l'un à recevoir et l'autre à donner.

Elle rassembla ses papiers avec colère. Oui, elle irait en Europe. Ce voyage lui était nécessaire comme l'air qu'elle respirait. Il lui fallait absolument changer d'air, ne serait-ce que pour survivre. Et elle laisserait derrière elle cette attitude servile qu'elle avait confondue avec une attitude féminine naturelle et normale.

Quelques jours plus tard, Marie-Andrée classait en chantonnant la documentation qu'elle était allée chercher dans une agence de voyage, en en faisant deux piles. Elle attendait Françoise qu'elle avait invitée à passer à l'appartement. Son invitation semblait avoir été faite à un bon moment; Françoise avait paru particulièrement de bonne humeur et l'avait acceptée avec empressement. Fébrile, Marie-Andrée regarda encore les dépliants. Tout y était : la France, la Belgique, l'Allemagne, l'Italie. Même la Suisse, au cas où... La vie l'entraînait ailleurs. Plus elle s'était documentée, plus son appétit de découvertes avait augmenté, et maintenant elle aurait voulu pouvoir passer trois semaines entières dans chacune des grandes villes d'Europe. Heureusement que Françoise et elles choisiraient les étapes du voyage ensemble; comment aurait-elle pu décider de renoncer à tant de villes extraordinaires?

Dès qu'elle arriva après ses cours à l'université, Françoise l'éblouit. Elle parlait vite, ses yeux brillaient; elle était volubile et expansive comme jamais auparavant. Elle embrassa Marie-Andrée sur les deux joues, contenant difficilement son impatience.

— C'est peut-être pas un bon temps pour toi pour apprendre ça, mais si tu ne m'avais pas appelée, je serais venue quand même après mes cours. Marie-Andrée... tu ne sais pas ce qui m'arrive! Jean-Yves et moi, on va se marier!

La nouvelle lui alla droit au cœur! Elle avait tellement souhaité que sa meilleure amie trouve l'amour! Mais cela se concrétisait quand elle-même se débattait dans sa peine et ne voulait plus que fuir sa souffrance le plus loin possible, jusque sur un autre continent si possible. Et cette nouvelle heureuse la ramenait à elle, à son amour malheureux qui lui faisait mal. À son désarroi s'ajouta le reproche qu'elle s'adressait d'être incapable de partager le bonheur de Françoise, qui l'avait bien mérité. Devant son silence, celle-ci précisa nerveusement :

— C'est juste dans deux ans, quand Jean-Yves aura fini son cours de médecine.

Elle attendit. Marie-Andrée l'embrassa enfin, la félicita sincèrement, s'efforçant d'accueillir de son mieux l'annonce de cet événement heureux. Françoise finit par ajouter :

— Évidemment, ça change mes plans. Tu comprends bien que l'argent que j'ai mis de côté, c'est à ça qu'il va servir. Quand Jean-Yves aura fini son cours, il aura de grosses dettes d'études. Et puis il va falloir qu'il s'ouvre un bureau, qu'il s'équipe, tout ça. Avec nos deux salaires et mes économies, on n'en aura pas de trop.

Tout s'effondrait. Marie-Andrée n'arrivait plus à cacher la déception qui lui tombait dessus. Françoise était si décontenancée de son silence et de son visage désemparé, qu'elle en perdait sa joie.

— Je sais que c'est pas un bon moment pour toi d'apprendre ça mais… j'avais tellement hâte de te le dire… Marie-Andrée, tu te rends compte? Je vais me marier!

Devant son bonheur, Marie-Andrée se ressaisit et la félicita encore; il y en avait au moins une des deux heureuse en amour. Cela lui faisait du bien, tout compte fait, de la voir dans un tel état et elle se souhaita de le connaître un jour.

— C'est vrai que c'est le contraire de ce que je vis en ce moment. Mais, au fond, tu me prouves que l'amour existe. C'est peut-être le plus beau cadeau que tu me pouvais me faire.

Françoise respira de soulagement.

— Pour le voyage qu'on envisageait… j'espère que tu seras pas trop déçue. De toute façon ça faisait longtemps qu'on en avait pas reparlé.

La dernière phrase était de trop et elle la regretta. Marie-Andrée se réfugia dans son rôle d'amie compréhensive.

— Un voyage, même un beau voyage, ça ne se compare pas avec une vie à deux. Je te comprends. Françoise, soulagée, voulut bien la croire, tout de même chagrinée qu'elle ne puisse partager la joie de son mariage en ce moment.

— Et toi, qu'est-ce que tu avais à me dire? demanda-t-elle tout à coup, pressée de changer de sujet. Tu avais l'air tout excitée au téléphone.

Lorsqu'elles se quittèrent, chacune garda un arrière-goût de la rencontre. L'une d'être incapable de se réjouir pleinement du bonheur de son amie et l'autre de compromettre le voyage en Europe qu'elles avaient maintes fois évoqué. Françoise avait en effet constaté que Marie-Andrée semblait y tenir encore beaucoup à en juger par la pile de dépliants touristiques.

Le projet de mariage fit cependant réfléchir Marie-Andrée. Était-elle prête à un engagement à vie comme le mariage? «Je ne fais que partager un logement avec mon frère et je me conduis comme une mère. Qu'est-ce que ce serait si j'avais un mari?» Cette vision d'elle-même maternant son conjoint la fit frémir. «À me voir aller, c'est clair que je ne suis pas prête pour ça, jugea-t-elle en soupirant. Avec mon frère, ça n'a pas beaucoup de conséquences, on ne passera pas notre vie ensemble. Mais si Luc était mon conjoint...» Combien de mauvais plis n'avaient-ils pas pris, déjà, en moins d'un an. S'ils avaient développé ces habitudes dans le cadre d'une relation de couple, donc en principe pour la vie, aurait-il été possible de rectifier le tir facilement? Était-ce long de modifier l'attitude et l'habitude de recevoir en celle de donner à son tour, sans avoir l'impression de céder mais bien de donner par choix, par souci d'équité? Marie-Andrée doutait même que cela soit possible, mais elle soupira encore davantage en pensant à elle. Et recevoir ? Cela prenait combien de temps, d'essais et de rechutes avant d'accepter de recevoir, de considérer cela comme... presque normal ? Sa mère avait-elle appris ? Le troisième soupir fut encore plus profond que les deux premiers.

Heureusement, elle ne s'inquiétait pas pour Françoise, si sérieuse, si réfléchie, qui ne tomberait sûrement pas dans un tel piège. Mais sa certitude fut rapidement ébranlée par un souvenir. Quand elles s'étaient trouvé du travail à Montréal, Françoise n'avait finalement pas quitté Valbois, craignant d'avoir la mort de son père sur la conscience ; quelle qu'ait été la raison motivant son choix, elle s'était sacrifiée pour quelqu'un d'autre. Et maintenant, elle sacrifiait l'Europe pour la carrière de Jean-Yves. «Et toi, Françoise, t'es où, là-dedans ?»

— Tu les as vraiment invités ? demanda Luc quelques jours plus tard. Ils viennent vraiment samedi soir ? ajouta-t-il, encore plus étonné que les invités de sa sœur aient accepté.

Pour Marie-Andrée, renoncer à l'Europe était hors de question : c'était une question de survie pour elle en ce moment. Au point où elle en était, elle partirait seule s'il le fallait. Aussi avait-elle décidé d'officialiser sa décision le plut tôt possible pour s'empêcher de revenir en arrière et, par la même occasion, pour se créer un moment heureux, parce que les récentes déceptions menaçaient sa sérénité devenue très fragile.

Mais qui inviter ? Françoise et Jean-Yves ? C'était trop lui demander dans les circonstances. Luc et Francis ? Ses problèmes lui suffisaient amplement sans qu'elle en rajoute. Ses parents ? Les dernières choses qu'elle avait envie d'entendre, c'étaient des reproches. Louise et sa famille ? L'appartement était trop petit pour les trois marmots et quatre adultes. En désespoir de cause, elle s'était rabattue sur Marcel et Pauline, les plus près géographiquement même s'ils étaient les plus éloignés affectivement. À sa grande surprise, ils avaient accepté d'emblée cette première invitation en un an.

— Je ne t'ai pas consulté avant, admit Marie-Andrée, mais ça c'est fait vite.

— Je m'en fous. De toute façon, j'ai d'autres plans pour samedi soir.

— Hein ? fit sa sœur, paniquant. C'est la première fois qu'on les invite ! Tu ne vas pas me laisser seule avec eux ? supplia-t-elle, ayant perdu toute son assurance.

— Pourquoi je resterais ? Ils ne nous ont jamais invités en un an.

— Nous non plus ! Ah… une fois en un an, insista-t-elle, c'est si pénible que ça ?

— Tu le sais, Marcel et moi, on n'a rien à se dire.

Il songea à son aventure avec Francis : voilà une autre partie de sa vie que son frère aîné ne comprendrait pas. Sa sœur le vit se rembrunir et devina ses pensées.

— T'es pas obligé de leur présenter Francis…

— Ni toi, Mario…, répliqua-t-il sèchement.

Leurs problèmes respectifs ainsi évoqués les chagrinèrent.

— Un amant pour le petit frère et un homme marié pour la petite sœur ! ironisa Luc d'un ton doux-amer. Si la famille savait ça, elle péterait au frette !

Il se tut. C'était la première fois qu'il faisait allusion aussi précisément à son homosexualité et à la liaison de Marie-Andrée. Ils se sentirent tous deux fatigués et tristes. Marie-Andrée se croisa les mains derrière la nuque, le visage à nouveau assombri. Luc regretta de gâcher les efforts de sa sœur pour se sortir de sa peine. Dans un sursaut, il s'avoua qu'il avait besoin de se distraire de son chagrin et de ses soucis tout autant qu'elle et l'idée de partir en voyage avec sa sœur lui revint en tête. Il lui manquait l'argent, soit, mais sa banque pourrait-elle vraiment lui refuser un prêt, somme toute, minime ?

— Bon, bon, c'est d'accord. Ça va nous changer les idées. J'apporterai quelques joints.

Elle se leva brusquement, irritée par le souvenir que cette dernière phrase lui rappelait.

— Pas pour moi, merci.

L'organisation du repas l'accapara et la sortit temporairement de ses problèmes. Cependant, préparer à souper pour son frère aîné et sa femme, un couple habitué à recevoir, lui causa plus de stress qu'elle ne l'aurait imaginé. Pour un peu, elle aurait suggéré qu'ils aillent à la pizzeria ! Après avoir changé de menu quatre fois, elle se décida enfin, cuisina et s'en tira fort bien. À l'instar de sa mère, elle dressa si joliment la table que les invités en furent impressionnés. Marcel dut convenir que sa jeune sœur n'était plus une fillette mais une hôtesse accomplie, à en juger par la table et l'arôme qui chatouilla agréablement ses narines. D'habitude si sûr de lui, il se sentit presque intimidé par cette sœur qu'il n'avait pas vue devenir une femme, et mignonne en plus. Il se réfugia derrière une remarque railleuse.

— Ouais, ma petite sœur, lui dit-il en restant sur le seuil de la cuisine exiguë, je te savais pas bonne à marier de même.

La sœurette lui lança un regard courroucé.

— Je cuisine parce que j'aime ça.

— Fâche-toi pas, j'ai juste dit ça de même.

— T'as rien vu encore ! s'exclama Luc. Prépare-toi pour le dessert ! Pour aller avec ça, j'ai acheté un petit rosé pas pire : un Royal de Neuville. En attendant, prendrais-tu un apéro?

Ce n'était pas seulement pour accompagner le repas qu'il avait acheté un rosé; la banque avait accepté sa demande de prêt et il voulait annoncer à Marie-Andrée qu'elle pouvait préparer son voyage en paix : il partirait avec elle. Au salon, Marcel parla de son travail, un terrain neutre et facile. À la cuisine, les femmes ne savaient trop quoi se dire; c'était la première fois en dix ans qu'elles se retrouvaient en tête-à-tête. N'ayant échangé que quelques regards de temps et temps, une blague, des vœux du nouvel an, que savaient-elles l'une de l'autre?

— As-tu besoin d'aide? demanda Pauline pour se donner une contenance.

Sa jeune belle-sœur, voulant être une hôtesse parfaite, comme le lui avait montré sa mère, refusa poliment, croyant devoir tout assumer elle-même.

— Non, non, c'est presque prêt.

Elle ouvrit la porte du four et jeta un coup d'œil au rôti. L'invitée déduisit qu'il avait été préparé selon une autre recette que celle de sa belle-mère parce que l'arôme qui s'en dégageait n'était pas le même; il avait dû être assaisonné avec des herbes différentes. Elle s'alluma une cigarette, ce qui agaça Marie-Andrée qui ne fumait pas, chercha le livre de recettes et le repéra sur le coin du comptoir. Elle le feuilleta pour entretenir la conversation.

— Tiens, toi aussi t'as acheté le livre de recettes de Dominion? (Elle se trouva stupide.) C'est sûr que si tu l'as, se reprit-elle, c'est parce que tu l'as acheté…

En entendant la remarque naïve et le ton intimidé de sa belle-sœur, dont elle avait tant admiré l'assurance, Marie-Andrée se tourna vers elle, la découvrant différente.

— Oui, il vient de sortir, précisa-t-elle pour dissiper le malaise. Je ne connaissais pas grand-chose à la cuisson des viandes mais, avec ce livre-là, je commence à me débrouiller.

— Ah! les femmes! lança Marcel de l'autre côté des portes vitrées qui séparaient les deux pièces, toujours en train de parler popote.

Elles se regardèrent et sourirent devant la remarque stéréotypée de l'homme.

— Entre autres, répondit sa sœur du tac au tac.

— Ah oui? fit-il amusé. Et de quoi d'autre parlez-vous?

— Des hommes, voyons! dit sa femme d'une voix où pointait une certaine amertume, en le rejoignant au salon et en prenant l'apéritif que lui tendait Luc.

— Tu viens de te faire boucher, mon Marcel! lança son cadet.

— C'est ça, mettez-vous tous sur mon dos! s'exclama l'aîné en s'efforçant de le prendre avec humour. En tout cas, si vous parliez pas de cuisine, ça sent bon quand même. Puis j'ai faim, en plus!

Tout le monde passa à table. La cuisine était minuscule. Le mur mitoyen la séparant du salon, avec ses portes à carreaux, était joli et créait une ambiance de salle à manger. Les trois autres murs, par contre, rappelaient indéniablement la cuisine : on y voyait des armoires étroites qui montaient jusqu'au plafond, le vieil évier en porcelaine, la cuisinière et le réfrigérateur usagés, et la porte qui donnait sur une étroite galerie menant à la remise.

Mais ces lieux exigus étaient invitants parce qu'il y flottait des arômes décidément très appétissants. De plus, la porte ouverte sur la galerie arrière amenait de l'air frais qui aérait la petite pièce; heureusement d'ailleurs, sinon elle aurait été complètement enfumée par les cigarettes qui se succédaient sans arrêt. Marie-Andrée voulait aborder le motif heureux du souper, mais se sentait moins assurée qu'au moment de son invitation, ses projets de vacances en Europe n'étant pas plus avancés que quelques jours auparavant parce qu'elle ne se décidait pas à partir seule. Luc la regardait, attendant impatiemment qu'elle en parle pour lui annoncer sa nouvelle. Mais elle mentionna plutôt sa décision de changer d'emploi.

— Pourquoi? demanda Marcel. T'es pas bien là où tu es?

— On peut toujours trouver mieux, répondit-elle laconiquement.

Ses frères ne s'inquiétaient pas pour leur sœur. Elle se trouverait facilement un nouvel emploi : le moindre diplôme ouvrait des portes. Tant pis pour la compagnie si elle ne la retenait pas en lui offrant des conditions de travail plus intéressantes.

— As-tu déjà pensé aux banques? lui demanda Luc.

— Je ne suis pas commis, je suis secrétaire.

— Il y a aussi des emplois de secrétaire dans les banques.

Effectivement, pourquoi pas une banque? Son expérience en comptabilité à Valbois lui revint en mémoire; elle avait aimé ce travail. Ce serait peut-être une voie intéressante. L'important était de travailler ailleurs. Brusquement, elle cessa de tergiverser.

— Je vais en Europe cet été, annonça-t-elle triomphalement.

Voilà! C'était officiel maintenant, elle l'avait dit. Elle était contente d'elle, se réjouissait d'avance de son voyage. De plus, elle goûtait le plaisir d'impressionner son frère aîné et sa belle-sœur. Mais ils se lancèrent de tels regards courroucés qu'elle s'offusqua.

— C'est quoi, le problème? J'ai pas le droit d'aller en Europe?

Sa belle-sœur toussota et découpa finement sa tranche de rôti avec des gestes élégants.

— Au contraire, c'est une très bonne idée. Moi, je veux aller en France, dit-elle posément mais fermement. Ma sœur Monique y est allée l'an passé et elle m'en a tellement parlé que je veux y aller cette année.

— Ah oui?

Marie-Andrée, ravie de la coïncidence, la questionna avec tant d'enthousiasme que Luc dut attendre pour révéler sa surprise. Pour sa part, Pauline, étonnée et heureuse de trouver une interlocutrice intéressée, parlait et s'enflammait, comme si elle cherchait à se persuader elle-même. Marcel déposa son couteau d'un geste sec.

— Moi, ça m'intéresse pas.

Un malaise tangible refroidit l'atmosphère. Pauline s'essuya les lèvres avec sa serviette de table et Marcel fit valser le vin dans sa coupe en revoyant la scène qu'ils avaient eue en se préparant pour la soirée. Les demandes répétées de sa femme ne le feraient pas changer d'idée, avait-il dit; il n'irait pas en France. Elle avait insisté et le ton avait monté. Il avait fini par refuser catégoriquement d'y aller, puis avait déclaré qu'il ne voulait plus en entendre parler. Plus encore, sûr de lui parce que sa femme était trop dépendante de lui pour accepter son offre, il avait proposé avec arrogance qu'elle y aille, elle, si elle y tenait tant. Il ne l'empêcherait pas.

Et voilà que, à peine deux heures plus tard, le projet de sa sœur ravivait cette discussion. La benjamine, qui ne soupçonnait rien de tout cela, ne voyait qu'un projet emballant. Luc rompit le lourd silence.

— T'aimes pas la France? demanda-t-il à son frère.

— La France, je dis pas non. C'est les Français qui me dérangent, ajouta ce dernier en lançant un regard irrité à sa femme. Monique les aime peut-être, mais moi...

— Un Parisien, c'est pas représentatif de la France, nuança sa femme. Monique disait que...

— Un Français baveux, ça reste un Français baveux, décréta-t-il.

Sa sœur l'écoutait distraitement, encore dans le récit du voyage de Monique qui avait raffolé des musées, des châteaux, de la cuisine, des vins, etc. Les filles recommencèrent à bavarder, enthousiastes, se stimulant l'une l'autre. Leurs voyages leur semblaient, ce soir-là, des rêves sur le point de se concrétiser. Pour la première fois depuis longtemps, Marie-Andrée se redécouvrait avide de vivre et de rire, et en plus, réalisa-t-elle tout à coup, libre de modifier ses projets, n'ayant plus personne à consulter. Dans l'euphorie de la conversation animée et du vin, rendue audacieuse par la tension des dernières semaines, Marie-Andrée proposa impulsivement à Pauline qu'elles voyagent ensemble. Celle-ci, encore sous le choc du refus catégorique de son mari de lui accorder ce plaisir, hésita un instant, puis accepta tout aussi impulsivement, par dépit, prenant sa belle-sœur par surprise et laissant les deux frères déconcertés, Luc encore plus que Marcel!

— Si on vous dérange, lança Luc d'un ton cassant, faut nous le dire!

Elles prirent alors conscience des deux autres convives. L'hôtesse constata que le plat principal était terminé depuis longtemps, que le cendrier était plein, et que le dessert et le café se faisaient attendre. Elle s'excusa en riant et desservit, puis leur apporta un gâteau au chocolat recouvert d'une mousse succulente cuite au bain-marie. Marcel s'en délecta, mais ses compliments étaient aigres-doux.

— Tu cuisines quasiment comme un chef! Pas besoin d'aller en France, ma petite sœur!

Plus tard, quand Marie-Andrée referma la porte sur ses invités, elle dégrisa. «Qu'est-ce que j'ai fait là? Qu'est-ce qu'on va trouver à se dire pendant trois semaines?»

Le lendemain matin, sa belle-sœur pensait à peu près la même chose, mais elle persista dans sa décision simplement pour s'opposer à son mari qui, piégé, ne pouvait pas, décemment, chercher à dissuader sa femme de voyager avec sa propre sœur. Lorsque les deux femmes se rencontrèrent pour préciser les détails du voyage, elles eurent un premier affrontement au sujet de la destination. La France ou l'Europe? Marie-Andrée céda, mais pour une raison que Pauline n'aurait pas appréciée : le voyage en Europe avait été rêvé avec Françoise et elle ne pouvait se résoudre à le réaliser avec quelqu'un d'autre. Tant qu'à changer de partenaire, autant modifier aussi la destination.

— Qu'est-ce que t'aimerais voir puisque tu tiens tant à la France? demanda-t-elle avec un soupçon de rancœur.

— Oh, je suppose que Monique va me suggérer des choses intéressantes, répondit évasivement Pauline.

Laisser quelqu'un d'autre planifier leur voyage? Marie-Andrée s'inquiéta. «Est-ce qu'il va falloir que je décide pour elle en France? Déjà que je sacrifie les capitales d'Europe, je ne vais pas la traîner en plus!» Regrettant sa réaction, sans doute trop vive, elle écarta ce problème potentiel, et se concentra sur les lieux touristiques parisiens, dont elles firent une longue énumération. Cela l'amusait de penser qu'elle irait à Lutèce, le Paris d'Astérix, le personnage des bandes dessinées à la mode.

— Mais on ne restera pas seulement à Paris! insista-t-elle. J'aimerais bien voir des châteaux. Tant qu'à y être, il y aurait peut-être aussi la Bretagne, question d'aller voir les menhirs d'Obélix!

— J'ai une idée! proposa Pauline. Pourquoi on n'irait pas voir ma sœur? Elle nous montrerait ses diapositives, elle nous donnerait des trucs.

Elles s'y retrouvèrent le jeudi soir suivant. Marie-Andrée trouva la coïncidence ironique : Mario n'avait pas emporté avec lui tous les jeudis soir de sa vie! Dès que Monique leur ouvrit, toute l'énergie fut renouvelée. Elle était aussi fonceuse que sa sœur était timorée. Ses cheveux, aussi bruns que ceux de sa jeune sœur mais coupés en balai sur la nuque, oscillaient au moindre de ses mouvements et, comme elle était expressive et extravertie, semblaient danser autour d'elle. À cette image, Marie-Andrée se questionna. L'orientation sexuelle de son jumeau refit surface. Était-ce un signe d'homosexualité si elle trouvait que la sœur de Pauline était une belle femme? Devant le rire spontané des deux sœurs, son doute s'estompa. «Le fait d'être hétérosexuelle n'empêche pas de voir la beauté, franchement!» Elle rit à son tour de la blague qu'elle venait d'entendre et de sa crainte maladive à la suite des confidences de son jumeau, et elle prit lentement une deuxième gorgée de vin.

Elle flottait. Elle irait en France — qui était en Europe — dans deux mois. Mais elle regretta que ce ne soit pas Monique, sa partenaire de voyage; elle semblait tellement plus vive et dynamique que la réservée et secrète Pauline. Plus elle la côtoyait, plus elle était déçue de sa belle-sœur qui semblait manquer dramatiquement d'autonomie. Quant à Monique, elle lui rappelait Diane par sa débrouillardise, son sens pratique et son franc-parler. «Je comprends pourquoi Marcel ne s'entend pas avec elle; il doit se sentir menacé par son attitude, sans même qu'elle s'en rende compte.» Ses pensées s'envolèrent ensuite vers sa sœur qui terminait sa première année d'enseignement en Côte-d'Ivoire et qui se promettait de voyager pendant les deux mois de congé scolaire. Du moins c'était ce qu'elle disait dans sa dernière lettre, mais Marie-Andrée pressentait que quelque chose n'allait pas. «Pour elle non plus», s'était-elle dit en repliant la lettre lue et relue, comme chacune des lettres en provenance d'Afrique.

À la fin de cette soirée, Marie-Andrée commençait à trouver Monique directive et était finalement soulagée de partir plutôt avec Pauline. Par contre, au fil de la conversation, elle eut l'impression que cette dernière s'imaginait pouvoir visiter toute la France en trois semaines et elle dut déployer de grands efforts pour limiter leur périple.

— C'est pas un marathon! précisa-t-elle, irritée.

Leur choix d'endroits à visiter s'arrêta sur Paris, évidemment, le Val de Loire et la Bretagne. Marie-Andrée proposa qu'elles trouvent les guides Michelin portant sur ces régions. Pauline fut d'accord mais comptait sur elle pour les acheter... et les lire. «Ça commence bien! Françoise les aurait lus autant que moi, elle.»

Au bureau, Lorraine fut étonnée du revirement subit de sa collègue, maintenant indifférente à ses attaques subtiles, et cela lui gâtait son plaisir. Quant à Mario Perron, qui venait toujours de temps en temps au bureau, il observait Marie-Andrée de loin. Un jour, la voyant de si bonne humeur, il en déduisit, avec un pincement au cœur, qu'elle s'était trouvé quelqu'un d'autre. «Elle n'a pas perdu son temps!» Il détourna la tête devant le regard de Lorraine la rousse qui devinait sa déception aussi sûrement que s'il la lui avait confiée. Marie-Andrée, de son côté, ne voulait ni savoir sa peine ni le voir, lui. Elle consacrait toute son énergie à maintenir son enthousiasme pour le voyage.

Sa mère lui avait fait peu de commentaires, mais Marie-Andrée devinait ce qu'elle taisait. Ce voyage outre-mer de sa fille de vingt ans la perturbait beaucoup plus que celui de Diane qui, elle, n'était pas partie pour le plaisir, pour des vacances, mais pour une raison sérieuse : aider le tiers-monde. Marie-Andrée pouvait se payer la fantaisie, presque excentrique, d'aller en Europe parce qu'elle travaillait, et elle travaillait parce que ses parents l'avaient fait instruire. Éva Duranceau était sincèrement contente pour sa fille, mais elle, quelle sorte de vie avait-elle ? Avait-elle eue ? Sa vie avait été et restait enfermée entre les quatre murs d'une maison. La liberté que sa fille, affichait impunément ne faisait ressortir que davantage la servitude qui avait été son lot toute sa vie. Parfois il lui arrivait de se demander si elle avait eu le choix de vivre autrement. Mais autrement comment ? En suivant son mari dans les chantiers ? Cela ne se faisait pas, dans le cas des femmes des ouvriers. En exigeant qu'il travaille ailleurs ? Mais avait-il eu le choix lui-même ? Il avait toujours fait vivre sa famille : qu'aurait-elle pu lui demander de plus ?

Et maintenant, la petite dernière allait en France. Son cœur de mère s'effrayait à l'avance de tous les dangers possibles qui la menaçaient et, pire encore, dont elle, Éva Métivier, ne connaissait rien. Sa fille serait allée sur la Lune, comme les astronautes qui s'apprêtaient à le faire, que cela ne lui aurait pas semblé plus loin. Et Diane, sa fille Diane en Afrique, quasiment dans la brousse… Comment une mère pouvait-elle suivre ses filles, même en pensée, quand celles-ci s'en allaient si loin, dans des pays inconnus ? Ses filles lui échappaient, et sa propre vie avait filé entre ses doigts sans qu'elle s'en rende compte, noyée dans le quotidien, le quotidien des enfants à mettre au monde et à élever, puis qui partaient si vite. Que lui restait-il, après toutes ces années ?

Elle ne dit rien de cela à Marie-Andrée, ou si peu, mais sa fille le devinait. Elle qui était si contente de partir craignait cependant que sa joie ne lui donne l'air de pavoiser aux yeux de sa mère, et cette crainte brisa sa spontanéité. D'une chose à l'autre, elle ne se rendit qu'une seule fois à Valbois. Elle devait s'occuper des préparatifs du voyage, avait-elle dit à sa mère, entre autres choses consulter les guides Michelin pour bien choisir les sites à visiter.

— Tu pourrais tout aussi bien les lire ici! s'était offusquée sa mère.

Marie-Andrée avait cédé. Mais une fois à Valbois, elle s'était fait reprocher de passer la fin de semaine le nez dans ses documents de voyage. Elle avait compris et était restée à Montréal les fins de semaine suivantes malgré l'insistance maternelle.

Le dernier dimanche, la famille devait se réunir à l'invitation expresse de la mère mais, le mercredi soir, Françoise téléphona, en larmes. Son père avait fait une indigestion aiguë qui l'avait emporté; son cœur avait flanché. Marie-Andrée modifia immédiatement ses plans et alla réconforter Françoise dès le lendemain soir; au salon mortuaire, elle prit conscience que les parents n'étaient pas éternels, les siens comme ceux de Françoise. Aussi prit-elle le temps d'aller saluer son père et sa mère, mais elle refusa de coucher à Valbois, devant retourner travailler le lendemain et donner sa démission, une semaine avant son départ pour la France. Elle jouissait d'avance de ce pied de nez à Lorraine Parker qui devrait engager quelqu'un d'autre pour faire les révisions à sa place. Et ce, d'autant plus que la nouvelle loi sur les langues officielles, reconnaissant l'égalité du français et de l'anglais, si elle ne concernait que le gouvernement pour l'instant, finirait bien par toucher le secteur des commerces et des entreprises un jour ou l'autre.

Le samedi matin, Luc et elle assistèrent aux funérailles. Marie-Andrée avait prévu laisser Françoise avec sa famille après le buffet. Mais celle-ci lui demanda, les larmes aux yeux, de rester avec elle. Jean-Yves, déjà en internat, devait retourner à l'hôpital. En fait, elle se serait retrouvée seule, son frère Réjean ayant convaincu sa mère d'aller se reposer chez lui, à Montréal, quelques jours. Marie-Andrée accepta volontiers, heureuse de partager ce temps avec sa meilleure amie et de pouvoir la réconforter. En reconduisant Luc chez ses parents, elle les informa qu'elle restait quant à elle chez Françoise.

— T'avais pas le temps de venir ici avant demain midi, mais tu passes la fin de semaine chez elle? s'écria sa mère.

Luc fut choqué par cette remarque insensible.

— La mort, maman, sais-tu ce que c'est, la mort?

Marie-Andrée sortit en claquant la porte, si excédée de tant de mauvaise foi et de contrôle, qu'elle décida de ne même pas assister au dîner du dimanche. Elle s'occupa de Françoise, l'aida à remettre la maison en ordre, l'amena souper au restaurant et elles profitèrent avec émotion de cette complicité qui leur était si précieuse.

Avant de repartir pour Montréal le dimanche soir, Marie-Andrée, plus calme, alla saluer ses parents puisqu'elle ne les reverrait pas avant son départ pour la France. La veille, quand elle avait entendu Françoise lui dire en pleurant : «Je me sens... comme abandonnée... orpheline...», elle avait compris qu'elle aussi dirait ces mêmes mots, un jour. Malgré leurs incompréhensions, ses parents étaient vivants et vieillissaient, eux aussi. Leur fille s'était promis de faire preuve de plus de tolérance et d'essayer de se détacher d'eux pour être moins affectée par leurs tentatives de contrôler sa vie et leur affection mal exprimée.

Pour sa part, Éva avait regretté ses paroles vives, d'autant plus que Luc les lui avait reprochées si durement que son père avait dû hausser le ton. Et puis, à midi, Pauline avait parlé du voyage et cela avait apaisé tout le monde. Aussi, quand Marie-Andrée s'arrêta à la maison, sa mère lui dit d'un ton presque serein :

— Je suis contente pour toi. Des beaux voyages de même, tant mieux si tu as la chance d'en faire.

Sa fille, qui s'attendait à une kyrielle de mises en garde exagérées, en fut touchée. Elle ne quémandait pas la permission maternelle, mais elle appréciait que son voyage soit pour ainsi dire approuvé par sa mère. Elle lui sourit, détendue; et Éva eut l'impression de retrouver sa fille dans ce regard serein et confiant qui lui manquait tant. Désireuse de conserver cette connivence, elle s'informa de son voyage, mémorisant toutes les informations données en réponse. Dans le feu de la conversation, elles allèrent jeter un coup d'œil sur le globe terrestre que Diane avait offert en partant pour l'Afrique. La mère et la fille, penchées au-dessus de la planète, voyageaient du doigt dans une complicité qu'elles ne croyaient plus possible.

— C'est quand même loin, l'Afrique, dit pensivement Éva.

Marie-Andrée hésita, puis lui annonça que Diane les rejoindrait peut-être pour quelques jours à Paris.

— Tu comprends, elle a deux mois de vacances, en été; elle va en profiter pour voyager. Il y a des coopérants français dans son coin et elle ira peut-être passer quelque temps dans une famille en Bretagne.

Éva se souvint qu'en effet Diane lui en avait touché un mot dans sa dernière lettre. Elle envia ses deux filles de se revoir bientôt.

— Je vais te donner un petit cadeau pour elle, au cas où tu la verrais, dit-elle spontanément.

Malgré toute l'affection que Marie-Andrée avait maintenant pour sa sœur, elle se disait que Diane avait parfois été si dure avec leur mère qu'elle ne méritait pas nécessairement cette attention de sa part, et elle fut d'autant plus touchée de voir à quel point sa mère pouvait oublier ou pardonner leurs désaccords.

— Ça va lui faire plaisir, répondit-elle spontanément à son tour.

— Puis toi, qu'est-ce que tu voudrais comme cadeau pour ton voyage?

— Moi? fit-elle, étonnée.

Elle savait que ses parents réussissaient à joindre les deux bouts, financièrement, mais sans plus. En aucun cas elle n'aurait voulu abuser.

— T'es ma fille, toi aussi, insista sa mère.

— Oui, mais moi, je ne travaille pas à l'étranger; c'est juste un voyage de plaisir.

Sa mère tripota son tablier et dit tout bas, en baissant les yeux :

— Des fois, j'ai l'impression que t'es encore plus loin qu'elle.

Elles étaient là, toutes les deux, dans un moment d'une si tendre complicité que Marie-Andrée ne put s'empêcher de passer un bras autour des épaules de sa mère, qui s'y abandonna un instant.

— C'est gentil de ta part de m'offrir un cadeau. Mais dis-moi plutôt ce que tu voudrais que je te rapporte de la France?

Éva fut irritée que son cadeau soit rejeté et elle recula, brisant le charme.

— C'est pas parce que tu travailles que je peux pas te faire de cadeau. Je suis encore ta mère!

Marie-Andrée réalisa que si elle refusait son cadeau, elle la priverait de lui faire plaisir, elle la priverait de se comporter comme une mère, d'une certaine façon. Si cela lui faisait plaisir, pourquoi ne lui permettrait-elle pas de participer, à sa manière, à un voyage qu'elle n'aurait jamais l'occasion de faire? Un sourire se dessina cependant sur les lèvres de Marie-Andrée parce que, immédiatement après son élan de gentillesse, sa mère était retournée à son naturel, sur la défensive, presque agressive.

— Donne-moi ce que tu veux. J'ai jamais vraiment voyagé : t'auras le choix.

Éva lui donna quelques billets de dix dollars.

— Tiens, c'est pour toi. Tu t'achèteras le cadeau que tu voudras en France.

— Merci, dit-elle sincèrement.

— Je voulais te dire, aussi, laisse-toi pas trop influencer par Pauline.

La colère fit frémir Marie-Andrée. Elle avait vingt ans, elle partait pour un voyage outre-mer et sa mère la conseillait encore comme si elle allait traverser la rue à cinq ans.

— Autrement dit, je ne suis pas capable de penser par moi-même?

— Baisse le ton! la réprimanda sa mère. Ton père pourrait t'entendre.

«M'entendre? Et qu'est-ce que ça ferait si Pauline t'entendait me dire ça d'elle?» voulut-elle répliquer d'un ton cinglant. Mais elle reformula sa répartie.

— Eh bien, si je suis si influençable, commença-t-elle en regardant sa mère droit dans les yeux, c'est peut-être parce que j'ai été élevée à croire tout ce qu'on me disait!

Éva ne comprit pas clairement le sens de cette phrase et sa fille soupira avec une triste lassitude, renonçant à s'expliquer davantage. Puis elle alla saluer son père avant de partir. Il était inquiet pour elle de la voir s'en aller si loin, et il le manifesta par des paroles de contrariété.

— Dans mon temps, les femmes partaient pas seules de même pour aller ailleurs.

— Dans ton temps, répliqua sa femme, les femmes allaient nulle part de toute façon. Bon voyage, Marie-Andrée. Fais ce voyage pour moi aussi. Moi, j'en ferai jamais.

12

«Elle m'énerve avec son musée!» pensait Pauline.
«Françoise aurait aimé ça, elle!» se disait quant à
elle Marie-Andrée. Depuis qu'elle avait vu l'exposition
Rembrandt et ses élèves, au Musée des beaux-arts de
Montréal quelques mois auparavant, elle avait le coup de
foudre pour ce peintre flamand. Et tout ce qu'elle avait vu
depuis son arrivée à Paris, elle le comparait à l'œuvre de
Rembrandt; c'était plus que... moins que... dans le style
de... avant lui, après lui, etc.

Au bout de trois jours, Pauline n'en pouvait plus de
la course frénétique : le Louvre, la cathédrale Notre-Dame,
le Panthéon... Ses chaussures élégantes, pourtant confor-
tables à son travail, allaient lui donner des cors si cela
continuait à ce rythme. À vrai dire, Marie-Andrée commençait à être saturée, elle aussi, sans trop oser l'avouer;
elle avait même de la difficulté à arrêter de penser tellement son cerveau et ses sens étaient sollicités depuis
plusieurs jours. Changeant totalement de rythme, elles
avaient donc passé l'après-midi à déambuler paresseuse-
ment le long des Champs-Élysées, pour finalement échouer
à la terrasse du bistrot près de leur hôtel. Ne rien faire,
flâner, regarder les passants, la vie ordinaire des gens
ordinaires de Paris. Depuis quand Marie-Andrée avait-elle
pris le temps de ne rien faire, le cœur en paix? Elle

savourait d'autant plus cet après-midi paisible que, pour la première fois, les deux femmes appréciaient la même activité au même moment.

Depuis le début de leur voyage, elles avaient eu maintes occasions de constater leur manque d'affinités, et ce, dès le vol. Après l'excitation du départ et un quasi-torticolis à s'obstiner à regarder par le hublot le plus longtemps possible, Marie-Andrée avait vite réalisé que sa décision de porter un jean neuf, forcément un peu serré, n'avait pas été la plus intelligente. Ni celle de chausser des sandales, dans lesquelles ses pieds étaient nus. On était en juin, mais l'air frais de l'appareil et la fatigue avaient eu raison de sa résistance et elle avait tenté de se réchauffer les orteils en les glissant sous son bagage à main *rangé devant elle*, selon l'expression de l'hôtesse dans son laïus sur la sécurité, au moment du départ. Heureusement, elle y avait enfoui un chandail léger qu'elle eut tôt fait d'enfiler par-dessus sa blouse d'été, pour ensuite remettre son veston en jean, ce qui améliora grandement son confort.

Pauline, quant à elle, semblait très à l'aise dans son ensemble, élégant mais confortable, et son chandail. De plus, comme elle portait ses bas de nylon douze mois par année et qu'elle s'était munie de petites pantoufles, ses pieds étaient bien au chaud. S'il s'était agi de Françoise, Marie-Andrée aurait ri; mais il s'agissait de sa belle-sœur, presque une étrangère en fait, et elle s'était dépréciée d'être si mal préparée à son premier vol en comparaison à elle.

Ensuite, le verre de «Bon voyage» que Marcel avait tenu à leur offrir en venant les reconduire à l'aéroport de Dorval et l'apéritif dans l'avion étaient tombés dans son estomac à jeun et elle avait mal supporté l'alcool. Finalement, le souper ayant été servi tardivement, affamée, elle l'avait avalé trop rapidement et mal digéré.

Puis Marie-Andrée avait voulu dormir. Mais cela s'était avéré difficile parce que l'occupant du siège arrière et ses deux compères ne semblaient avoir aucunement l'intention de se taire, buvant et blaguant à voix haute, et que, conséquemment, elle ne pouvait incliner le dossier de son fauteuil, comme les trois-quarts des passagers l'avaient déjà fait. Comme si cela ne suffisait pas, la fumée de leurs cigarettes se faufilait par-dessus et entre les sièges et, tenace, venait inviter ses narines.

— C'est une section non-fumeurs! s'était-elle exclamée, impatiente.

— On le sait! lui avait reproché sa belle-sœur en lui décochant un regard sombre.

Dans l'excitation du départ, Pauline, nerveuse de quitter Marcel pour trois semaines, avait laissé Marie-Andrée choisir les sièges et celle-ci avait spontanément opté pour la section non-fumeurs puisqu'elle ne fumait pas, se souvenant trop tard que ce n'était pas le cas de sa compagne de voyage. Pour se racheter, elle avait proposé qu'elles s'assoient dans la section fumeurs au retour. En attendant, sa belle-sœur devait se priver de ses cigarettes et cela l'avait rendue irascible, d'autant plus que les passagers derrière elle fumaient sans arrêt, se trouvant, ironiquement, dans la première rangée de la partie de l'avion où c'était autorisé!

Marie-Andrée avait fini par somnoler une fois que l'hôtesse avait fait taire les fêtards. Se réveillant courbaturée et fatiguée, elle avait ensuite entrepris de se rendre aux toilettes, caracolant le long de l'allée. Dans le cabinet, il y avait tout juste assez de place pour atteindre les divers éléments : cuvette et lavabo. L'avion traversant à ce moment une zone de turbulence, elle s'était assise plus brusquement que prévu. Entendant ensuite l'hôtesse demander à tous les passagers de regagner leur siège et croyant qu'un danger imminent les guettait, la voyageuse novice s'était relevée à la hâte, avait lutté contre le robinet pour obtenir un mince filet d'eau pour se laver les mains et avait été brutalement rejetée sur la cuvette par un soubresaut de l'avion. À peine était-elle sortie, qu'un autre sursaut de l'appareil l'avait projetée de côté et elle avait échoué dans les bras d'un passager, endormi paisiblement dans la dernière rangée.

— Oups! Pardon! Pardon! avait-elle bafouillé, gênée.

Surpris, le voyageur lui avait souri, pas vraiment mécontent de se réveiller avec la poitrine de cette jolie fille contre son visage et ils avaient échangé quelques mots polis. Elle avait enfin regagné sa rangée; sa voisine, un masque sur les yeux, dormait profondément, enveloppée dans une couverture, la tête reposant sur un petit oreiller. «Quand je pense que l'hôtesse m'avait offert, à moi aussi, une couverture et un oreiller!» s'était-elle rappelé en tentant d'enjamber sa belle-sœur sans la réveiller. Elle s'était enfin rassise dans son fauteuil, le découvrant tout à coup d'un étonnant confort après ses quinze minutes d'acrobaties.

Elle venait à peine de s'assoupir, du moins le croyait-elle, que les plafonniers s'étaient allumés et que les hôtesses avaient commencé à servir le déjeuner. Les voyageuses s'étaient regardées, mal réveillées, et avaient constaté leurs mines déconfites.

— On n'impressionnera pas grand monde en arrivant, fit l'une en bâillant.

— On ne remarquera peut-être pas grand monde non plus, répondit l'autre en s'étirant et en bâillant à son tour.

Mais tous les inconvénients du vol avaient été oubliés quand le douanier avait tamponné son passeport. L'euphorie de sa première visite au site d'Expo 67 lui était remontée au cœur. Comme Françoise lui manquait! Puis elle s'était laissé aspirer par l'excitation de l'arrivée à Paris dans la chaleur de cette matinée de juin. Elle était vraiment arrivée! Les chagrins de la fin de l'hiver lui avaient paru si lointains, tout à coup, qu'elle s'était demandé pourquoi elle en avait été si affectée. «Le roi est mort! Vive le roi!» avait-elle décrété en empoignant fermement sa valise et son sac de voyage.

Les voyageuses n'étaient cependant pas au bout de leurs peines. Sitôt arrivées à l'hôtel, elles s'étaient couchées, ne souhaitant que récupérer quelques heures de sommeil, mais s'étaient relevées complètement déboussolées à cause du décalage horaire. Les premiers jours à Paris avaient donc été vécus dans la lourdeur brumeuse de leur sommeil perturbé. Et en faisant les visites incontournables qu'elles avaient planifiées, les deux compagnes de voyage avaient dû se rendre à l'évidence que leurs intérêts touristiques ne concordaient pas vraiment, du moins jusqu'à cet instant où, attablées à la terrasse d'un bistro, elles avaient l'impression de véritablement commencer leurs vacances.

Était-ce dû au fait qu'elles étaient ensemble vingt-quatre heures sur vingt-quatre? Ou à l'éloignement de leurs vies quotidiennes et à l'insécurité qui en découlait, ou, au contraire, à la libération qui en résultait? Quoi qu'il en soit, les deux femmes, qui se côtoyaient pourtant depuis une dizaine d'années, commencèrent enfin tout doucement à laisser tomber leur réserve naturelle. Marie-Andrée se l'était avouée ces derniers jours, sa belle-sœur de dix ans son aînée, si habituée aux mondanités, l'intimidait. De son côté, Pauline avait peine à oublier que la jeune femme était la sœur de son mari et que c'était avec lui qu'elle aurait souhaité vivre ce voyage.

Les deux Québécoises ne profitèrent pas longtemps de cette accalmie et, si Marie-Andrée n'avait pas clairement exprimé, à quelques Français qui tentaient d'entreprendre une conversation, qu'elle ne souhaitait que la paix et était fermement décidée à la préserver, elles ne seraient pas restées seules longtemps. «Je ne veux rien savoir; j'en ai eu assez d'un ces derniers temps.» Au même moment, Pauline, en pensant à Marcel, se disait : «Pourquoi pas?» Elle s'était refusée de parler de lui depuis leur départ, elle lui en voulait trop; mais il habitait tellement ses pensées qu'elle se confia malgré elle. Pour éviter le présent douloureux, elle raconta plutôt comment ils s'étaient rencontrés. À la fin de ses études, Marcel s'était fait offrir deux emplois, dont l'un à la compagnie où elle venait de commencer à travailler comme secrétaire.

— Alors il a choisi cette compagnie-là pour me revoir, révéla-t-elle d'une voix chargée d'amour contenu.

Un flot d'émotions déstabilisa Marie-Andrée. Son frère pouvait-il vraiment avoir été aussi romantique? La coïncidence la ramena cependant à son histoire personnelle; Mario et elle ne s'étaient-ils pas aussi rencontrés dans le bureau où elle travaillait? Mais la ressemblance s'arrêtait là. Dans la connivence enfin effleurée, Marie-Andrée éprouva tout à coup le besoin de confier sa pauvre histoire d'amour, mais elle ne savait comment la formuler. Au souvenir douloureux d'avoir constitué la troisième et indésirable personne dans un couple, elle murmura d'un ton rêveur :

— Ça doit être bon d'être choisie...

Le sourire déserta le fin visage de Pauline qui répondit impulsivement :

— Ça n'a pas duré.

Elle se mordit les lèvres, regrettant ce cri du cœur. Mais, si loin de Marcel et de sa vie quotidienne, et pourtant encore dans sa peine, elle ajouta amèrement :

— Il a eu une maîtresse pendant des mois.

Marie-Andrée tomba des nues. Après tout juste sept ans de mariage, il y avait déjà eu rupture de l'amour promis. Le couple idéalisé n'en était qu'un de façade.

— Ça fait longtemps? murmura-t-elle en essayant de cacher sa désillusion.

Pauline prit une profonde respiration pour maîtriser la peine qui montait en elle.

— Ça vient de finir, répondit-elle d'un ton rageur. Mais s'il recommence...

Elle s'arrêta, incapable de prononcer les mots fatidiques... *je le quitte!* L'avait-elle assez entendue, cette phrase de Brel : «Ne me quitte pas.» Pendant la dernière année, elle était passée par toutes les émotions, prête, comme dans la chanson, à «devenir l'ombre de son ombre». Mais la colère et la rancune l'habitaient, maintenant, parce que, après la longue patience de sa femme, une fois son aventure terminée, Marcel avait refusé ce voyage avec elle. C'était pourtant peu, un voyage de trois semaines, comparativement à une demi-année de patience et d'angoisse à cause de son infidélité!

— Ce qui compte, c'est toujours lui, ses goûts à lui. Puis moi, là-dedans, je fais quoi? balbutia-t-elle de colère rentrée.

Marie-Andrée respira profondément, de soulagement; elle avait échappé de justesse à une catastrophe en taisant sa brève liaison avec un homme marié. Quelle compassion sa belle-sœur aurait-elle pu ressentir pour sa peine de jeune maîtresse dans l'ombre? Elle qui avait envié l'épouse, voilà qu'elle découvrait, dans la douleur de sa belle-sœur, que la situation mensongère de Mario les avait fait souffrir toutes les deux, sa femme et elle, pas mieux lotie l'une que l'autre. Avant ces confidences, elle le savait, bien sûr; maintenant elle en souffrait pour l'autre, celle qu'elle ne connaîtrait jamais.

— Et maintenant, demanda-t-elle à Pauline, intriguée, tu lui fais confiance au point de le laisser trois semaines?

— Oh non! Il me trompait quand j'étais là; t'imagines-tu qu'il va s'en priver maintenant que je suis de l'autre côté de l'Atlantique?

— Tu souhaites qu'il te trompe encore? s'exclama Marie-Andrée, perplexe.

— Bien sûr que non! répondit la femme blessée, mais... chacun son tour. À Montréal, je ne me serais pas sentie à mon aise, mais ici, j'aurai l'embarras du choix. Enfin, si on ne décide pas à ma place! lui lança-t-elle avec un regard mi-contrarié, mi-interrogateur.

La vengeance. Avoir une aventure par vengeance. Pour Marie-Andrée, cela ressemblait à un marché de dupes, à une escalade de tricherie qui ne pouvait que mener à la confusion. Elle eut mal pour Pauline, pour le partenaire éventuel, pour son frère aussi, même s'il avait provoqué cette situation. Une certaine tristesse se dégageait de tout cela qui n'avait rien à voir avec la liberté, sa chère liberté, si précieuse pour elle. «J'ai aimé Mario librement. Je ne jouais pas. Je ne trichais pas.» Elle avait vécu tant de bonheur avant son chagrin lamentable. Mais une aventure par vengeance, cela donnerait quoi?

— Et ça va arranger les choses, si tu le trompes à ton tour? osa-t-elle demander.

Pauline but une gorgée de café.

— Non, mais ça va me défouler, par exemple! Et lui montrer que ce petit jeu-là, il se joue à deux.

— C'est pas de mes affaires, avança Marie-Andrée d'un ton ironique, mais il ne verra pas grand-chose.

Elle eut tout à coup un doute qui la fit s'exclamer:

— Tu ne comptes quand même pas sur moi pour le lui dire?

— Pas du tout; je vais m'en charger moi-même.

Le visage de Pauline se durcit et une étrange lueur apparut dans ses yeux. Marie-Andrée avait peine à reconnaître sa belle-sœur timide et réservée. «Se faire tromper, ça change les femmes, dut-elle admettre en constatant les effets que cela suscitait chez elle et chez sa belle-sœur. Les hommes perdent peut-être bien plus qu'ils ne le pensent à ce jeu-là.»

— Tu me blâmes? demanda Pauline devant son silence, comme pour la narguer.

Marie-Andrée hocha la tête en signe d'impuissance.

— C'est ta vie; c'est à toi de juger ce que tu dois faire, répondit-elle, même si elle ne l'approuvait pas.

En fait, elle était furieuse contre sa belle-sœur. Cette confidence l'embarrassait au plus haut point. Quelle attitude adopterait-elle désormais face à son frère? Dans un sens, elle la comprenait, mais cet homme, même tricheur, était son frère. Pauline aussi regrettait cette confidence. Comment pourrait-elle regarder Marie-Andrée, maintenant qu'elle savait? Elle se mit à parler nerveusement de tout et de rien pour faire diversion. Fébrile, elle haussa le ton d'un cran, accéléra son débit, commanda deux apéritifs et trinqua.

— Oublie ce que je t'ai dit. C'est des affaires entre Marcel et moi. On est redevenus bien ensemble. Et puis, tu verras ça, toi aussi : tous les couples ont leurs petits problèmes. Santé!

Marie-Andrée comprit que les confidences étaient terminées. Pour en éviter d'autres, elle proposa qu'elles soupent avec quelques Québécois qui logeaient au même hôtel qu'elles.

Elles se retrouvèrent avec un couple de Lévis et leur garçonnet de huit ans, un couple dans la cinquantaine qui venait de l'Estrie et un homme dans la quarantaine, de Hull, semblait-il. Pauline se révéla fine causeuse; Marie-Andrée ne reconnaissait pas la fille réservée des repas de famille à Valbois. Le couple avec l'enfant se retira tôt. Les autres commandèrent un digestif. Marie-Andrée était fatiguée et leur souhaita bonne nuit au moment du second digestif; l'autre couple en profita pour partir aussi. Pauline, qui avait bu plus qu'à l'accoutumée, apprécia de se retrouver seule avec le célibataire distingué et au regard profond. Information non négligeable, il venait de l'Outaouais, une région suffisamment loin de Montréal, selon ses critères.

Marie-Andrée, encore troublée par les confidences de l'après-midi, ne s'endormait pas, les yeux grands ouverts dans la pénombre. «Les gens mariés sont-ils tous ainsi?» songea-t-elle tristement. Le dépaysement lui donnait du recul. Elle pensa à ses parents, à Louise et Yvon qui s'éloignaient l'un de l'autre depuis la naissance de leurs enfants. Puis elle revint à Marcel et Pauline. «Ils ont une vie différente, sans enfants, et pourtant ils ne sont pas plus heureux. Enfin… quand les gens couchent ailleurs chacun de son côté, ça doit vouloir dire qu'ils ne sont pas si heureux que ça, non?»

Un malaise diffus s'infiltra en elle, comme si elle était directement concernée par les couples mariés. Elle le nia d'abord, puis la réalité s'imposa à son esprit. «Lui aussi était marié…» Des pensées confuses se bousculèrent dans sa tête. «Et lui aussi avait une maîtresse. Ou *des* maîtresses…», pensa-t-elle soudain, et cette possibilité la fit souffrir. Puis elle revint à son propos. «Donc il n'était pas heureux, lui non plus.» Que lui restait-il à conclure sinon que c'était le mariage qui ne convenait pas à l'amour? Une blague à la mode lui revint en mémoire. *Quelle est la principale cause du divorce? Le mariage!*

Le divorce. L'année précédente, le gouvernement fédéral avait adopté une loi sur le divorce, l'autorisant dorénavant dès qu'il y avait adultère. C'était une révolution dans les mœurs. L'adultère, même celui des hommes, était officiellement désavoué et le conjoint trahi (la femme, plus souvent qu'autrement) n'aurait plus à supporter une telle situation le reste de sa vie. Mais cela avait-il changé la mentalité sociale et familiale pour autant? Marie-Andrée n'était pas la confidente des membres de sa famille pour ce qui était de leur vie intime, ceux-ci la considérant toujours comme une petite fille. Mais elle n'en déduisait pas moins que l'idée du divorce avait pu effleurer l'un d'entre eux, à commencer par Pauline. «Son mari l'a trompée; avec la nouvelle loi, elle aurait pu rompre son mariage», réalisait-elle. Mais elle se doutait aussi, maintenant qu'elle la connaissait un peu mieux, que pour sa belle-sœur un divorce ne dissoudrait pas le lien étroit qui la reliait à l'homme qu'elle aimait. «Mais au moins, elle a le choix!»

Et ses parents, y avaient-ils déjà songé? Sa mère n'était vraisemblablement pas heureuse avec son père et celui-ci avait accepté toutes les occasions possibles de s'éloigner de la maison pendant tant d'années. Mais ils étaient toujours ensemble. «Pourquoi?» Elle ne trouva qu'une réponse : l'argent, le confort, auxquels ajouter une certaine sécurité affective sans doute. Cette déduction la déprima. «Ça se peut pas que ce soit uniquement ça. Ce doit être plus que ça.»

Elle pensa intensément à sa mère, essayant de voir la situation selon son point de vue de femme, selon le point de vue d'Éva Métivier. La réponse lui vint, simple et froide. *Quand on fait un faux pas, on blâme pas les autres; on endure son mal.* Cette phrase, combien de fois ne l'avait-elle pas entendue à propos de tout et de rien? C'était l'une des valeurs maternelles et c'était sans doute parce qu'ils adhéraient tous les deux à ce principe que ses parents ne divorçaient pas. Assumer ses erreurs : cette raison, toute relative fût-elle, lui parut moins sordide qu'une triviale question monétaire, si éloignée du romantisme dont, à vingt ans, elle entourait le mariage.

Elle croyait en avoir fini avec cette réflexion à propos de ses parents quand un autre souvenir s'imposa. Marie-Andrée avait un jour surpris sa mère en train de recevoir les confidences éplorées d'une femme de Valbois. Elle s'était esquivée par discrétion, mais elle avait eu le temps d'entendre le commentaire autoritaire — ou désabusé? — de sa mère : *Partir, ma pauvre Rita? Mais pourquoi? Pour qui? Pensez-vous donc que vous trouverez mieux ailleurs? L'homme parfait, ça n'existe pas. La femme parfaite non plus. On fait avec ce qu'on a choisi. Pour le meilleur et pour le pire. Aller ailleurs, c'est juste aller chercher d'autres sortes de troubles. La vie c'est ça : faire au mieux avec des troubles.*

Marie-Andrée se révolta. «Endurer? Endurer toute une vie parce qu'on s'est trompé une fois? Voyons donc, ça n'a pas de bon sens!» Une telle attitude allait à l'encontre de ce qu'on lui disait, enfant. *Tu t'es trompée? C'est pas grave. Essaie encore; tu vas finir par réussir.* Et pour le mariage, peut-être la décision la plus importante d'une vie, il faudrait réussir du premier coup? La rage au cœur, elle se rappela le mariage inauthentique de Mario. Les larmes lui vinrent aux yeux et elle les refoula avec peine. *Tu me prends pour qui?* lui avait-il lancé. *Dans ma famille, on n'est pas des hommes à reprendre notre parole.* «Ah oui? Tu faisais quoi, avec moi, sinon manquer à ta parole de fidélité à ta femme? Étouffe-toi donc avec ta décision hypocrite; oui, étouffe-toi avec et laisse-moi tranquille!»

Pauline entra et claqua la porte, se déshabilla avec des gestes rageurs, puis contempla son corps nu dans la pénombre. Elle n'en revenait pas encore : il venait à peine de sortir de sa communauté. «Merci pour moi! C'est déjà assez compliqué, je ne vais quand même pas me taper un puceau de quarante ans!» Elle enfila sa chemise de nuit élégante et se glissa sous les couvertures, oubliant de se démaquiller dans son début d'ivresse auquel s'ajoutait la déception qu'accentuait son ambivalence.

L'arrivée de sa belle-sœur avait créé une diversion et chassé l'amertume de Marie-Andrée, qui se leva, enfila sa robe de chambre légère et se dirigea vers les toilettes au bout du couloir. Par réflexe, elle chercha le commutateur à tâtons avant de se rappeler qu'elle était en France et non en Amérique du Nord.

— Ah… eux autres puis leur maudite minuterie!

Elle ferma la porte derrière elle et, quand elle tourna le verrou, la lumière s'alluma enfin dans l'étroit cabinet. «Sécuritaire, encore! Des plans pour me faire tuer par un sadique qui m'attendrait ici et que je ne verrais qu'une fois que je me serais moi-même enfermée avec lui!» Sa colère se dissipa devant cette image mi-drôle, mi-effarante. Plus tard, elle chercha le lavabo. «Ah oui, il est dans la chambre.» Elle y retourna et rit de sa mauvaise foi. «Encore heureux qu'il y ait des vraies toilettes au lieu de… comment ils appellent ça, déjà? des… toilettes turques? Quelle horreur!»

Pauline déjà profondément endormie, Marie-Andrée fut longue à trouver le sommeil. À l'aurore, dans un état voisin de la conscience, elle se rappela son exclamation de la veille : «Mario aussi était marié…» Cette formulation l'intrigua. «Tiens, pourquoi j'ai dit *était* marié? Il *est* marié. Étrange.» Dans une pulsion spontanée, elle voulut se faire croire qu'il songeait peut-être à quitter sa femme. Quand ils s'étaient croisés au bureau après leur rupture, elle avait parfois perçu un regard de tristesse et de déception, même si elle avait fait mine de l'ignorer complètement. Mais sa phrase de lâcheté lui revint en mémoire. *Ma femme commençait à trouver ça difficile.* «Il est encore marié et il le restera. Malgré toutes les autres aventures qu'il aura encore.» Elle l'admettait, ce matin, alors qu'elle entendait, dehors, les éboueurs matinaux et le camion qui arrosait les fleurs, omniprésentes dans la ville : il avait été son amant *autrefois*. Il ne faisait plus partie de son présent. Deux grosses larmes coulèrent sur ses joues et elle les laissa glisser et se perdre dans son cou. Avec elles, elle acceptait d'avoir souffert de cette relation. Elle acceptait aussi qu'elle ne pouvait pas effacer cet épisode douloureux.

Ses pensées se tournèrent ensuite vers Diane, qui les rejoindrait dans quelques heures, et cela la remplit de joie. Était-ce croyable que deux filles de Valbois se soient ainsi donné rendez-vous… à Paris? L'une venant d'Amérique et l'autre d'Afrique? Dans la chaleur agréable de ce matin de juin à Paris, elle flotta alors dans un demi-sommeil, un sourire aux lèvres, en se rappelant avec bonheur toutes les fleurs qui embellissaient la capitale française, imaginant leurs couleurs, leurs odeurs. Ce bonheur la rassura suffisamment pour qu'elle s'endorme enfin paisiblement.

Les deux sœurs s'étaient quittées jeunes filles, avec mille illusions, et se retrouvaient un an plus tard jeunes femmes, avec les joies et les peines que la vie, déjà, leur avaient apportées. Elles n'eurent pas besoin de se confier tous les événements de l'année, elles se devinèrent mutuellement et cette complicité de sœurs et de femmes, ce cadeau inattendu, effaça beaucoup de désillusions. Pauline les laissa en tête-à-tête, mais les deux sœurs n'avaient pas été métamorphosées en confidentes pour autant. Elles gardaient leurs jardins secrets, ne dévoilant que ce qu'elles voulaient bien partager. Marie-Andrée parla de Mario sans mentionner qu'il était marié, s'étonnant elle-même d'en parler comme d'un souvenir devenu si lointain en si peu de temps.

Pour sa part, Diane effleura la souffrance qui la minait. Elle avait cru aider au développement du tiers-monde : quelle noble cause ! Mais son apport humanitaire ne se révélait qu'une goutte d'eau dans un océan. Comment avait-elle pu croire que sa part, sa part minuscule pouvait changer quoi que ce soit à la situation d'un continent ? Sa désillusion pathétique avait balayé tout son enthousiasme. Elle ne savait plus à quoi se raccrocher. Sa vie servait à quoi ? Heureusement, il y avait Gilbert. Paradoxalement, moins elle en parlait, plus sa sœur devinait l'importance de ce coopérant pour elle. «Peut-être qu'elle ne croit pas à l'amour, elle non plus, se dit Marie-Andrée. Peut-être qu'elle aussi craint qu'il ne dure pas.» La cadette réalisait qu'elles avaient toutes deux eu le même modèle parental de couple et que ni l'une ni l'autre ne se faisait confiance dans ce domaine, chacune à sa manière.

Au déjeuner le lendemain, Diane déconcerta Marie-Andrée et Pauline en annonçant d'un ton sans réplique qu'elle voulait d'abord et avant tout passer la journée dans les magasins.

— Toi ? s'étonna Marie-Andrée. Depuis quand tu aimes magasiner ?

— Depuis que je vis dans la brousse ! rugit l'autre en riant. Vous ne pouvez pas savoir, les filles, à quel point ça m'a manqué de voir des vêtements, toutes sortes de vêtements, à la mode occidentale. Aujourd'hui, les filles, je magasine ! Je passe ma journée aux Galeries Lafayette.

— Oh, j'aimerais mieux… comment ça s'appelle ? Les magasins Au Printemps ou les grands magasins du Printemps ? Je ne sais plus trop, demanda Pauline.

Diane hésita, puis éclata de rire.

— On fera les deux !

Pauline était enchantée : enfin une journée à son goût!
Marie-Andrée, qui n'avait pas les moyens financiers de
dévaliser les boutiques, ni le goût de porter les paquets des
deux autres, qu'elle voyait déjà nombreux, déclina l'invitation, ravie de se libérer d'une corvée qu'elle se serait
imposée pour faire plaisir à Pauline. Elle respira d'aise,
tout en regrettant de se priver si vite de la présence de sa
sœur.

Sa liberté retrouvée lui insuffla une ivresse joyeuse.
Plus de conversations à entretenir, plus de compromis, plus
de tergiversations, plus d'enthousiasme à refréner; elle
était seule avec elle-même! Elle marcha lentement le long
de la Seine, flâna devant les étals des bouquinistes, dîna,
marcha encore et, après deux heures de vagabondage sans
but, s'arrêta à la terrasse d'un bistrot, prenant décidément
goût à cette inaction reposante.

S'apprêtant à boire un café crème, qu'elle préférait à
l'expresso, elle se figea, la tasse au bord des lèvres.
«J'existe! Personne au monde ne sait où je suis en ce
moment, et j'existe quand même! Ici, toute seule!» Elle
déposa lentement la tasse dans sa soucoupe, en proie à une
émotion intense et inattendue. Indépendamment de sa
famille, de son amie Françoise, de son milieu de travail
et de Mario Perron, ici et seule, elle existait! Elle avait
vingt ans et toute la vie devant elle. Pour un peu, elle aurait
effrontément mis ses pieds sur la chaise devant elle et se
serait croisé les bras derrière la nuque pour piquer un
somme sous le soleil de juin à Paris. Mais elle était à Paris,
justement, et seule; elle devait faire preuve d'un minimum
de vigilance et garder une posture convenable dans ce lieu
public.

Son café avait refroidi, et elle établit un parallèle avec
son ex-amant. Elle le repoussa et s'en commanda un autre;
sitôt le café crème tout chaud posé devant elle, elle en
huma l'arôme avec gourmandise. «C'est pas parce qu'un

café devient imbuvable qu'il ne reste plus d'autre café dans l'univers!»

Marchant ensuite au hasard, rassurée d'avoir son guide Michelin dans son fourre-tout de toile qu'elle portait en bandoulière, elle se retrouva devant une église gothique, modeste comparativement à Notre-Dame, mais qui s'imposait par sa forte stature. Et puis, il y avait là un énorme marronnier et un petit jardin qui, d'un coup, effacèrent l'agitation et les bruits de Paris pour la transporter quelque part en campagne, dans la quiétude et le silence.

En entrant dans l'église Saint-Séverin, elle s'attendait à un long bâtiment étroit, mais l'église se révélait presque aussi large que longue et, curieusement, les dimensions intérieures lui apparurent nettement inférieures à ce qu'elle avait pu évaluer du dehors. Cela créait une sorte d'intimité, toute relative bien sûr, un peu comme dans une grande maison, et elle s'y sentit tout de suite à l'aise. Au lieu de la visiter systématiquement, guide à la main, comme elle le faisait depuis son arrivée, elle préféra prendre le temps de s'imprégner de l'ambiance paisible qui la réconfortait. Son amour malheureux flotta encore dans ses pensées comme cela arrivait dix fois par jour mais, cette fois, ce souvenir ne s'accompagnait pas de colère et de ressentiment. Il lui semblait que Mario Perron vivait à des années-lumière d'elle, non seulement parce qu'un océan les séparait, mais parce que la distance était désormais trop grande entre leurs cœurs. Elle compara sa situation avec les ronds-points des nouvelles voies rapides de Montréal. Empruntant des voies différentes, les voitures ne pouvaient plus se rencontrer; au contraire, elles ne pouvaient que s'éloigner les unes des autres.

Marie-Andrée ferma les yeux et savoura cet instant comme devaient le faire autrefois, au Moyen Âge, les gens qui réclamaient asile dans une église. Oui, son cœur avait obtenu asile; il n'était plus en danger et, dans cette église vieille de plusieurs siècles, elle se fit une promesse. «Je n'avais pas d'expérience de la vie, mais maintenant j'en ai! Alors la passion, merci pour moi; j'ai déjà donné. Et le prochain, si un jour il y en a un, il sera libre ou rien ne se passera!»

Rapatrier ainsi tout son être lui procura une sensation presque physique de vitalité et elle ferma les yeux pour goûter pleinement cette force paisible. Elle serait restée longtemps dans cette paix enfin retrouvée, heureuse et sereine, si elle n'avait perçu une présence, ayant l'impression qu'on l'observait. Ouvrant les yeux, elle jeta un regard furtif autour d'elle. Il n'y avait que des touristes, comme elle. Se moquant de son intuition, elle sortit son guide Michelin pour jouer à la touriste qu'elle était, tout compte fait.

La lecture de la description de l'église à peine commencée, la même sensation d'être observée la chatouilla encore. Cette fois, feignant de poursuivre sa lecture tout en restant immobile, elle laissa ses yeux fouiller l'espace autour d'elle. Un jeune homme appuyé à une colonne devant elle lui souriait. Il lui rappelait vaguement quelqu'un, pensa-t-elle, ce que semblaient confirmer son sourire moqueur et son assurance espiègle, mais elle ne trouva pas qui cela pouvait être. Elle allait reprendre sa lecture quand elle le vit s'avancer lentement mais résolument et, une fois près d'elle, ouvrir les bras comme s'il l'invitait à s'y réfugier. Agacée, elle eut un mouvement de recul qui le fit s'arrêter. Il se pencha légèrement vers elle en murmurant :

— J'avais ouvert les bras au cas où cette belle fille viendrait se jeter sur moi une deuxième fois...

Elle ouvrit de grands yeux étonnés, puis se rappela soudain l'incident dans l'avion et sourit à demi, décontenancée.

— Ce plancher est plus stable que l'avion, répondit-elle simplement.

— Ghislain Brodeur, se présenta-t-il. Du Québec, évidemment.

— Pourquoi le «évidemment»? demanda-t-elle en riant.

— Parce que je ne pourrais certainement pas passer pour un Français.

— Moi non plus, ajouta-t-elle, amusée.

Il fit un pas de côté et son regard la détailla effrontément de la tête aux pieds.

— Passer pour un Français? fit-il d'une voix moqueuse. Certainement pas.

La tournure du compliment plut à Marie-Andrée et, comme cet homme était un compatriote, ses barrières tombèrent.

— Et il s'appelle comment, le «Français» qui n'en est pas un? demanda-t-il pour relancer la conversation.

— Marie-Andrée Duranceau. De Montréal.

— Moi aussi.

Ils visitèrent l'église ensemble, tous deux le guide Michelin à la main.

— C'est cocasse de ne plus être pratiquant et de se rencontrer dans une église, dit-il tout à coup, le nez en l'air pour scruter la voûte.

Légèrement derrière lui, elle le regarda plus à son aise : il était grand, musclé, du même âge qu'elle ou à peine plus âgé, son visage était harmonieux sinon beau et ses cheveux étaient... roux! Comment un détail aussi visible ne l'avait-il pas frappée instantanément? La lumière filtrée par les vitraux inonda Ghislain Brodeur et sa chevelure rousse, mi-longue, sembla ruisseler de bronze et de cuivre avec des reflets presque bleus. Il avançait lentement, curieux, absorbé par l'observation attentive de l'architecture de la voûte. Quel pouvait être son métier? Architecte? Poseur de vitres? «Maçon, tant qu'à y être!» imagina-t-elle. Ils échangèrent des banalités sur la visite de Paris, puis il lui posa la question qui l'intéressait en gardant un ton vague :

— Tu voyages seule?

— Non, avec ma belle-sœur, et ma sœur qui est avec nous pour quelques jours.

En s'écoutant répondre, elle se vit comme une princesse gardée dans un donjon par deux cerbères.

— On s'entend très bien, toutes les trois, s'empressa-t-elle d'ajouter pour chasser la vision cocasse qui portait préjudice à ses compagnes de voyage.

Il interpréta cette phrase différemment. «Autrement dit, elle ne veut rien savoir!» Un instant déconfit, il ajouta, d'un ton qui se voulait indifférent :

— Tu restes longtemps?

— Jusqu'à jeudi dans deux semaines, répondit-elle laconiquement.

— Bon, eh bien, je te souhaite de bonnes vacances à Paris.

— Nous allons aussi dans la Loire, précisa-t-elle, question de voir des châteaux.

— Chenonceaux, Chambord, etc., énuméra-t-il.

Ils se moquèrent d'eux-mêmes.

— Les Québécois sont friands de châteaux, si je comprends bien, commenta-t-elle, amusée.

— On a pas le choix! protesta-t-il en faisant semblant d'être vexé. À part le Château Frontenac et le Château Champlain, qu'est-ce qu'on a?...

Ils sortirent de l'église en riant, dans la lumière douce et apaisante de la fin de l'après-midi. Il y eut un flottement, une indécision subtile. Marie-Andrée ne lui demanda pas s'il restait longtemps en France ni s'il était seul. Ses retrouvailles avec elle-même étaient trop récentes, et elle avait la ferme intention de savourer la quiétude chèrement gagnée. Ils se quittèrent donc ainsi. Soucieuse de ne pas donner l'impression d'attendre quoi que ce soit du jeune homme, Marie-Andrée partit droit devant elle d'un pas assuré. Sitôt le coin de rue tourné, elle ouvrit son guide Michelin pour s'orienter et, après quelques minutes d'insécurité, reconnut la rue et sut quelle direction prendre. Elle ne parla pas de sa rencontre au souper.

Impossible de visiter Paris sans voir le château de Versailles, où les trois voyageuses eurent la bonne fortune de se rendre un dimanche où toutes les fontaines fonctionnaient. Elles visitèrent aussi Vaux-le-Vicomte, un château ayant suscité la jalousie de Louis XIV, qui avait alors fait transformer Versailles. L'évocation de la vie de la cour leur laissa toutefois un arrière-goût désagréable. Dans les deux cas, que de luxe! Et comme les courtisans avaient semblé avoir une vie désœuvrée! Combien de nobles n'avaient eu pour seul souci que de tuer le temps, au détriment d'une armée de serviteurs qui, eux, se tuaient à les servir. L'exploitation des masses populaires n'avait jamais parue aussi injuste aux yeux de Marie-Andrée. Pour réparer tant d'injustices, il avait fallu une révolution, cruelle et difficile certes, comme toutes les révolutions, mais quel autre moyen y avait-il de se libérer du joug d'un pouvoir arrogant et contraignant? Marie-Andrée ne pouvait plus admirer la beauté de ces lieux sans la rattacher au quotidien des gens ordinaires de l'époque. Dans un premier temps, elle se réjouit de vivre au vingtième siècle. Dans un second, elle se demanda si elle n'avait pas, elle aussi, sa révolution à faire pour accéder, individuellement, à la liberté intérieure. Mais à quel prix?

Laissant derrière elles la région parisienne surpeuplée, les voyageuses se rendirent ensuite dans le Val de Loire. La présence de Diane avait changé l'énergie du voyage et mis en veilleuse le projet vengeur d'aventure amoureuse de Pauline. Mais, d'un château à l'autre, à entendre les guides potiner sur les frasques amoureuses des illustres anciens propriétaires, l'idée commença à lui revenir.

Deux jours plus tard, Diane les quitta comme prévu et prit le train pour la Bretagne où l'attendait Gilbert, qui avait été invité chez un Français avec lequel il correspondait depuis le primaire. En leur laissant le temps de faire plus ample connaissance, Diane avait pu passer une semaine en compagnie de sa sœur. Maintenant seule avec elle-même dans le train, elle se languissait de Gilbert, ne se reconnaissant pas dans la passion qui l'habitait de plus en plus.

À Chenonceaux, Pauline et Marie-Andrée croisèrent des touristes français du sud de la France avec qui elles partagèrent quelques repas. Pauline semblait particulièrement sensible à l'humour de l'un d'eux, qu'elles surnommèrent «Marius». Au spectacle «son et lumière» du dernier soir, Pauline n'entendit pas vraiment les chevaux marteler le pont-levis, ni n'admira les jeux de lumière inondant le ravissant château et l'aile élégante qui enjambait le Cher calme et paisible. Elle s'esquiva rapidement avec le Marius en question après un signe discret à Marie-Andrée qui en fut quitte pour retourner seule à leur chambre.

«J'espère qu'elle sait ce qu'elle fait, se dit cette dernière avec une certaine tristesse qui dégénéra vite en inquiétude, l'empêchant de dormir. Elle ne le connaît même pas, ce gars-là; on est à l'étranger, il peut arriver tant de choses.» Et si Pauline ne revenait pas? Dans l'imagination débridée de son insomnie, Marie-Andrée se voyait tentant d'expliquer à Marcel la disparition de sa femme pendant qu'elle, sa sœur, dormait paisiblement tout en sachant pertinemment dans quel but Pauline avait découché! Son inquiétude chavira dans l'angoisse, à tel point que cela lui rappela brusquement qu'elle réagissait comme sa mère l'aurait fait. La même suspicion, la même certitude d'un danger imminent et démesuré à chaque risque de la vie. Furieuse contre elle-même, elle se ramena les couvertures jusqu'au menton et réussit enfin à dormir.

Quelqu'un pleurait. Il était deux heures du matin. Maintenant tout à fait réveillée, Marie-Andrée craignit que son appréhension se soit révélée juste, que sa belle-sœur ait été attaquée ou blessée.

— As-tu besoin d'aide? lui demanda-t-elle doucement.

— Oui, répondit Pauline, mais n'allume pas.

«Mon Dieu, elle s'est vraiment fait attaquer!» Marie-Andrée la rejoignit et sa belle-sœur éclata en sanglots.

— J'ai pas été capable! C'est Marcel que j'aime!

Marie-Andrée respira de soulagement malgré elle.

— Et ton Marius, comment il a pris ça?

— Bof, il n'en a pas fait un drame! Pour lui, il y en a bien d'autres. Ils sont tous pareils! geignit Pauline amèrement.

Marie-Andrée lui caressait distraitement les cheveux, ressentant intimement ce chagrin, si récent encore, d'avoir aimé sans être aimée en retour. «La femme de Mario ressentait peut-être ça, aussi, songea-t-elle. Il disait qu'il avait été piégé dans son mariage, et je le croyais. Pourtant, quand il me disait ça avec une sorte d'innocence, il était en train de baiser une autre femme que la sienne. Et moi, je gobais tout. Marcel, lui, qu'est-ce qu'il disait à sa maîtresse pour se justifier? Que sa femme était laide, niaiseuse, qu'elle pesait deux cents livres?» Ses pensées étaient si violentes que son corps se raidit comme si elle luttait contre un adversaire invisible.

— On est folles de les aimer de même, ajouta Pauline en reniflant et en se redressant dans son lit.

— Non..., protesta sa belle-sœur après un long silence. On ne peut jamais être folles d'aimer; c'est eux qui sont fous de gaspiller l'amour des femmes qui pourraient les aimer.

Pauline se moucha bruyamment.

— En plus, il sentait l'ail! dit-elle avec une moue comique.

Ses épaules s'affaissèrent de nouveau.

— Mais moi, je fais quoi avec ma peine?

Marie-Andrée grimpa seule la colline escarpée pour visiter le monastère du Mont-Saint-Michel. À deux jours de leur retour au Québec, Pauline était déjà revenue en pensée à Marcel et à l'insécurité de son mariage; sa volte-face de l'autre nuit l'avait jetée dans la confusion et plus rien ne semblait l'enthousiasmer, surtout pas la perspective de marcher, de grimper, de visiter toute la journée encore une fois. Restée à l'hôtel, elle s'était levée tard et n'était descendue que pour le dîner, s'était choisie une bonne table et avait commandé un bon vin.

Comment cela était-il arrivé? Elle ne savait plus trop. Après le repas, elle s'était retrouvée dans le lit du client de la table d'à côté, seul lui aussi. Pauline était sous le charme de cet homme de son âge, mince et réservé comme elle, et au visage entouré d'une courte barbe brun clair, presque blonde. Il venait de l'Ouest canadien, était francophone et visitait lui aussi la France pour la première fois.

Quel risque courait-elle de le croiser à Montréal? Elle avait aimé sa tendresse et ses caresses mais, le cœur trop rempli de son mari pour accepter de jouir, elle avait, selon l'expression des guides des châteaux de la Loire, *compté les solives*, comme tant de courtisanes qui, baisant sans ressentir l'extase, se distrayaient en contemplant le plafond. Il l'avait pourtant embrassé et remercié avec tant de tendresse après l'orgasme qu'elle en avait été bouleversée. Jamais Marcel ne l'avait remerciée après l'amour. Pendant un instant, elle regretta que cet amant d'un après-midi n'ait pas été le premier homme dans sa vie.

De son côté, Marie-Andrée visitait, prenait ses dernières diapositives, fatiguée physiquement et mentalement. Depuis presque trois semaines, ses yeux s'étaient remplis de tant de chefs-d'œuvre et de paysages, elle avait goûté à tant de vins et de mets inhabituels qu'elle en était saturée. Elle avait aussi largué les amarres de son premier amour et fui le roux flamboyant. Et passé presque tout son temps avec sa belle-sœur, mais en ayant souvent l'impression que leurs vies parallèles ne se rejoignaient que pour de courts intervalles, ce qui, parfois, l'avait fait se sentir plus esseulée qui si elle avait voyagé seule. Lasse de tant de changements, elle aspirait à rentrer chez elle, dans la quiétude de son appartement, dans le train-train quotidien avec Luc. Bref, elle n'avait plus d'énergie à consacrer à Pauline, pour l'encourager ou pour la supporter.

— Je me suis inquiétée, mentit cette dernière au souper pour éviter de parler de son emploi du temps. Tu as été partie longtemps.

— Vraiment? fit Marie-Andrée avec un brin de reproche dans la voix. Et moi, l'autre nuit, j'ai fait quoi, tu penses?

Elles se défièrent du regard, laissant enfin s'exprimer une impatience contenue depuis longtemps.

— Si je comprends bien, dit Marie-Andrée d'un ton rageur, on s'est énervées pour rien, toutes les deux?

Puis leur colère, due à la fatigue et au stress, fit place à un fou rire quasi hystérique, impossible à contrôler, qui finit par déteindre sur les autres clients du petit café qu'elles avaient choisi pour leur dernier soir en Normandie. À la fin de leur voyage, elles riaient à gorge déployée et, peu à peu, la tension s'effaça, laissant place à une amitié sincère à laquelle elle n'osait plus croire.

Marie-Andrée quittait la France le cœur léger, rapportant des cadeaux pour tout le monde sauf Luc, l'ayant trouvé trop mesquin au sujet du loyer. Ses pensées s'attardèrent sur le cadeau pour sa mère, et surtout sur les raisons qui avaient motivé son choix. Combien de fois s'était-elle demandé que lui rapporter! Maintenant qu'elle allait bientôt le lui remettre, le doute s'insinuait en elle. Et si elle ne l'aimait pas? Le cadeau était-il trop banal? Il était dorénavant trop tard pour changer d'idée, et elle ne pouvait plus se permettre une autre dépense de toute façon.

Elle soupira et revint plutôt à l'un des cadeaux qu'elle s'était offerts, *Astérix et le chaudron,* l'album qui venait tout juste de sortir et qui n'était pas encore disponible au Québec. À quelques heures de son retour, elle décida d'oublier la mesquinerie de Luc et de lui offrir cette bande dessinée si différente des Tintin de leur enfance, qu'ils pouvaient lire jusqu'à dix fois, en se donnant même parfois la réplique. Était-ce le fait d'être à l'étranger, et plus précisément sur le sol français, décor des *Astérix*? Quoi qu'il en soit, Marie-Andrée cernait avec plus de lucidité son engouement pour les héros de cette bande dessinée. Comme elle, ces personnages défendaient farouchement leur liberté. Comme le Québec, le village gaulois s'obstinait à survivre et à maintenir, dans un environnement étranger, ce qui faisait sa différence. Et dans les deux cas, les armes employées contre ceux qui se défendaient étaient infiniment plus puissantes que les leurs. Une armée contre une potion magique! David contre Goliath! Et pourtant, c'était le petit David avec son arme dérisoire qui avait eu raison du géant. «À voir le succès international des *Astérix*, il doit y avoir bien du monde qui se reconnaît là-dedans!» avait-elle conclu en achetant le dernier album. Cette universalité de la quête de la liberté, sous toutes ses formes, la réconforta au-delà des mots, au-delà des situations anecdotiques qui avaient engendré sa réflexion, et la renforça dans sa recherche d'une vie libre.

Cette liberté lui apparut s'appliquer aussi à l'orientation sexuelle de Luc. Si son frère n'était pas hétérosexuel, avec toutes les implications que cela comportait, c'était son affaire. Ce ne serait pas facile pour lui et il aurait besoin d'elle; elle se promit de ne pas le laisser tomber. Elle secoua la tête malgré elle en imaginant l'effet que l'annonce de cette réalité aurait sur sa famille, sur sa mère et son père, surtout. En soupirant, elle refusa catégoriquement de glisser dans des hypothèses; ce n'était pas sa vie et ce qui devait arriver arriverait bien assez vite. Pour l'instant, elle revenait d'Europe, l'âme en paix, libérée de sa première histoire d'amour. «Ma première? s'étonna-t-elle. Il y en aura combien?» Combien de chagrins avant de trouver l'amour, le vrai? L'héritage défaitiste de sa mère se profila. «Est-ce que je trouverai le bon, un jour? Et quand?»

Marie-Andrée pensa ensuite à Pauline qui avait dû s'acheter une autre valise pour rapporter les vêtements qu'elle avait dénichés, la veille, à Paris. Quand sa belle-sœur les lui avait montrés, Marie-Andrée avait été déçue par les dessous hors de prix et les vêtements de nuit très sexy. «Tout est pour Marcel!» conclut-elle.

À l'aéroport, dans la salle d'attente de la compagnie aérienne, Marie-Andrée se surprit à chercher des yeux, presque malgré elle, si un roux ne s'y trouvait pas, lui aussi. «Il me semblait que tu voulais la paix?» se reprocha-t-elle. Chassant le roux de son esprit, elle se concentra sur Pauline qui achetait un flacon d'eau de toilette Chanel à la boutique hors taxes et la trouva d'abord futile, puis elle se ravisa. «Si j'avais de l'argent, je suppose que je dépenserais plus, moi aussi, et différemment.»

L'évocation de sa situation financière et l'imminence de son retour la ramenèrent à des considérations prosaïques et, sitôt le décollage effectué, elle y repensa sérieusement. Avait-elle reçu des réponses des trois employeurs qu'elle avait contactés la semaine de son départ? Maintenant que son voyage était chose du passé, son compte d'épargne était presque à sec. Un vent de panique s'éleva en elle, mais elle refusa de se laisser aller à un tel sentiment. «Si rien ne m'a été offert, j'aurai amplement le temps de m'énerver. S'il y a quelque chose d'intéressant, je me serai inquiétée pour rien.»

Pauline était elle aussi perdue dans ses pensées. Plus elle s'éloignait du continent européen et se rapprochait de l'Amérique, plus elle dégrisait de sa brève aventure. Quand elle était partie, trois semaines auparavant, elle en voulait à Marcel, le cœur brouillé de colère et de peine. Maintenant c'était à elle-même qu'elle en voulait, le cœur tout aussi brouillé de colère et de peine. Elle ne s'en voulait pas d'avoir trompé son mari infidèle; c'était une vengeance méritée. Non, c'était autre chose, peut-être pire, quoique, dans sa confusion, elle n'était plus certaine de rien. Elle avait détruit son rêve de petite fille, celui d'être une femme qui n'aimerait qu'un seul homme dans sa vie! Être la femme d'un seul homme! Aimer un homme de tout son être, devenir une femme avec lui, l'aimer, le seconder, le chérir, tout au long de sa vie, vieillir avec lui et mourir dans un dernier regard d'amour. C'était cela, son rêve de fillette éblouie par l'amour qui viendrait, un jour, transformer sa vie. Ce rêve, elle l'avait maintenant brisé. Un bout d'après-midi, et sans jouissance, avait suffi pour détruire le rêve d'une vie. D'une courte vie : elle n'avait même pas trente ans.

Comme elle s'en voulait! Comme elle en voulait à Marcel de l'avoir presque obligée à le tromper. Mais avait-elle été obligée d'agir ainsi? La vengeance était-elle donc plus importante que son rêve?

Une vengeance ou la peine? La peine et la désillusion la laissaient devant un vide. Qu'allait-elle croire, dorénavant? À quels rêves se raccrocherait-elle?

Elle en voulait aussi à sa belle-sœur de l'avoir laissée faire. «C'est son frère, après tout! Elle aurait pu m'empêcher de me venger, essayer de m'en dissuader au moins!» Regardant Marie-Andrée à la dérobée, elle la vit dans une attitude de sommeil paisible, quand, en fait, elle était en profonde réflexion. À quoi pensait-elle si intensément? Pauline se rendait compte qu'après trois semaines de voyage elle savait peu de choses de sa jeune compagne. Elle réalisait tout à coup que, malgré ses confidences, Marie-Andrée ne lui en avait jamais fait à son tour. C'était elle, l'aînée des deux, qui s'était confiée et qui avait dû être consolée par la plus jeune qui, elle le réalisait maintenant seulement, l'avait écoutée comme si elle avait été une grande sœur. Elle revit les rencontres familiales chez les Duranceau et la petite fille souriante, serviable, peu loquace et qui — cela la frappait maintenant — regardait les aînés discuter de leur quotidien sans pour autant parler du sien. «Je pensais qu'elle n'avait rien à dire. En fait, je ne lui ai jamais prêté attention.» La journée étant aux remords, Pauline dit impulsivement :

— Est-ce qu'il y a des choses que tu aimerais me dire? Des confidences que tu voudrais faire, je veux dire?

ajouta-t-elle nerveusement. Tu as accueilli les miennes, mais tu en avais peut-être à partager, toi aussi ?

Marie-Andrée ouvrit les yeux et la regarda avec étonnement, réalisant à son tour l'inégalité de leurs rapports durant le voyage. «Je suis habituée à ça ; les plus vieux pensent toujours que les jeunes ne vivent rien.» Elle se rappela leur première journée au bistrot, le jour où elle avait retenu de justesse une confidence par laquelle elle se serait mis sa belle-sœur à dos.

— Non, répondit-elle simplement. Pas vraiment.

Pauline sut intuitivement qu'il n'en était rien et que, peut-être, elle n'avait pas su écouter au bon moment. Elle regarda Marie-Andrée intensément pour la première fois en dix ans. Elle lui apparaissait si sereine qu'elle en fut elle-même apaisée.

— T'es une fille libre, dit-elle avec une pointe d'admiration.

Devant le regard étonné de sa jeune belle-sœur, elle ajouta :

— T'es vraie tout le temps. Avec moi ou d'autres touristes ou n'importe qui d'autre, tu ne joues jamais. T'es toujours vraie. Tu te rappelles le serveur français du petit bistrot à Paris qui nous regardait de haut ? Moi, ça me choquait. Mais toi, ça te faisait rire.

— Franchement, il se prenait pour qui ? Il n'est qu'un serveur ! Il avait l'air d'oublier que c'étaient nous, les Québécoises, qui avions les moyens de voyager, pas lui !

— Tu vois ? C'est ça que je veux dire. Son mépris n'avait pas de prise sur toi. T'es toujours toi-même.

Elle protesta ; elle ne se trouvait pas mieux que les autres. Pauline insista. Marie-Andrée se défendit encore d'être différente. L'autre, qui reconnaissait douloureusement ses entraves en nommant la liberté de sa jeune belle-sœur, s'irrita.

— T'es comme ta mère! Oui, comme ta mère! Pas capable de prendre un compliment! C'est si dur que ça à accepter, un compliment?

Marie-Andrée était furieuse, et d'autant plus qu'elle voyait bien que sa réaction ressemblait à une attitude maternelle qu'elle avait elle-même si souvent déplorée. Pauline regrettait la vivacité de sa remarque.

— Mais tu as bien d'autres qualités. Comme ta mère, ajouta-t-elle pour se faire pardonner. Je voulais juste te dire que je t'admirais d'être toi-même.

— Toi aussi, tu es toi-même, répondit Marie-Andrée en saisissant cette perche pour dédramatiser la situation.

Pauline reposa sa tête sur le dossier et ferma les yeux en soupirant.

— Peut-être… Pas tout le temps, en tout cas. Tu sais, les dessous et le flacon de Chanel? C'est pour faire plaisir à Marcel. Je t'envie de t'habiller comme tu veux.

— Marcel ou pas, t'es quand même plus chic que moi!

— Se mettre chic, c'est souvent pour les autres qu'on le fait. Toi, tu t'habilles pour toi, selon ton humeur du moment, pour être à l'aise si c'est ce que tu veux, pour être plus élégante si c'est ça que tu veux, et quand tu veux. Et pour aller où tu veux.

— On a visité les mêmes sites.

— Oui, mais toi, tu as grimpé dans la cathédrale Notre-Dame pour aller chatouiller les gargouilles. La vue de Paris de cette hauteur-là, je vais la voir sur tes diapos; je ne l'aurai pas vue de mes yeux.

— Pourquoi ne m'as-tu pas suivie?

— J'avais trop mal aux pieds…

— Mais Marcel n'était pas là! Tu n'avais qu'à te chausser comme tu le voulais!

— Tu ne comprends pas. C'est dans la tête que ça se passe. J'ai tellement voulu lui plaire que j'ai fini par adopter ses goûts sans m'en rendre compte! Maintenant c'est là! avoua-t-elle en se tapotant le front de son index. C'est là même si Marcel, lui, n'est pas là. Tu comprends?

Marie-Andrée, qui venait pourtant de passer trois semaines avec sa belle-sœur, percevait une facette d'elle qu'elle n'avait jamais soupçonnée. Elle était stupéfaite de découvrir, une fois de plus, une autre femme, comme si Pauline était composée de couches superposées, chacune en masquant une autre. «Il y a combien de couches, comme ça, avant d'arriver à la vraie Pauline?» se demanda-t-elle, oscillant entre la tristesse et la fascination.

— Et maintenant, demanda-t-elle plutôt, avec un intérêt sincère, qu'est-ce que tu vas faire?

— Aucune idée! Je voudrais être moi! Mais c'est qui, moi?

Marie-Andrée pensa à la lettre de Diane dans laquelle elle lui parlait des falaises de Bandiagara du haut desquelles les ancêtres surveillaient les villages. «De toutes nos pensées dans une journée, combien nous appartiennent vraiment? On réagit comme on a vu nos parents réagir. C'est devenu des réflexes.» Un doute très dérangeant s'imposa soudain. «Ma résolution de ne plus me laisser aller à la passion, c'est mon idée ou celle de ma mère?» Perplexe, elle perçut sa belle-sœur différemment. Elles en étaient peut-être au même point, toutes les deux, au fond. Elle dit :

— Durant ces trois semaines, j'ai beaucoup appris de toi, tu sais. Le goût d'être plus féminine, entre autres.

— La féminité, ce n'est pas nécessairement une question de vêtements. Tu aimes les gens, toi, ça se voit, ça se sent.

— Aimer le monde? C'est ça, pour toi, être féminine?

— Si les femmes n'aiment pas les gens, veux-tu bien me dire qui va le faire? Les hommes, peut-être? railla Pauline.

Comme tous les voyageurs, Marie-Andrée dut aller aux toilettes durant le long vol; elle était si absorbée dans ses réflexions qu'elle ne remarqua même pas le siège vide de la dernière rangée.

À l'aéroport de Dorval, dans la frénésie de la cueillette des bagages, les voyageuses cherchaient des yeux leurs valises sur le carrousel, au milieu des passagers tout aussi fébriles qu'elles et des chariots encombrants. Pauline se précipita nerveusement vers le carrousel. Quelqu'un toucha le bras de Marie-Andrée qui se retourna distraitement.

— Le voyage s'est bien passé?

Ghislain Brodeur la regardait avec le même sourire moqueur. Surprise et préoccupée, elle ne trouva qu'une banalité à répondre :

— Oui, et le tien?

Déjà sa belle-sœur empoignait sa première valise et repérait la seconde, qu'un voisin complaisant retira du carrousel pour elle. Ghislain tendit à Marie-Andrée un bout de papier.

— On n'a pas eu le temps de se parler beaucoup à Paris. Si ça te tente qu'on se revoie…

Pauline revenait, traînant lourdement ses deux valises dans la cohue.

— Marie-Andrée! s'impatienta-t-elle. Ta valise vient de passer!

Prise en faute, sa belle-sœur poussa le chariot vers elle tout en se retournant vers la tête rousse, mais Ghislain Brodeur était déjà loin et se dirigeait vers la sortie, un havresac sur l'épaule. Elle déplia le papier; il y avait un nom, un numéro de téléphone et une note. *Au cas où tu aurais oublié mon nom*... Elle enfouit le papier dans la poche de son veston en jean et alla au-devant de Pauline pour que celle-ci puisse enfin déposer ses lourdes valises sur le chariot.

— Tu dors ou quoi ? lui demanda Pauline, impatiente de retrouver Marcel, se demandant pour la centième fois s'il avait profité de son voyage pour la tromper.

«Ouais... les vacances sont finies!» constata Marie-Andrée.

13

— Marie-Andrée, je te présente Dominique. Marie-Andrée s'attendait si peu à voir Luc en compagnie d'une jeune femme que son regard s'appesantit sur cette dernière. L'autre y décela une surprise, presque de la stupéfaction, aussi sûrement que si ces émotions avaient été verbalisées. Dominique, qui s'attendait à être accueillie gentiment sinon chaleureusement, déchanta. Rejetée dans son élan amical, elle jugea Marie-Andrée jalouse, sinon revêche. «De quoi elle se mêle, celle-là? Elle ne me trouve pas assez bien pour son frère?» Les deux jeunes femmes se toisèrent et la connivence qui, en d'autres circonstances, aurait sans doute surgi ne se manifesta pas. Cette altercation muette n'avait duré que le temps d'un premier regard, mais le mal était fait. Dominique avait pris en grippe la jumelle de son copain et elle n'était pas du genre à revenir sur une première impression.

Marie-Andrée ne put s'empêcher de chercher Luc des yeux pour trouver une explication quelconque à ce revirement de situation, même si elle la soulageait. Mais aussitôt les présentations faites, il s'était esquivé dans sa chambre. Sa sœur, revenue de voyage la veille et encore fatiguée, dut reprendre ses esprits toute seule. L'homosexualité de Luc avait-elle été seulement un bref intermède? C'était tentant de le croire; cela simplifierait nettement ses relations avec sa famille et la société. Mais cette volte-face, en trois semaines à peine, la laissait perplexe. Quoi qu'il en soit, pour l'instant, Dominique et elle étaient là, face à face, et elles ne savaient quoi se dire.

Essayant de trouver un sujet de conversation, Marie-Andrée se rabattit sur le voyage. Elle voulut aussi rasséréner son regard qui, à en juger par l'air renfrogné de son interlocutrice, avait dû être éloquent.

— Si j'avais su que Luc s'était fait une amie, j'aurais rapporté un cadeau pour toi aussi, lui dit-elle gentiment.

C'était banal. Très banal. Cela témoignait tout de même d'un effort de gentillesse et Dominique le reconnut. Mais cela ne fit qu'installer entre elles une politesse vide.

— Je lirai l'*Astérix* avec Luc. On aime lire des bandes dessinées au lit, le matin.

Voilà! Dominique avait clairement établi leur relation. La sœur de Luc savait maintenant que la fille aux longs cheveux blonds était dans le lit et la vie de son jumeau; elle trouvait même qu'elle se comportait comme si elle était là pour y rester. Puis Luc se pointa et, quand Marie-Andrée les vit l'un à côté de l'autre, elle dut admettre qu'ils formaient un beau couple. La fille était un peu plus petite que lui et aussi blonde qu'il était brun. Son visage semblait mince, mais c'étaient sans doute ses longs cheveux blonds qui donnaient cette impression. Marie-Andrée décela toutefois chez son frère une certaine nervosité et un manque de naturel dans son attitude avec la jeune femme. «Est-ce qu'il bluffe?»

— Alors, les filles, vous avez fait connaissance?

Sa sœur lui jeta un regard irrité.

— Pas vraiment, mais je ne demande pas mieux. Luc t'as peut-être parlé de moi, ajouta-t-elle à l'intention de la fille, mais moi, je ne sais rien de toi. Vous vous connaissez depuis longtemps?

Le couple se raconta sommairement. Dominique était l'amie de la sœur d'un copain de Luc. Ils s'étaient rencontrés par hasard chez l'ami en question, Francis. «Francis?» Marie-Andrée sentit la fatigue du voyage lui retomber sur les épaules. «Qu'est-ce que c'est que ce nid de crabes?» Craignant une situation tordue, elle l'écarta délibérément de sa pensée, se concentrant sur la voix de la fille, qui semblait plus jeune qu'elle : dix huit ou dix-neuf ans sans doute. Elle venait de terminer sa deuxième année de cégep en soins infirmiers et il lui restait une dernière année d'études.

— Tu comprends, lui dit-elle, être infirmière, ça peut servir pour élever une famille. C'est pas comme d'autres genres d'études qui ne servent pas à grand-chose quand les filles se marient après.

Elle regarda Luc d'un air si amoureux et si candide que Marie-Andrée le soupçonna de s'être déjà plus ou moins engagé envers elle. «Elle n'est pas enceinte, quand même? se demanda-t-elle avant de se rassurer aussi vite. Franchement, je suis partie depuis trois semaines, pas six mois!» Pourtant, malgré ce court laps de temps, ils se comportaient déjà comme un couple. «Il n'est pas homosexuel ou il a préféré rentrer dans le rang pour ne pas affronter les problèmes?»

À la fois fourbue, excitée et déphasée, elle eut spontanément de la compassion pour la fille qui bavardait et qui semblait réellement amoureuse de lui. «Comme plusieurs filles que j'ai vues passer ici…», se rappela-t-elle. Était-il sincère avec Dominique? Était-ce un marché de dupes? Si c'était le cas… Alors elle eut de la peine pour Luc. Puis elle se secoua. Elle était fatiguée, elle voyait tout de travers et, surtout, rien de tout cela ne la concernait. Dans l'immédiat, elle se contenterait de se préparer à partir pour Valbois avec son frère, comme il avait été convenu.

Sa mère avait admis que sa fille avait besoin d'une bonne nuit de sommeil chez elle, mais elle n'aurait certainement pas accepté de ne la voir que la fin de semaine suivante, et de toute façon, Marie-Andrée avait hâte de les revoir tous. À sa grande surprise, Luc annonça qu'il emmenait Dominique pour la présenter à leurs parents. L'intuition de sa jumelle en fut renforcée.

Marie-Andrée suggéra puis insista pour qu'il prévienne leur mère de son arrivée en couple. Il finit par s'exécuter, et comprit, au ton de cette dernière, qu'elle préférait nettement le savoir d'avance. À son corps défendant, il se sentait mal à l'aise de présenter sa copine à ses parents, surtout à sa mère. «Elle va lui trouver tous les défauts.» Cette sensation déplaisante, il ne savait comment la nommer; il ne savait pas pourquoi il la ressentait. Mais elle était là et, pour la chasser, il eut recours à l'ironie. «Qu'ils se comptent chanceux; j'aurais pu débarquer avec Francis!» Mais cette bravade ne le rasséréna pas; il coupa court à ses réflexions en précipitant le départ.

— On y va, les filles?

— Dans deux minutes! répondit Dominique en s'engouffrant dans la salle de bains.

Luc s'apprêtait à quitter la pièce, mais Marie-Andrée le retint et lui murmura :

— Francis ou Dominique, c'est toi que ça regarde. Mais ça m'aiderait de savoir ce qui se passe.

Il la dévisagea, impassible.

— Francis… c'était juste une expérience. Oublie ça, Marie-Andrée, oublie ça.

Il empoigna le sac de voyage de Dominique et le sien et partit en criant à sa copine :

— Je descends nos affaires.

À l'auto, Dominique ouvrit la portière, fit basculer le dossier du siège avant et s'écarta pour laisser monter

Marie-Andrée. Un instant médusée par un tel aplomb, celle-ci s'assit sur le siège arrière en rageant. «Je suis copropriétaire de cette auto-là, il me semble.» Mais cela lui épargnerait de faire la conversation et elle l'apprécia. Ce temps d'isolement, même relatif, lui permettrait de mettre un peu d'ordre dans ses idées avant d'arriver à Valbois.

Dès qu'ils sortirent de Montréal, à sa grande surprise, elle perçut différemment la nature environnante qui lui était pourtant familière. Était-ce le fait de ne pas conduire qui lui donnait la liberté de voir les choses avec d'autres yeux? Étaient-ce plutôt les trois semaines de voyage pendant lesquelles, jour après jour, elle avait regardé tant de paysages différents, habituant ses yeux à différencier ce qu'ils voyaient au lieu de tout englober dans une masse indistincte?

Elle réalisait pour la première fois avec acuité qu'ils venaient de quitter une île, Montréal, et qu'ils filaient sur l'autoroute des Cantons de l'Est qui, comme elle l'avait appris dans les manuels de géographie, traversait, en serpentant, la plaine du Saint-Laurent. Une plaine nivelée lors de la dernière glaciation par quelques kilomètres d'épaisseur de glaces qui avaient tout rasé sur leur passage, sauf quelques montagnes qui leur avaient résisté. Très rapidement, d'ailleurs, elle commença à distinguer ces montagnes isolées. «Les Montérégiennes», se rappela-t-elle. Selon le tracé de la route, elle en apercevait une ou deux, tantôt à gauche et tantôt à droite. Plus loin, elle ouvrit grand les yeux : pendant quelques instants, plusieurs montagnes de la chaîne des Appalaches s'alignèrent à l'horizon avant qu'une courbe de la route les dissimule à nouveau. Combien de fois, pourtant, avait-elle effectué ce trajet en un an? Des dizaines de fois! Et pourtant, elle ne remarquait vraiment les montagnes qu'aujourd'hui seulement. Elle réalisa aussi, gênée, qu'elle ne pouvait pas les nommer toutes. «Pas encore!» corrigea-t-elle.

Marie-Andrée n'en revenait pas de découvrir ainsi son coin de pays qui, pourtant, était toujours le même. «Ça change tant que ça, les voyages? s'étonna-t-elle. Trois petites semaines, rien que trois petites semaines...» Des images de France lui revinrent, de ce pays où elle avait déjeuné, la veille au matin. C'était si près et si loin à la fois. Le mont Saint-Michel, si majestueux et si solide au-dessus de la plaine marécageuse, les villages qui se succédaient à un tel rythme qu'on ne savait plus quand on quittait l'un pour entrer dans l'autre, les paysages marins de la Bretagne...

Ils étaient beaux, ces paysages, très beaux, mais ici, c'était chez elle. Elle se reconnaissait dans la nuance bleutée des montagnes, dans les ormes isolés des champs, dans les silos des grandes fermes qu'elle apercevait depuis l'autoroute et jusque dans les faux trembles, encore petits, battus par les vents, qui bordaient un secteur de cette route; même le bleu du ciel lui apparaissait unique, lui semblait différent de celui de la France. «Mon pays...», songea-t-elle, emplie d'une émotion de joie et de sécurité. Son cœur battit plus vite dès qu'elle aperçut les montagnes précédant Valbois.

En entrant dans sa ville natale, elle s'interrogea sur le souper de famille qui les attendait. Au moment de son départ, elle avait osé rêver qu'à son retour elle recevrait de l'attention pour une fois, elle avait espéré qu'après son voyage elle aurait acquis le statut d'adulte aux yeux de sa famille. Mais avec Luc qui débarquait avec une amie, quel espace lui resterait-il?

De fait, sa mère ne savait plus qui observer, qui écouter, et elle louvoyait de l'un à l'autre, de l'une à l'autre, étonnée, presque intimidée par cette Dominique, cette étrangère qui entrait dans sa maison par la grande porte, c'est-à-dire par le cœur de son fils. C'était beaucoup d'émotions, des émotions inattendues. Pourquoi son fils ne l'avait-il prévenue de la présence de cette fille qu'à la dernière minute? «On sait bien, je compte pas, moi. Je suis seulement la mère qui va recevoir une étrangère.» L'attitude de Luc s'expliquait peut-être par l'arrivée de Marie-Andrée, la veille; celle-ci avait dû accaparer Luc au point qu'il en avait oublié de la prévenir. Éva s'irrita contre sa fille. «C'est pas parce qu'elle arrive d'Europe qu'elle doit prendre toute la place.»

Marie-Andrée observait sa mère qui, elle, observait l'amie de son fils. Éva ne cachait pas sa curiosité légitime et commença à poser des questions, beaucoup de questions. Elle dissimulait mal sa méfiance naturelle. Cette Dominique était-elle une bonne fille, selon ses critères de femme de près de soixante ans? Était-elle une fille sérieuse à ses yeux de femme d'expérience? Est-ce que son fils la connaissait depuis longtemps? Quels étaient ses sentiments envers elle? L'éventuelle belle-mère, mécontente de sentir la jalousie poindre en elle, préféra se concentrer sur Marie-Andrée. Comme elle l'enviait d'avoir effectué un tel voyage à vingt ans!

— T'es bien chanceuse. J'ai trois fois ton âge et j'ai rien vu.

Son amertume se teinta de jalousie et ternit son impatience d'apprendre tout ce que sa fille avait vu là-bas, dans ce qu'elle appelait *les vieux pays*. Marie-Andrée choisit délibérément de ne pas relever l'amertume de sa mère et s'attarda au mot «chanceuse».

— J'ai pas gagné mon voyage à la loterie, maman. La chance a rien à voir là-dedans : j'ai ramassé mon argent semaine après semaine.

Éva interpréta cette remarque comme un dénigrement de ses années passées à élever sa famille.

— J'aurais été assez intelligente pour le faire, moi aussi, si j'avais pas eu cinq enfants à élever toute seule.

Son mari, entendant le reproche pour la nième fois, regretta ses absences d'autrefois. Dominique regarda Luc à la dérobée, étonnée du ton acerbe de madame Duranceau. Marie-Andrée eut mal. «Elle va me gâcher mon retour de voyage.» Mais elle chassa aussitôt cette pensée, se délestant d'un poids dont elle ne voulait plus. «Il n'en est pas question. Mon voyage m'appartient. Elle ne viendra pas le piétiner avec ses gros sabots.» Ce mot suscita une image qui la fit rire, celle des sabots de bois qu'elle avait vus en Bretagne. Cette expression prenait tout son sens désormais, et elle visualisa son voyage, son amie Françoise, jusqu'à ses idées, martelées par ces sabots rigides et massifs. Non, il n'était pas question qu'une telle chose se produise.

Depuis le fameux café crème pris toute seule à la terrasse d'un bistrot, elle s'appartenait et elle était fermement décidée à se protéger de tout ce qui pourrait nuire à son identité encore fragile. Mais ses armes ne seraient pas celles de sa mère. Quelles qu'aient pu être les raisons du choix des armes de sa mère, qu'elles soient venues de son enfance, de son expérience d'épouse ou de mère, ou qu'elles aient découlé de sa vision personnelle de l'existence, quelle importance cela avait-il? Ces raisons ne concernaient que sa mère et Marie-Andrée n'en savait rien, au fond. Elle avouait son ignorance et, du même coup, son impuissance. Une seule certitude habitait Marie-Andrée depuis peu : elle était plus outillée que sa mère pour percevoir le bonheur. Ce n'était pas une garantie pour chaque jour de sa vie, mais c'était une sorte d'atout de départ. Elle ne savait pas à quoi ou à qui elle le devait, mais elle en bénéficiait, ce qui ne semblait pas être le cas de sa mère. Mais encore là, qu'en savait-elle vraiment? Revenue de voyage plus détachée, plus autonome, elle ne ressentit plus que de la compassion pour cette femme qu'elle aimait et qui, peut-être, ne s'était jamais aimée elle-même.

— Heureusement que tu m'as élevée, lui dit-elle, l'embrassant en riant, sans ça, je n'aurais jamais pu le faire, ce beau voyage-là!

Dominique découvrit la sœur de Luc sous un jour tout à fait différent, et elle la remercia intérieurement d'avoir su dénouer avec gentillesse une tension qui commençait à lui peser.

Marie-Andrée parla enfin de son voyage et offrit son cadeau à sa mère, un tablier breton brodé et garni de jolies appliques. C'était sa manière de manifester sa reconnaissance pour les nombreuses heures qu'Éva avait consacrées à cuisiner pour eux tous depuis tant d'années. En lui offrant ce vêtement d'usage courant mais finement ouvragé, elle voulait aussi reconnaître, officiellement en quelque sorte, la noblesse de cette activité quotidienne de sa mère. Éva, qui ne savait à quel genre de cadeau s'attendre, fut déconcertée de ce présent qui la ramenait dans son quotidien. «Je suis juste ça pour elle, une servante?» Elle tourna et retourna le tablier dans ses mains, admettant sobrement sa beauté.

— C'est bien trop beau pour travailler. Je vais le garder en souvenir.

«J'ai pas fait le bon choix...», regretta Marie-Andrée. Elle se hâta de lui remettre un second cadeau. «Celui-là, elle ne pourra pas s'en plaindre.» C'était une fine broche en or que Diane et elle lui offraient ensemble. Diane prévoyait lui rapporter, l'an prochain, un magnifique bijou d'Afrique, tout en or finement travaillé en filigrane; la broche offerte aujourd'hui devait tester sa réaction à un bijou de prix. Éva écarquilla les yeux et effleura la broche du bout des doigts.

— On dirait du vrai or, dit-elle. Ils font vraiment des belles imitations.

— C'est du vrai, maman. On voulait te donner quelque chose de beau.

Sa mère se trouva sotte d'être aussi ignorante et protesta autrement.

— Voyons donc, ça a dû coûter une fortune! Qu'est-ce que vous avez pensé de m'acheter un bijou cher de même?

«On voulait te faire plaisir, maman...», lui répondit silencieusement Marie-Andrée, qui préféra distribuer les autres cadeaux pour couper court à une situation décevante. «Je l'avais dit à Diane que maman se sentirait mal avec un cadeau de ce prix-là.» Elle donna des nouvelles de sa sœur, en évitant de mentionner Gilbert, par discrétion. «Diane en parlera quand elle le décidera.»

Elle décela peu à peu une certaine admiration dans les yeux de son père et une connivence timide surgit entre eux, celle d'éprouver la même joie à la découverte d'espaces nouveaux, le même besoin de connaître autre chose, ailleurs. Marie-Andrée, qui jusque-là s'était surtout sentie la fille de sa mère, réalisait en cet instant qu'elle était aussi la fille de Raymond Duranceau, de cet homme qui, avant elle, avait attaché tant de prix à la liberté de mouvement et qui l'avait vécue à sa manière, envers et contre tous.

— La France, dit-il sobrement en rêvant pour la première fois de ces lieux inconnus, ça doit être bien différent d'ici.

C'était différent, Marie-Andrée en convenait, mais comme tout autre pays l'était aussi : l'Italie, le Pérou, la Chine... Était-ce mieux que le Québec pour autant?

— Oui, c'est différent, mais c'est pas nécessairement mieux, finit-elle par dire. Les voyages, c'est... ça nous montre juste... des manières différentes d'exister au quotidien! lança-t-elle spontanément.

— Wow! s'écria Yvon qui venait d'arriver avec Louise et leurs enfants. Ça t'a rendue poète, la belle-sœur!

Marie-Andrée embrassa tout le monde, aimant l'énergie qui se dégageait de cette petite famille grouillante. Plus tard, l'arrivée de Marcel et de Pauline changea à nouveau l'atmosphère. Les voyageuses se retrouvèrent avec affection, percevant, aussi étonnées l'une que l'autre, une complicité qui avait résisté aux affrontements des derniers jours. Pauline semblait heureuse mais fébrile. « Son retour a dû être mouvementé! » se dit sa compagne de voyage et confidente.

Oubliant ses trois enfants qui couraient dans la grande maison victorienne, Louise envia la complicité rieuse des deux belles-sœurs, si différente de leurs rapports précédents. À vivre sept jours sur sept avec de jeunes enfants, elle en venait à manquer de conversation quand elle se retrouvait avec des adultes et elle enviait la connivence des femmes entre elles qui commençait à se tisser ici et là. Et des voyages, en ferait-elle aussi, un jour? Quand elle en avait parlé à Yvon, il n'avait pas rejeté l'idée d'emblée; il s'opposait rarement directement. Au contraire, il semblait toujours d'accord. Mais il avait ajouté du même souffle : « Quand Simon aura fini son université. »

« Autant dire quand je serai vieille! » avait pensé Louise. Mais pouvait-elle le blâmer? Son salaire d'enseignant devait les faire vivre tous les cinq; un voyage outremer, c'était plus que du luxe, c'était une folie. Mais les changements qu'elle décelait intuitivement chez les deux femmes lui insufflèrent un tel désir de liberté et d'évasion que, dès qu'ils furent tous assis autour de la table, elle leur fit part de la décision qu'elle avait longuement mûrie :

— Quand Simon va aller à l'école, je vais aller travailler.

Une bombe n'aurait pas créé plus de commotions, aux yeux de son mari. Il se sentait humilié devant toute sa belle-famille.

— Je t'ai toujours fait vivre, répliqua-t-il sèchement. Manques-tu de quelque chose?

346

— C'est pas la question, mais je…

— La place d'une mère, c'est auprès de ses enfants, intervint Éva. Si les mères n'élèvent plus leurs enfants, on s'en va où, mon Dieu?

Marie-Andrée regarda attentivement sa sœur; était-ce bien la Louise qui lui avait reproché de changer d'emploi pour améliorer son sort? Elle ne lui en tint pas rigueur; sa sœur avait droit au changement, elle aussi. Mais elle s'attendait encore moins, comme tous les autres convives, y compris Marcel, au commentaire que fit Pauline d'une voix calme mais ferme :

— Moi aussi, je vais travailler quand j'aurai un enfant.

— T'es enceinte? s'écria spontanément Marie-Andrée.

— Pas encore mais… on y travaille!

Raymond Duranceau ne s'attarda pas sur cette nouvelle, qu'il avait pourtant vivement souhaitée. Il avait un grief à formuler. Après avoir lancé un regard vif à sa femme, il dit :

— Faut croire que c'est de famille, cette manie de se pousser de la maison. Même votre mère!

Il se tut, laissant sa phrase de reproche être interprétée au gré de chacun. Éva se raidit dans un mouvement agacé.

— J'ai connu ça toute ma vie, un mari jamais là. C'est pas parce que je vais à quelques réunions de l'AFEAS de temps en temps qu'il va en mourir. Maintenant, je fais partie d'un comité; c'est sûr que ça prend plus de temps.

Marie-Andrée eut un sourire surpris mais heureux. Ainsi donc, sa mère s'investissait réellement ailleurs que dans sa maison. Éva croisa son regard et ses yeux brillèrent d'une fierté sereine. Le mari, lui, ne partageait pas ce point de vue.

— Quelques réunions? protesta-t-il. T'es toujours partie!

— Deux ou trois fois par semaine, et en plein jour, y… a pas grand danger là-dedans.

— Des réunions de femmes, ronchonna son mari. Je me demande bien ce qui peut se passer là.

— Certainement pas plus que les sautages de chèvre des Chevaliers de Colomb.

— Qu'est-ce que c'est ça? demanda spontanément Dominique.

Yvon se rengorgea et répondit d'un air faussement mystérieux :

— Ça, c'est l'initiation des nouveaux membres.

— Mais une chèvre, insista la nouvelle venue avec candeur, qu'est-ce que ça vient faire là-dedans?

— Ah! ça, c'est secret! Une affaire d'hommes! Donc, tu ne pourras jamais le savoir. Les membres ont fait le serment de ne jamais rien révéler sur les initiations.

Les autres s'amusèrent de sa répartie et Dominique les trouva ridicules. Éva ajouta :

— En tout cas, nous autres, dans nos réunions, on fait autre chose que des niaiseries; on parle d'éducation et d'action sociale.

— Action sociale, action sociale! s'exclama son mari avec mauvaise foi. Au lieu de s'occuper de la société, ces femmes-là devraient s'occuper de leurs maris.

— Manques-tu de quelque chose? voulut savoir sa femme. J'ai été seule à la maison toute ma vie, puis tu trouvais ça correct! C'est pas parce que t'as décidé d'arrêter de travailler que je suis obligée d'arrêter de vivre.

Il ne répondit rien et s'alluma une cigarette. Marie-Andrée eut soudain l'impression que ses parents vieillissaient. «Ils n'ont quand même pas pris un coup de vieux en trois semaines!» Alors elle comprit que c'était elle qui avait changé. Jusqu'à maintenant, elle les avait perçus comme des parents, justement; maintenant elle les voyait comme des adultes, comme un couple avec ses problèmes et ses liens intimes, inconnus des autres.

Marcel annonça dans la même foulée qu'il allait accepter une promotion, à Toronto, et qu'ils allaient déménager d'ici la fin du mois d'août. Dans le flot de questions et de commentaires de tout un chacun, Marie-Andrée vit Pauline cligner des yeux. «Il lui fait payer son voyage, soupçonna-t-elle tristement. Pourtant, c'est avec lui qu'elle avait tant souhaité y aller, en France; c'est lui qui a refusé.» Curieuse, elle regarda sa belle-sœur qui redressait la tête. Pauline avait accepté la décision de son mari d'aller à Toronto comme il avait dû accepter la sienne, la veille, d'avoir un enfant dans l'année. Tout compte fait, elle se disait que cet éloignement pourrait leur être bénéfique, à tous deux, qu'ils se retrouveraient peut-être comme couple. De plus, elle oublierait plus vite, sans doute, certaines parties de son voyage en ne revoyant pas, pendant un certain temps, sa belle-sœur qui les lui rappelait sans le savoir, ce qui ne l'empêchait pas de l'aimer de plus en plus.

Éva ne disait rien. Sa bru voulait un enfant. «Enfin!» se dit-elle en remerciant le ciel. Mais son fils partait. Un autre de ses enfants serait au loin. Comparativement à l'Afrique, Toronto lui semblait presque la porte d'à côté, mais elle retomba vite dans son amertume. «Marcel était à Montréal et il ne venait qu'une fois par saison; qu'est-ce que ce sera quand il vivra à Toronto?» Impuissante à empêcher la vie d'éloigner ses enfants les uns après les autres, elle choisit de se taire et de laisser la tablée commenter l'événement. Et elle regarda encore une fois Dominique, et sentit un fossé si grand entre elle et eux qu'elle se détourna.

Marie-Andrée regarda un à un les membres de sa famille; elle avait l'impression que tout avait changé. Ils n'avaient pas eu besoin d'un voyage à des milliers de kilomètres pour prendre d'importantes décisions. «Mais moi, ça m'a aidée. Et Pauline aussi, je pense.» Puis elle comprit que c'était son regard sur les autres, tissé de complicité et de distance entremêlés, qui était différent. Maintenant une adulte, elle considérait d'autres adultes qui, comme elle sans doute, essayaient d'être heureux chacun et chacune à sa manière. «Qu'est-ce que j'avais à tant attendre de ma famille? On ne peut pas être différent et comme les autres en même temps. Et puis, on a chacun notre vie à vivre.»

— Au fait, blagua Yvon, as-tu dit merci au général de Gaulle pour sa belle petite phrase de l'été 67?

Le «Vive le Québec… libre!» retentit dans la maison comme si Yvon avait prononcé les mots. Marie-Andrée, comme d'autres, s'était demandé pourquoi le vieux général en visite avait osé, presque insolemment, semer la zizanie par sa phrase explosive. Par ailleurs, comme Yvon, elle ne voyait pas en quoi le fait de proclamer ouvertement au monde entier la liberté du Québec était répréhensible. Si le Québec était libre, la phrase n'exprimait qu'une vérité évidente; s'il ne l'était pas, alors il était plus que temps de réclamer cette liberté. N'était-ce pas le premier droit, simple et naturel, auquel aspirent tous les peuples? Mais Éva semonça son gendre.

— J'ai déjà dit que je ne voulais pas entendre parler de religion ni de politique dans ma maison.

La colère empourpra les joues de Marie-Andrée. Indépendamment des opinions, non pas de sa famille mais de chacun de ses membres individuellement, comment était-il concevable qu'autour de la table familiale, l'endroit privilégié où l'individu peut apprendre à se connaître et à s'affirmer, il soit interdit d'exprimer des idées et d'en discuter ouvertement? Comment clarifier, enrichir une pensée ou une idée s'il était interdit d'en débattre? Comment la liberté d'exister était-elle possible si on ne pouvait même pas parler en toute simplicité, ou même avec passion, autour de la table familiale, si le silence était imposé sur des questions aussi fondamentales que la religion ou la dimension sociale des individus dans un pays? Sa respiration s'était accélérée au rythme des pensées qui se bousculaient dans sa tête. Marie-Andrée réalisa pour la première fois de sa vie qu'ils avaient tous été élevés — ses parents, elle-même, ses frères, ses sœurs — dans la méfiance de la liberté, dans la crainte de la liberté, comme si elle était honteuse, inavouable, et plus encore, dangereuse. Mais elle ne pouvait plus tolérer un non-sens aussi dramatique au nom de... de quoi au juste? D'un dîner de famille tranquille?

La colère et la révolte qui grondaient en elle depuis longtemps éclatèrent. «C'est à la maison qu'on doit apprendre qui on est, qu'on doit apprendre à vivre dans la liberté. Si elle n'existe pas à l'intérieur, comment pourrait-on la vivre, l'exiger à l'extérieur?» Elle se revit au bureau; la promotion lui avait filé entre les doigts même si elle était plus compétente que Lorraine Parker. Qu'avait-elle fait, elle, Marie-Andrée Duranceau, devant cette injustice? Rien. Elle n'avait pas appris à se défendre contre l'autorité si besoin était. Pire encore : elle n'avait pas appris à reconnaître l'injustice et encore moins à la dénoncer. «On a été bâillonnés toute notre vie! constatait-elle avec une amertume rageuse. Mais moi, je ne peux plus accepter ça!»

Quand vint l'heure du coucher, sa mère la prit à part.

— Tu coucheras dans la chambre de Luc avec Dominique. Luc prendra le sofa.

Ses yeux inquisiteurs la scrutaient, quémandant la confirmation que Luc et cette fille se conduisaient décemment. Marie-Andrée fut tentée d'accepter, par réflexe, pour avoir la paix, mais sa colère lui revint au cœur.

— J'ai toujours couché sur le sofa avec Diane, affirma-t-elle. C'est ça, ma chambre quand il y a de la visite.

Éva, irritée de cette réponse, marmonna entre ses dents pour ne pas être entendue par d'autres.

— Fais pas ta mauvaise tête; on peut pas faire coucher la visite sur le sofa.

Marie-Andrée aurait préféré ne pas entendre cette phrase dénigrante qui lui confirmait qu'elle avait moins d'importance que les visiteurs, que les apparences.

— Mais moi... oui?

Éva se débattait avec ses principes rigides d'hospitalité qui n'avaient aucun lien avec le plaisir ou le déplaisir de recevoir l'amie de Luc. Marie-Andrée conclut que sa mère devait avoir bien peu d'estime d'elle-même pour accorder autant d'importance aux étrangers. Elle se dit aussi que, comme elle était sa fille, sa mère devait la considérer comme son prolongement, l'inclure indistinctement avec elle, donc la juger moins importante que les étrangers. «Mais moi, maman, je ne suis pas toi, je suis une personne distincte de toi. Et je prends mes décisions moi-même.»

Elle la regarda silencieusement, regrettant toutes les incompréhensions qui les avaient si souvent éloignées l'une de l'autre. Ce soir, elle abandonnait. Sa mère souffrait et doutait de tout et de rien. Elle était comme ça. C'était son choix à elle; conscient ou inconscient, mais le sien. Souffrir dans le maintien à tout prix des apparences d'une paix qui n'était en fait que des conflits niés ou réprimés. Marie-Andrée, qui venait ces derniers temps de se trouver, ne voulait plus, ni maintenant ni jamais, laisser quelqu'un d'autre l'enfermer dans un carcan. Elle voulait sa liberté même si ce souhait devait se réaliser en dehors de sa mère.

— Je couche sur le sofa. Comme d'habitude.

Elle tourna les talons et rappela à Luc que, comme il avait été convenu entre eux, elle gardait l'auto le lendemain, dimanche. Dominique eut un air si étonné et si contrarié que Marie-Andrée ne put s'empêcher de lui préciser :

— Au fait, Luc ne te l'a pas dit? Je suis copropriétaire de la Volks. Et je la prendrai les trois prochaines fins de semaine pour compenser mes trois fins de semaine de voyage.

Les yeux grands ouverts dans l'obscurité, trop en colère pour dormir, Marie-Andrée revoyait la confrontation avec sa mère au sujet du sofa. «Elle croit avoir raison, elle décide et on n'a rien à dire!» Mais alors elle pensa à sa propre attitude dans une situation récente et son cœur lui fit mal. C'était ce qu'elle avait fait avec Mario Perron! Elle avait évalué qu'une rupture était la seule solution et elle l'en avait informé. Point final. Avait-il eu un seul mot à dire? Tout avait été réfléchi et décidé avant même qu'il ne soit entré dans l'appartement... Elle se rappela même lui avoir dit qu'elle ne reviendrait pas sur sa décision. «Comme ma mère... j'ai agi comme ma mère...» Un doute déchirant lui monta au cœur : qu'est-ce que Mario aurait décidé si elle lui avait donné à choisir entre elle et sa femme? Elle refusa d'y penser, fermement résolue à ne plus souffrir de ce triste amour, en dépit du doute, cet héritage maternel dont elle ne voulait pas. Les larmes lui vinrent aux yeux, de peine pour son inconscience, de regret pour les paroles que Mario n'avait pas pu prononcer, de colère pour le modèle maternel qu'elle reproduisait sans s'en rendre compte.

Le lendemain, Luc et Dominique retournèrent à Montréal avec Marcel et Pauline, et Marie-Andrée put enfin se rendre chez Françoise. En chemin, elle ressentait et mesurait à quel point elle redevenait en accord avec elle-même, ne sachant si c'était parce qu'elle n'était plus avec sa famille ou parce qu'elle allait retrouver sa meilleure amie. Celle-ci lui avait dit au téléphone qu'elle se languissait de la revoir tant elle avait de nouvelles à lui raconter, et la voyageuse, de son côté, se promettait de lui faire le récit détaillé de ses trois semaines de voyage. Mais elle en oublia la France quand elle débarqua dans un salon à moitié vide et parsemé de boîtes empilées et étiquetées.

Au moment de son départ, les funérailles de monsieur Blanchard venaient à peine d'avoir lieu. La lecture de son testament avait révélé l'existence d'une assurance-vie confortable qui, maintenant placée sur les conseils de son fils, assurerait une rente annuelle à sa veuve, qui pourrait même utiliser une petite partie du capital si elle le souhaitait. Françoise étant maintenant libérée de sa responsabilité de soutien de famille, la date de son mariage avait été avancée. Au lieu d'attendre deux ans, Jean-Yves et elle allaient se marier dans moins de deux mois, au cours de l'été, pour ne pas déranger l'année universitaire de Jean-Yves. Dans moins de deux mois! Marie-Andrée comprit soudain que sa meilleure amie allait commencer une autre tranche de sa vie, sa vie d'adulte.

— Ce sera un mariage intime, poursuivit cette dernière. Tu comprends, quelques mois après un deuil… On sera une vingtaine de personnes, dont toi, j'y tiens! Et puis, le peu d'argent de maman, je ne veux pas qu'il serve à une grosse noce. De toute façon, tu me connais, je ne voulais rien savoir de ça. Tu me vois avec une robe blanche à crinoline, cent invités et un orchestre toute la soirée?

Les deux filles éclatèrent de rire. Il leur semblait que c'était le genre de mariage du siècle précédent. Marie-Andrée était heureuse sans arrière-pensée du bonheur évident de sa meilleure amie. Elle souhaita qu'elles demeurent amies toute leur vie, tout en se doutant bien qu'elle aurait moins de place dans celle de la jeune épouse, tout comme Françoise en aurait moins dans la sienne si elle, Marie-Andrée, vivait en couple un jour. Elle écouta Françoise lui parler abondamment de son projet de mariage. Quand elle eut fini, elle lui demanda :

— Promets-moi qu'on va voyager ensemble un jour! Si tu savais combien tu m'as manqué là-bas!

Pour dissiper son émotion, elle lui offrit enfin son cadeau.

— Je n'ai pas la boîte, s'excusa-t-elle, ça prenait trop de place dans ma valise.

Françoise défit le ruban, écarta avec curiosité le papier de soie et resta bouche bée devant une magnifique veste écru de soie brodée, à manches longues, d'une longueur trois-quarts. Elle lissa délicatement le tissu soyeux du bout de ses doigts, ne trouvant rien à dire tant elle était admirative.

— Ça peut se porter avec une jupe ou un beau pantalon, précisa Marie-Andrée en guettant sa réaction. Je sais que c'est très chic, ajouta-t-elle, décontenancée par le silence de Françoise, mais c'était pour te consoler de ne pas avoir été du voyage. Tu trouves ça trop chic? demanda-t-elle, doutant maintenant de la pertinence de son choix.

— C'est tellement beau! la rassura Françoise, les larmes aux yeux. Je vais la porter à mon mariage... Mon mariage, dit-elle rêveusement. Je me marie cet été, murmura-t-elle en posant le vêtement sur elle et en se regardant dans le miroir.

Marie-Andrée goûtait le bonheur de leur amitié. Avec Françoise, il n'y avait jamais de reproches, de conseils, et encore moins des ordres ou des obligations. Elle savoura une fois de plus le plaisir profond d'être acceptée telle qu'elle était, et libre de confier ses doutes et ses chagrins. Elle fit part à Françoise de sa prise de conscience de la nuit précédente : elle répétait le modèle parental dont elle avait tant souffert et qu'elle avait maintes fois critiqué. Non seulement n'avait-elle pas donné la moindre chance à son amant de s'exprimer, mais elle avait renoncé à lui sans combat. Et il en avait été de même pour la promotion à son ancien travail.

— Cette promotion-là me revenait et je n'ai rien fait. Je me suis laissée déposséder sans rien dire. Et je ne me suis pas battue non plus pour garder Mario. J'ai choisi de laisser aller l'homme que j'aimais. Quand je l'ai fait, je pensais que c'était par, comment dire, par droiture parce que c'était un homme marié. Maintenant, je ne sais plus. Est-ce que c'était de la lâcheté? Des fois, je pense qu'au fond je ne croyais pas vraiment qu'il m'aimait… Je doutais de moi, ne m'estimant sans doute pas assez intéressante ou importante pour susciter un amour suffisamment fort pour être choisie.

Elle se tut un instant, refoulant ses larmes, puis ajouta :

— Françoise, ce n'est pas de lui que j'ai douté, c'est de moi…

Son amie passa affectueusement son bras autour de ses épaules pour la rassurer de sa présence.

— Tu vas essayer de le revoir?

Marie-Andrée essuya deux larmes qui coulaient.

— Non.

Elle secoua la tête, refusant de s'attendrir sur elle-même.

— Tu sais ce que j'ai fait de plus important dans mon voyage? Je me suis trouvée. Maintenant je veux vivre ma

356

vie à ma façon, mais d'après ce que je peux voir, c'est pas simple de démêler toutes mes affaires. Si au moins j'avais un modèle quelque part.

Françoise pensa à la vie de ses parents, à sa future vie de couple.

— Les modèles, je pense bien qu'il va falloir les inventer nous-mêmes, conclut-elle en haussant les épaules.

— As-tu une idée comment on fait ça? demanda Marie-Andrée en reniflant.

Françoise pensa à des choix qu'elle avait faits : à son mariage qu'elle voulait intime, à sa toilette de noce non traditionnelle, à son mariage avec un étudiant endetté.

— On a déjà commencé, non?

Marie-Andrée se moucha puis revint à des considérations pratiques.

— Quand je suis revenue de voyage, j'avais trois offres d'emploi qui m'attendaient; mes démarches faites avant de partir ont porté fruit. En France, je n'y pensais pas vraiment, mais au retour, dans l'avion, je t'avoue que ça commençait à me travailler. Finalement je pense que je vais choisir la caisse populaire de mon quartier, à Montréal. Je vais les voir lundi.

— Caissière? Mais tu as trois ans d'expérience en secrétariat!

— Oui, mais je travaillerai avec le public, je pense que je vais aimer ça. Et puis, les heures ne sont pas trop longues.

Elle l'informa alors de son projet : retourner aux études, le soir, pour se perfectionner. Il lui restait à déterminer quelles études entreprendre, mais elle aviserait dans les prochaines semaines, après la confirmation de son nouvel emploi. Décidée à être autonome financièrement, elle percevait la nécessité de se munir d'un diplôme qui lui offrirait de meilleures perspectives d'emploi que celui de secrétariat. À son tour, Françoise parla de ses cours universitaires qu'elle avait l'intention de poursuivre.

— Autant le faire pendant que Jean-Yves est aux études, lui aussi. Chose certaine, avec un diplôme en traduction j'aurai de meilleures possibilités d'emploi. Tout le monde doit gagner sa vie; personne ne s'en sort. Quand Jean-Yves va devenir médecin, ça va prendre encore quelques années avant qu'il se bâtisse une clientèle stable.

— Et les enfants?

Françoise haussa les épaules en un geste d'indifférence.

— Oh! On a bien le temps. De toute façon, si on veut les élever comme il faut, il vaut mieux attendre d'avoir un peu d'argent, non?

Les études de Jean-Yves. Ensuite la clientèle de Jean-Yves. Marie-Andrée ne put s'empêcher de faire le rapprochement : «Elle agit comme avec son père; c'est l'autre qui passe en premier.» Elle se rappela leur conversation, trois ans auparavant, à la sortie du film *Un homme et une femme*. Françoise avait énoncé son rêve : se marier, avoir des enfants et rester à la maison pour les élever. Au lieu de cela, elle travaillerait pour faire vivre le ménage pendant la fin des études de son mari et le début de sa pratique professionnelle. Et les enfants viendraient plus tard. Beaucoup plus tard? Quant à elle, elle rêvait d'autonomie et de liberté. Dans les faits, elle avait été la maîtresse cachée d'un homme marié et cela avait contribué à lui faire perdre la promotion qu'elle escomptait, puis l'avait invitée à démissionner et à travailler ailleurs, en recommençant au bas de l'échelle.

Elle s'étonna tout à coup du nombre de boîtes empilées.

— Dis donc, tu as tant de stock que ça?

Françoise éclata de rire.

— T'as mis du temps à t'en apercevoir! On déménage toutes les deux, ma mère et moi!

Avec le modeste héritage de sa tante, que son mari avait toujours refusé d'utiliser, sa mère avait décidé de se gâter un peu et de meubler en neuf son nouvel appartement. Elle espérait que ces changements l'aideraient à mieux accepter la nouvelle vie qui commençait pour elle sans son mari. Et comme ses deux enfants seraient à Montréal, elle y déménageait aussi. Marie-Andrée réalisa enfin que Françoise vivrait à Montréal, elle aussi, et très bientôt! Et qu'elles pourraient se voir plus facilement. Enfin!

— Et ton travail? Tu restes chez Field & Sons?

— Je me cherche déjà quelque chose à Montréal. Ça devrait être fait d'ici le mariage, sinon je voyagerai quelque temps. Au fait, demanda-t-elle d'un air coquin, tu n'as rencontré personne d'intéressant durant ton voyage?

Marie-Andrée fit signe que non, puis se souvint du roux flamboyant et sourit; la pensée de Ghislain Brodeur n'était pas désagréable. Mais elle réalisa tout à coup qu'elle ne se rappelait plus où elle avait mis le papier qu'il lui avait glissé à l'aéroport, quelques jours auparavant. Elle se demanda alors si elle voulait le retrouver.

— Ça t'as fait du bien, ton voyage..., constata Françoise qui devinait confusément ce que lui taisait son amie. T'as l'air bien.

Marie-Andrée était d'accord avec elle. Plus que jamais, la certitude d'être en pleine possession de sa vie l'habitait, même si, dans son aspiration à la liberté, elle avait aimé un homme qu'elle avait ensuite choisi de quitter, au nom de sa chère liberté, justement. Elle se perdit dans ses souvenirs, puis les rejeta délibérément. Une nouvelle vie commençait et elle était fermement décidée à ne pas freiner son envol par des regrets. «C'est peut-être ça, devenir adulte, conclut-elle. Savoir que la liberté, ça se paye. Mais je ne voudrais pas vivre autrement.»

— Françoise, tu ne trouves pas qu'on a un bel été devant nous?

☐

Ce volume a été achevé d'imprimer
au Canada en octobre 2002.